D1407812

LE POIDS DES MENSONGES

Auteur de nombreux best-sellers, d'*Un étranger dans la maison* à *La Sœur de l'ombre*, Patricia MacDonald s'est imposée comme l'une des reines du polar, maîtresse du suspense familial et psychologique.

PATRICIA MACDONALD

Le Poids des mensonges

ROMAN TRADUIT DE L'ANGLAIS PAR NICOLE HIBERT

ALBIN MICHEL

Titre original :

MISSING CHILD

chez Severn House Publishers en 2011 (Grande-Bretagne)
et 2012 (États-Unis)

À nos voisins et amis,
Karen et Yogi Kurtz.

Prologue

Caitlin se leva et donna une poignée de main à la jeune fille asiatique aux cheveux longs et aux lunettes cerclées de noir qui, assise en face d'elle dans le bureau, s'apprêtait à prendre congé.

— Giang, je crois que vous serez satisfaite de nous, déclara Caitlin en lui tendant une carte de visite. Je veux que vous téléphoniez à ce monsieur du service des bourses et que vous preniez rendez-vous pour vos parents. Il vous aidera à monter le dossier.

Giang considéra la carte d'un air gêné.

— Mes parents ne parlent pas du tout l'anglais.

— Vous pouvez assister à l'entretien et servir d'interprète. L'université a besoin d'étudiants de votre trempe. Nous ferons le maximum pour que vous réussissiez.

— Merci, madame Rogers, répondit Giang avec un sourire radieux.

— Mademoiselle, rectifia Caitlin. Et c'est moi qui vous remercie.

Caitlin regarda la lycéenne en jean quitter le bureau. Elle avait récemment fait une présentation de l'université dans le lycée de Giang en plein centre de Philadelphie, à l'intention des potentielles recrues originaires de ces quartiers défavorisés. Caitlin dirigeait en effet le service de recrutement des étudiants issus de minorités. Son métier consistait à repérer des jeunes sans moyens financiers et les encourager à réaliser leur rêve : étudier à Brunswick University. Parfois elle se faisait l'effet d'une brigade de sauvetage à elle toute seule, qui aidait des gamins à sortir de la pauvreté et se tailler un chemin vers un avenir plus lumineux. Elle se sentait chanceuse d'avoir un travail qu'elle estimait gratifiant.

— Elle était mignonne, cette petite, dit Beverly, la secrétaire.

Beverly avait quatre enfants, et le cœur assez grand pour materner chaque étudiant de l'université, et même quelques autres.

— J'espère qu'elle décidera de venir ici. Je l'ai adressée au service des allocations. Elle aura besoin d'un coup de main pour décrocher une bourse, mais je pense que ça marchera. Elle est très motivée.

— C'est comme ça qu'on les aime, motivés. À propos de motivation, comment ça se passe pour votre frère avec ce thérapeute ?

Caitlin poussa un soupir. Son frère James, âgé de seize ans – son cadet de douze ans –, avait été contraint par le juge aux affaires familiales de suivre une thérapie. On lui avait retiré son permis de conduire probatoire après l'avoir pris la main dans le sac, en train d'acheter de la bière dans une petite épicerie. Il avait été provisoirement exclu du lycée car il s'était battu, et

il était accro à des médicaments prescrits sur ordonnance – pour lesquels il n'avait pas d'ordonnance. Elle
ignorait où il s'approvisionnait, et il était dans le déni,
clamant n'avoir jamais touché aux cachets qu'elle
dénichait dans sa chambre.

Elle s'efforçait de ne pas le juger trop sévèrement.
James et elle étaient encore sous le coup de la mort de
leurs parents, emportés l'un après l'autre par la
maladie au cours des deux dernières années. Caitlin,
qui travaillait dans l'une des universités de l'Ivy
League en Nouvelle-Angleterre, avait dû s'installer
dans la maison de ses parents et devenir la tutrice de
son frère. Ce qui s'était révélé une bien lourde responsabilité.

— Il n'en est qu'à sa deuxième séance. Celle de la
semaine dernière a été principalement consacrée à la
constitution du dossier et au résumé de l'histoire familiale. On verra.

— Seize ans, c'est un âge difficile. Et puis, ici, il est
assez solitaire.

— Je sais, il ne s'est pas encore fait d'amis.

Leurs parents les avaient élevés à Coatesville, en
Pennsylvanie, une banlieue ouvrière de Philadelphie.
Ils avaient acheté la maison au milieu des marais, dans
le sud du New Jersey, pour y passer leur retraite. Mais
ils s'y étaient installés plus tôt que prévu, lorsque
James avait commencé à accumuler les problèmes au
lycée. À Coatesville, il avait une petite amie, Karla,
une métisse incarcérée pour usage de stupéfiants. Les
parents de Caitlin espéraient qu'en éloignant leur fils
de Coatesville, ils le couperaient de Karla et de ses

mauvaises fréquentations. Au lieu de quoi l'adolescent s'était attiré encore plus d'ennuis.

— C'est dur pour vous, dit Beverly avec sollicitude. Comment avoir une vie personnelle quand on court partout, du cabinet du psy à celui de l'avocat, en passant par le lycée ? Vous êtes jeune. Il faut vous trouver un amoureux, vous amuser un peu.

— Plus tard.

— N'attendez pas trop longtemps. Surtout si vous désirez avoir des enfants.

— Vous voulez que je vous dise ? Après cette histoire avec James, je ne suis pas certaine d'avoir la fibre maternelle.

— Oh, ne parlez pas comme ça. Quand on a un enfant à soi, c'est complètement différent. Au fait, enchaîna Beverly en saisissant son sac à main et son cabas, je dois aller chercher ma benjamine et rentrer à la maison. Soirée pizza.

— Pour nous aussi, ce sera sans doute pizza.

Après le départ de son assistante, Caitlin remplit en soupirant la paperasse concernant son dernier entretien, avant de quitter à son tour le bureau.

Beverly avait raison, songeait-elle en rejoignant sa voiture, dans la lumière déclinante de cette journée de novembre. Elle avait l'impression de ne pas avoir de vie personnelle, et consacrait ses loisirs à régler les problèmes de son frère. Quand leur mère était décédée, Caitlin avait envisagé de le faire venir en Nouvelle-Angleterre. Mais elle avait préféré ne pas le déraciner une fois de plus, vu les chagrins et les bouleversements qu'il avait déjà subis. Parfois, elle se demandait si elle avait pris la bonne décision. En Nouvelle-Angleterre, elle s'était construit une existence, elle avait des amis. Ici, elle se sentait terriblement isolée.

Le paysage de marais et de forêts de pins qui s'étendait à perte de vue sous un ciel mélancolique, d'un gris strié de rose et de lavande, était à l'image de son moral. Cette partie du sud du New Jersey était à la fois pittoresque et délabrée. À l'instar de ce très joli pré qu'elle longeait, où des chevaux broutaient l'herbe roussie – mais où une voiture achevait de rouiller à côté du hangar dont le toit était crevé.

À l'époque où son père était parti en préretraite, il comptait chasser et pêcher tandis que sa femme se prélasserait sur la plage avec un bon livre. Ils espéraient que James renoncerait à ses mauvaises habitudes et se donnerait une seconde chance. Ils espéraient profiter pleinement d'une liberté durement acquise. Leur beau projet avait capoté. Et à leur mort, Caitlin avait hérité du cottage et de leurs soucis. Si seulement James remontait la pente, elle n'aurait peut-être pas l'impression de mener un combat perdu d'avance. Malheureusement, la plupart du temps, il était déprimé et ne lui adressait pas la parole. Elle vivait avec un fantôme qui hantait silencieusement la maison, errant de pièce en pièce.

Caitlin s'engagea dans l'allée de la petite maison carrée, proprette, que ses parents avaient meublée et entretenue avec tant de foi en l'avenir. Les lumières étaient éteintes, les lieux paraissaient abandonnés. Le pick-up de son père, généralement à l'abri dans le garage, était garé dehors, ce qui angoissa Caitlin et la mit en colère. James n'avait plus le droit de conduire. S'il était allé faire un tour, il aurait de ses nouvelles !

Ne l'accuse pas trop vite, se morigéna-t-elle. Tu lui as demandé de nettoyer le garage pendant la durée de la suspension du permis. Peut-être avait-il sorti le véhicule pour accéder plus aisément au bric-à-brac entassé contre le mur du fond. Cette hypothèse n'était guère plausible, cependant elle s'exhorta à la patience, s'imposa de ne pas penser immédiatement au pire.

En entrant dans la maison, elle fut surprise de trouver James au salon, dans l'obscurité. Elle alluma une lampe, considéra son frère d'un air sévère.

— Qu'est-ce que tu fais là, dans le noir ?

Il la regarda, grave, hagard.

— Rien…

— Tu veux bien m'expliquer ce que le pick-up de papa fait dans l'allée ?

— Je l'ai juste… déplacé.

— Tu n'as pas roulé, j'espère. Tu sais que tu n'as plus ton permis.

— Je sais.

— Bon, d'accord, rétorqua-t-elle, préférant ne pas en faire toute une histoire. Du moment que tu en es bien conscient.

Elle posa son attaché-case sur un fauteuil, retira sa veste.

— Je vais voir ce que je peux nous préparer pour dîner. Je te suggère d'enfiler une chemise sur ton T-shirt et de mettre des chaussures.

— Pour quoi faire ?

— Le psychologue, James. C'est ce soir.

Il ne répliqua pas.

— Allez, habille-toi.

Elle jeta un coup d'œil à la pendule. Pas le temps de commander une pizza. Elle se rabattit sur une boîte de soupe qu'elle réchauffa. Puis elle sortit des assiettes du placard et prépara des sandwichs.

— Caitlin ?

Il était planté dans l'encadrement de la porte.

— Oui, quoi ?

— Je peux pas y aller ce soir.

— Pour quelle raison ?

— Je me sens pas bien.

Dans la lumière crue du plafonnier, il paraissait effectivement malade. Blafard, les yeux cernés. Elle lui tâta le front, sous sa mèche de cheveux graisseux. Il n'avait pas de fièvre, mais sa peau était froide et moite.

— Tu n'as pas l'air très en forme, admit-elle.

— Faut que je me couche.

— D'accord, soupira Caitlin. Je vais téléphoner pour annuler.

James disparut, et Caitlin appela le cabinet du thérapeute.

— Si vous annulez, lui déclara la réceptionniste, vous devrez quand même régler la séance.

— Bon, très bien. Envoyez-moi la facture.

Elle raccrocha, lança :

— Tu veux un peu de soupe ? Un sandwich ?

— Non, répondit-il. J'ai pas faim.

Avec un nouveau soupir, Caitlin alluma la télévision pour meubler le silence pendant le repas. Le présentateur des infos relatait la mort d'une jeune mère sur la Route 47, à dix minutes de chez eux, victime d'un chauffard qui avait pris la fuite. Caitlin était trop préoccupée pour s'y intéresser vraiment. Comme d'habitude, elle se tracassait pour James, se demandait si elle réussirait jamais à communiquer avec lui.

Son dîner terminé, elle éteignit la télé, lava la vaisselle. Par la fenêtre de la cuisine, elle regarda le pick-up toujours garé dans l'allée. James avait-il entrepris de nettoyer le garage ? Elle passa dans le vestibule, cria :

— James ? Tu t'es attaqué au garage, aujourd'hui ?

Pas de réponse.

À quoi bon ? De toute manière, elle la connaissait déjà, la réponse. Il ne lui restait plus qu'à rentrer le pick-up. Elle saisit les clés pendues à un crochet et sortit. Elle pénétra dans le garage par la porte latérale et alluma la lumière, espérant contre toute raison que James s'était attelé à la corvée. Mais non, rien n'avait bougé. Toujours les mêmes cochonneries.

Elle secoua la tête. Qu'avait-il fabriqué pendant toute la journée ? Il n'avait pas déplacé le pick-up pour faire du rangement. Se balader en voiture, sans permis, ce serait bien son genre. Demain, se dit-elle, en partant au bureau, je prendrai les clés de contact.

Elle ouvrit le portail de l'intérieur, s'avança vers le pick-up et s'arrêta net. Les dégâts étaient bien visibles. L'avant du véhicule était cabossé. Sérieusement cabossé. Merde. Il avait menti, il avait conduit. On lui avait retiré son permis, et maintenant ça. Pas étonnant qu'il se sente mal, pensa-t-elle, furieuse. Et les dégâts étaient importants. On aurait dit qu'il avait percuté un arbre.

— James ! hurla-t-elle, se fichant qu'il soit malade ou pas. Bon Dieu, James !

Elle se pencha pour examiner la carrosserie et distingua sur le pare-chocs embouti une tache sombre et luisante. Elle la toucha, sentit sur ses doigts quelque chose d'humide, de gluant. Elle regarda sa main. Aucun doute possible. Le cœur battant, elle recula d'un bond.

Tout à coup, elle se rendit compte que James était là, dans l'obscurité, juste à la lisière de l'arc de cercle que dessinait l'ampoule au-dessus du portail. Il l'observait intensément. Elle considéra tour à tour ses doigts poisseux et le visage hagard de son frère.

— Qu'est-ce qui s'est passé ? chuchota-t-elle.

— Je suis désolé, Caitlin. Désolé.

— James, je te demande ce qui s'est passé. Il y a du sang partout sur le pare-chocs.

Il soutint son regard.

— Y a eu un accident.

1

— Ça va être la plus belle fête du monde, décréta Geordie.

Caitlin accrocha le dernier fanion et, prudemment, descendit du marchepied branlant.

— Je l'espère bien, dit-elle, couvant Geordie d'un regard tendre. Ce n'est pas tous les jours qu'on a six ans.

— Je les ai eus hier, mes six ans, lui rappela-t-il.

Elle opina.

— Je sais.

Ils avaient reporté la fête au dimanche car, le samedi, Travis, qui avait dix ans et était l'unique cousin de Geordie, retrouvait ses camarades scouts – or sa mère n'aimait pas qu'il manque une réunion.

— Tu as été gentil d'attendre que Travis puisse être là.

Geordie acquiesça d'un air solennel.

— Personne veut rater ma fête, dit-il.

Geordie était un petit garçon fluet, aux cheveux bruns coupés très court et aux grosses lunettes. Il lui manquait une dent de devant. Sous son bras il serrait Bandit, un dalmatien en peluche aux yeux cerclés de noir et dont une oreille ne tenait plus que par un fil.

— Il est déjà là, le gâteau ?

— Tante Haley devrait arriver d'une minute à l'autre.

De fait, à cet instant, la sonnette retentit.

— C'est sans doute elle, dit Geordie.

Il se précipita dans le vestibule, tandis que Caitlin dressait l'inventaire de ce qu'elle avait préparé : jus de pomme, soda, verres et fourchettes en plastique, plats pour la pizza et le gâteau. Sur la pelouse devant la maison, Noah achevait d'installer les jeux d'extérieur. Ils étaient fin prêts.

— Caitlin, regarde ! s'écria Geordie.

Il débarqua dans la cuisine, gambadant devant une femme blonde au visage rond, qui portait un énorme gâteau en forme de château fort ; des chevaliers Playmobil montaient la garde sur les remparts.

— Oh, Haley ! s'exclama Caitlin. C'est fabuleux !

Haley Jordan sourit fièrement.

— Il m'avait réclamé un château.

— J'ignorais que tu pouvais faire un glaçage gris, plaisanta Caitlin.

— Ça, c'est sûr que je n'ai pas beaucoup de demande.

Haley avait une boulangerie-pâtisserie, Jordan's, au centre-ville. Elle était l'ex-femme de l'oncle de Geordie, Dan, qui vivait désormais à Philadelphie. Durant les deux dernières années, depuis son mariage avec Noah, le père de Geordie, Caitlin s'était liée d'amitié avec Haley. Elle la soupçonnait d'être toujours amoureuse de Dan, même s'ils étaient à présent, ostensiblement, de simples amis.

— Alors, tout le monde vient ? demanda Haley d'un ton neutre.

— Oui, tout le monde. Une demi-douzaine de camarades de classe de Geordie. Les parents d'Emily, bien sûr. Dan.

— C'est vraiment chic de ta part d'inviter la famille d'Emily. Ils en sont touchés, je le sais.

— C'est la famille de Geordie. Pour toujours, rétorqua Caitlin, observant le petit garçon qui luttait bravement pour ne pas céder à la tentation de planter un doigt dans le nappage gris et visqueux.

À cet instant, la sonnette retentit.

— Hé toi, dit Caitlin au garçonnet. Tu ferais mieux d'aller accueillir tes invités.

Il leva le nez vers elle, ses yeux innocents grossis par les lunettes. La timidité, brusquement, le submergeait.

— Tu viens avec moi ?

— Ton papa est dehors, le rassura-t-elle.

— D'accord, pépia-t-il, retrouvant son entrain.

— Hé ! Si tu laissais Bandit dans la cuisine ? Tu auras besoin de tes deux mains pour porter les cadeaux.

Geordie considéra avec réticence son doudou adoré. À l'évidence, il n'avait aucune envie de s'en séparer.

— Non. Je voudrais pas que quelqu'un s'assoie dessus.

— Tu as raison. Tu sais quoi ? Il faut que je lui recouse l'oreille. Je te l'ai promis. Avant que la fête commence, tu n'as qu'à courir le poser sur mon bureau. Comme ça, je ne l'oublierai pas et, ce soir, je le réparerai.

Geordie hésita, puis hocha la tête.

— D'accord.

Il quitta la cuisine, étreignant la peluche dépenaillée. Caitlin se retourna vers Haley.

— Où en étais-je ? Oui… nous aurons aussi la sœur de Noah, leur mère. Et… – elle grimaça – Travis, naturellement. S'il voit Geordie se balader avec Bandit, il l'asticotera en se vantant d'avoir un vrai chien, lui, et en disant que seuls les bébés ont des animaux en peluche. Pourquoi Geordie devrait-il supporter ça le jour de sa fête d'anniversaire ?

— Si Emily était là, elle serait d'accord avec toi.

Que Haley la compare à la mère biologique de Geordie fit rougir Caitlin. Elle avait rencontré Noah lors d'une manifestation caritative organisée en mémoire d'Emily. L'événement avait été annoncé par la presse. Un an après la mort de la jeune femme, la famille d'Emily Bergen planterait des arbres dans le parc du Centre d'oncologie pédiatrique de Vineland. Le public était convié à participer ; il s'agissait de célébrer la mémoire de la défunte, mais aussi de recueillir des fonds. Caitlin s'était beaucoup interrogée : y aller, ne pas y aller ? Mais elle devait se présenter aux proches d'Emily et leur avouer la vérité. Le jour de la commémoration, elle se sentait physiquement malade, dans l'incapacité de bouger. Puis elle avait rassemblé son courage et s'était rendue à la cérémonie.

La journée ne s'était pas du tout déroulée comme elle le prévoyait. Elle avait fait la connaissance de Noah, un lien s'était aussitôt noué entre eux. Elle avait hésité et, à sa plus grande honte, gardé son secret pour elle. Le lendemain, Noah lui avait téléphoné et donné rendez-vous. Ils s'étaient fréquentés durant six mois. Geordie avait quatre ans lorsqu'elle était devenue sa belle-mère en épousant Noah.

La première année n'avait pas été facile. Geordie n'était pas un enfant capricieux et, naïvement, Caitlin imaginait que tout se passerait bien. Mais au lieu du bonheur sans nuages qu'elle espérait, elle avait dû endurer des nuits perturbées par les cris et les pleurs de Geordie qui, tout de suite après le mariage, avait souffert de terreurs nocturnes. Noah se levait, allait le consoler et le bercer. Dès qu'ils se rendormaient, Geordie mouillait son lit et appelait à l'aide. Ensemble, Noah et Caitlin défaisaient son lit, lui remettaient des draps propres et secs. Le matin, harassée, tout en lavant les draps avant de se rendre au travail, Caitlin se répétait que Geordie avait perdu sa maman et subi de terribles bouleversements. Elle se disait qu'elle devait le soutenir. Peu à peu, sa patience avait été récompensée, la situation s'était améliorée.

— Merci, dit-elle. J'aime à croire qu'elle serait d'accord, en effet.

Portant un plateau chargé de gobelets de cidre, Caitlin sortit dans le jardin que baignait un beau soleil de septembre. Elle s'immobilisa un instant, savourant les cris de joie des gamins de six ans qui se bousculaient autour des jeux. Noah s'approcha par-derrière et lui enlaça la taille.

— Oups ! fit-elle. Le cidre.

Il lui prit le plateau des mains pour le poser sur une table. Puis il renoua ses bras autour d'elle.

— Quelle belle fête ! Bravo, superbe travail !

— Geordie a l'air heureux.

— Et c'est tout ce qui compte. Parce que pour son père, ce sera indubitablement le plus long après-midi de l'année.

Caitlin sourit.

— Oh, arrête.

— Les fêtes d'anniversaire enfantines sont juste un brin plus agréables qu'une rage de dents.

Caitlin n'était pas dupe de ses ronchonnements. Noah était le plus affectueux des pères. Simplement, il ne pouvait pas feindre d'apprécier cette agitation. Et pour être franche, Caitlin aussi serait contente lorsque la fête s'achèverait et que le dernier invité lèverait le camp. Mais l'essentiel était que Geordie soit comblé.

Une antique Volvo se gara au bout de la file de voitures qui encombraient l'allée pourtant longue. Noah lâcha Caitlin.

— Je vais voir si Naomi a besoin de moi pour aider maman.

— Oui, bien sûr.

Elle suivit des yeux son mari qui se dirigeait d'une démarche élastique vers la Volvo. C'était un homme grand, musclé, à la figure large auréolée de cheveux châtains et bouclés. Caitlin savait que Geordie ressemblait davantage à sa mère qu'à Noah. Toutes les photos d'Emily, disséminées dans la maison, montraient une femme mince, brune, le visage ovale, le regard pétillant.

Noah ouvrit la portière côté passager afin d'aider sa mère, Martha, à s'extraire du véhicule. Sexagénaire et par ailleurs en bonne santé, elle était atteinte de dégénérescence maculaire. Ses yeux paraissaient trembloter

24

derrière les verres épais de ses lunettes, comme deux jaunes d'œuf grisâtres. Martha, veuve très jeune, avait mené une vie très libre, mais à présent, à cause de son problème de vue, elle était totalement dépendante de sa fille qui s'occupait d'elle en permanence, tandis que Noah l'assistait financièrement.

Naomi, Travis, son fils de dix ans, et le chien de Travis, un bâtard doté d'un sale caractère et répondant au nom de Champion, sortirent à leur tour de la voiture. Champion se mit illico à pousser des aboiements frénétiques. Travis, rondouillard et boudeur, marchait la tête baissée, concentré sur sa Game Boy.

Pourquoi Naomi l'avait-elle autorisé à amener Champion ? songea Caitlin. Elle ne voulait pas d'un chien lâché au milieu de tous ces enfants. Elle hésitait cependant à rouspéter, sachant combien Travis était attaché à son animal. Le père de Travis, Rod Pelletier, avait été tué en Irak alors que Travis était très jeune, et peu après, pour le consoler, Naomi lui avait permis d'adopter un chien. Mais Champion était hargneux, nerveux, et Caitlin ne lui faisait aucune confiance.

La famille de Noah s'avança vers elle, Martha accrochée au bras de son fils. Naomi portait deux paquets. À cause de ses kilos superflus, elle privilégiait les vêtements simples, confortables, et ne prenait jamais la peine de se maquiller. Elle travaillait au centre de recyclage du comté où elle avait créé et dirigeait une sorte de librairie gratuite constituée de bouquins récupérés parmi ceux dont les gens se débarrassaient.

— Bonjour, leur dit Caitlin. Je suis ravie que vous ayez pu venir.

Martha tourna son regard dans la direction approximative de Caitlin.

— Quelle belle journée.

— Oui, magnifique, acquiesça Caitlin. Travis, il y a beaucoup d'enfants. Tu devrais peut-être remettre Champion dans la voiture.

Il la considéra d'un air outré.

— Non. M'man, dis-lui. Tu étais OK.

Naomi ne parut pas entendre.

— Où est-ce que je peux poser les cadeaux ?

Caitlin inspira, souffla.

— À l'intérieur. Je vais te montrer.

— Caitlin a raison, intervint Noah, posant une main sur l'épaule de Travis. Champion va devoir attendre dans la voiture. Il ne faudrait pas qu'un gamin l'embête. Ne t'inquiète pas. Je baisserai les vitres, et on lui donnera quelques friandises. Je me charge de lui. Pourquoi tu ne vas pas t'amuser avec les autres ? Ils jouent au vaisseau spatial.

Travis repoussa la main de son oncle.

— J'ai pas envie de jouer à des jeux idiots avec des crétins de CP.

— Viens manger quelque chose, alors, dit Caitlin.

Elle les conduisit vers le perron de la maison, récente et confortable, de style rustique. La maison d'Emily. Parfois Caitlin se demandait comment ce serait d'avoir sa propre maison, rien qu'à elle, mais elle se hâtait de chasser cette pensée qui la culpabilisait.

En montant les marches, elle vit Haley qui, crânement, bavardait avec le frère d'Emily, Dan, et la jeune femme qui l'accompagnait – Jillian, ravissante, tout en jambes et chaussée de stilettos Jimmy Choo. Caitlin les avait accueillis à leur arrivée. L'expression de Haley, lorsqu'elle avait découvert la beauté blonde pendue au bras de Dan, lui avait serré le cœur. Certes, ils étaient divorcés depuis des années et chacun d'eux avait eu d'autres partenaires, mais Caitlin sentait bien que pour Haley, aucun homme n'égalait Dan.

Elle ouvrit la porte et désigna une desserte en chêne, au salon.

— Tu n'as qu'à poser les cadeaux là, dit-elle à Naomi. Il y a de quoi grignoter un peu partout, et de la pizza dans la cuisine.

— Je veux de la pizza, marmonna Travis en la bousculant pour passer.

Elle le suivit dans la cuisine. Les parents d'Emily y dirigeaient la manœuvre. Paula Bergen, au départ simple employée de bureau et qui avait grimpé les échelons jusqu'à devenir directrice des opérations d'une compagnie d'électricité, découpait la pizza et disposait les parts sur des assiettes en carton. Son mari, Westy, façonnait des ballons en forme d'animaux, devant un public restreint mais fasciné d'enfants groupés autour de la table.

— Eh bien, voilà ce que j'appelle une fête d'anniversaire ! s'exclama Paula. Où est Geordie ? Je veux qu'il voie les œuvres de son grand-père.

Elle sourit avec indulgence à Westy, un homme déplumé en chemise bleue. Il n'avait jamais partagé l'ambition de son épouse. « Un cadre supérieur dans la famille, c'est suffisant », se plaisait-il à répéter. Ses parents lui avaient légué tout leur argent, et il avait travaillé dans la quincaillerie locale jusqu'à sa retraite. Il était capable de construire ou réparer n'importe quoi.

— Vous avez des talents cachés, Westy !

Ce dernier tourna les yeux vers Naomi qui désignait le teckel turquoise qu'il sculptait de ses mains déformées par l'arthrite. Elle leva le pouce, une façon de l'applaudir.

Il eut un large sourire.

Caitlin éprouva, et ce n'était pas la première fois, de l'admiration pour ces deux familles par alliance. Ces gens semblaient avoir été soudés par la mort tragique de Rod et d'Emily, pour le bien des enfants.

— De la pizza, Travis ? proposa gentiment Caitlin, tendant une assiette au gros garçon qui, en présence de tous ces adultes, s'était brusquement tu. Tu peux la manger dehors, dans le jardin, avec les autres.

Travis saisit l'assiette et sortit de la cuisine. Au passage, il croisa Noah qui lui ébouriffa les cheveux.

Noah entoura de son bras les épaules de Caitlin qui lui sourit et lui prit la main. Comme toujours, elle se sentait un peu gênée lorsque Noah lui témoignait sa tendresse devant les parents d'Emily. Mais si Paula et Westy toléraient mal que Caitlin ait pris la place de leur fille morte, jamais ils ne le montraient. Au contraire, ils semblaient se réjouir que leur petit-fils ait une belle-mère aussi aimante.

Paula fredonnait et nettoyait les plans de travail comme si elle était chez elle. Assis à la table, Westy continuait à façonner les animaux que les enfants lui commandaient, en leur demandant d'être patients : il manipulait les ballons aussi vite qu'il le pouvait.

Haley entra dans la cuisine, l'air anxieux.

— Ce n'est pas l'heure de servir le gâteau ?

28

Tous les enfants groupés autour de Westy oublièrent aussitôt ballons et sculptures.

— Oui, le gâteau ! s'écrièrent-ils.

Quand on eut coupé et servi le gâteau, ce fut le moment d'ouvrir les cadeaux. Geordie était perché sur un fauteuil au-dessus d'une montagne de rubans et de papiers. De nombreux parents étaient déjà passés chercher les invités hauts comme trois pommes, cependant il restait encore une poignée d'enfants.

Dan, l'oncle de Geordie, se tenait derrière Caitlin et Noah. En polo Ralph Lauren, il embaumait l'after-shave – un luxueux after-shave. Dan menait une vie que tout homme aurait pu lui envier, songea Caitlin. Il habitait une belle maison à Philadelphie, était l'auteur d'un blog très populaire sur le sport et travaillait comme chroniqueur sportif pour une station de radio. Il écumait tous les stades du pays, et on le payait pour assister à des matchs. Sa nouvelle petite amie était jeune et belle – comme toutes celles qu'il avait présentées à sa famille.

— Il a déjà ouvert mon cadeau ? chuchota-t-il.

— Qu'est-ce que tu lui as offert ? demanda Caitlin.

— Ce coffret de DVD Pixar dont il avait envie.

— Oui, il l'a ouvert, répondit Noah.

— Alors on peut partir ? rétorqua Dan, plein d'espoir.

— Non. Si je suis forcé de rester, toi aussi, déclara Noah à son ex-beau-frère avec une joyeuse perfidie.

Les gamins poussèrent des « oh » et des « ah » quand Geordie brandit d'un air indifférent une nouvelle peluche. Westy lui tendit alors un paquet carré. Geordie déchira le papier et eut une moue perplexe.

— Qu'est-ce que c'est ?

— Des jumelles, dit Westy. Elles sont à toi. Comme ça, on pourra aller observer les oiseaux !

— Observer les oiseaux ! Bonté divine, Westy, le réprimanda Paula. Je t'avais dit de lui acheter du matériel de sport. L'observation des oiseaux, c'est un sport de vieux.

Les yeux bleus de Westy s'arrondirent, une expression blessée se peignit sur son visage.

— La semaine dernière, j'ai vu un pygargue à tête blanche. Je te parie qu'il adorera ça. Et autour du lac, il y a des balbuzards pêcheurs et des hérons. On prendra le canoë !

La perplexité, dans le regard de Geordie, fit place au ravissement. Il sortit les jumelles de la boîte.

— Super ! Je peux, papa ? Je peux aller voir les oiseaux avec grand-père ?

— Évidemment, répondit Noah. Bon, dépêche-toi de finir, fiston. Nos invités souhaitent s'en aller.

Geordie jeta un rapide coup d'œil circulaire, à la recherche d'un cadeau oublié.

— Y a plus rien.

Il descendit du fauteuil et ramassa la boîte contenant des sabres laser lumineux.

— Je peux aller jouer dehors avec ?

— Mais oui, bien sûr, dit Noah. Et emmène tes copains.

Geordie fonça à travers la maison, criant à tue-tête, suivi des quelques enfants qu'on n'était pas encore venu récupérer.

Caitlin s'empara d'un sac-poubelle et entreprit d'y entasser rubans et papiers. Haley restait plantée là, gauchement, s'efforçant de ne pas regarder Dan.

— Je t'aide ?

— Non, ça va, dit Caitlin, repoussant la mèche qui lui tombait sur les yeux. Tu as confectionné le gâteau, tu en as assez fait. On va juste ranger tout ça. Je te rapporterai ton plateau au magasin.

— Rien ne presse. J'en ai des dizaines.

Soudain, il y eut des cris dehors. Caitlin reconnut aussitôt la voix de Geordie et se précipita dans le jardin. Georgie pleurait, un sabre laser brisé à la main. Travis lui lançait des regards furtifs.

— Que s'est-il passé ? interrogea Caitlin.

— Travis l'a cassé, hoqueta Geordie.

— Je l'ai pas fait exprès, protesta Travis d'un ton peu convaincant.

— Si, tu l'as fait exprès ! s'indigna Geordie.

— T'es qu'un bébé pleurnichard, lui asséna Travis, méprisant.

Les autres gamins se faisaient tout petits, peu désireux d'intervenir dans la guerre des cousins.

Naomi poussa un soupir.

— Bon. Viens, Travis. Il est temps de partir. Maman, tu es prête ?

— Je suis prête, répliqua Martha avec entrain.

Caitlin tenta d'attirer l'attention de Noah, avec l'espoir qu'il saisisse cette occasion de gronder son neveu, mais Noah regardait ailleurs.

Dan s'approcha d'elle, Jillian derrière lui, ses hauts et fins talons s'enfonçant dans la pelouse.

— On doit s'en aller aussi, annonça-t-il.

Paula, qui s'était précipitée elle aussi sur le perron en entendant les sanglots de Geordie, scruta son fils.

— Dan, qu'est-ce que tu as ?

Il se passa une main sur le front.

— Nous devons partir. Je… j'ai la migraine.

— Je t'ai à peine vu !

— Je sais, mais j'ai la tête dans un étau. Vraiment.

Enlaçant Jillian, il la poussa en direction de la voiture.

— Tu peux conduire, mon chou ?

— Je te l'ai déjà dit : je n'ai pas le permis.

— Je crois que je vais y aller aussi, dit Haley à Caitlin, d'un ton las.

Caitlin l'embrassa.

— Merci infiniment. Ce gâteau était un régal.

— Bon, la fête est finie ! déclara Noah, soulevant dans ses bras son fils en larmes.

Geordie, brusquement vidé de son énergie belliqueuse, posa la tête sur l'épaule de son père ; des sanglots le secouaient encore. Il était trop jeune pour avoir honte de pleurer.

Paula et Westy s'approchèrent de leur petit-fils. Westy caressa son dos fluet et l'embrassa sur la joue.

— Pour nous aussi, il est temps de partir, Geordie, dit Paula. Si tu veux que je reprenne ces jumelles pour t'acheter autre chose…

— Hé ! protesta Westy. Mon copain et moi, on ira guetter les oiseaux des marais. Pas vrai ?

Geordie opina mollement et bâilla.

— Tu es un adorable petit garçon, dit Paula.

Caitlin sourit aux Bergen, contente que Geordie leur ait sauvé la mise en acceptant leur cadeau avec plaisir. Westy, à présent, semblait enchanté de son choix.

— Merci pour tout, murmura-t-elle.

Noah et elle dirent au revoir aux grands-parents de Geordie, agitèrent la main tandis que Paula et Westy, bras dessus bras dessous, rejoignaient leur voiture. Quand ils eurent démarré, elle se tourna vers son mari.

— Noah, tu as bien vu que Travis avait cassé ce sabre volontairement.

— Eh bien… oui. Mais je ne voulais pas entrer dans cette discussion avec ma sœur. Pas aujourd'hui. Elle en a beaucoup sur les épaules.

— Je le sais. Et je sais que tu te sens coupable parce que c'est elle qui s'occupe de votre mère. Je comprends très bien. Mais il serait peut-être bon qu'à un moment, tu lui en parles. Travis n'est vraiment pas gentil.

Noah déplaça Geordie avachi sur son épaule.

— Où est Dan ?

— Parti. Il avait la migraine.

— Ouais, c'est ça, grommela Noah.

— Pardon ?

— Ce genre de fête n'est pas précisément ce qui amuse le plus Dan.

— C'était très gai pourtant, rétorqua Caitlin.

— Ça t'a plu ? demanda Noah à son fils blotti contre lui.

Geordie opina sans relever la tête.

— Dieu merci, tu n'as qu'un anniversaire par an, ajouta Noah.

— Je sais, murmura Geordie, solennel.

— Vous êtes épouvantables, dit Caitlin avec bonne humeur. Tous les deux.

Noah chuchota quelque chose à l'oreille de Geordie.

— Merci, maman, dit le garçonnet, tendant à Caitlin une petite main qu'elle prit dans la sienne.

— De rien, chaton.

Elle se détourna pour qu'il ne voie pas les larmes qui lui embuaient les yeux. Elle les essuya d'un revers de main, toussota.

— Bon, je ferais mieux de ranger un peu.

Elle pivota pour regagner la maison, s'efforçant de penser aux tâches qu'elle avait à effectuer. Mais son cœur chantait : Geordie l'avait appelée « maman ». Par ce mot il avait rendu les choses officielles. Il était son enfant.

2

Le lendemain matin, debout devant l'évier, Caitlin offrait son visage au soleil qui entrait à flots par la fenêtre de la cuisine et zébrait la table du petit déjeuner où Geordie, une joue appuyée sur sa main, jouait avec ses céréales. Caitlin enveloppa d'un regard compatissant le garçonnet apathique. L'atterrissage, après l'excitation de l'anniversaire, lui était visiblement pénible.

Noah surgit dans la pièce, posa son attaché-case à côté de la table. Il prit un toast, mastiqua une bouchée.

— Hé, mon grand, il faut finir tes céréales. Tu n'as pas dîné, hier soir. Tu n'as mangé que des cochonneries et du gâteau.

— J'ai pas faim, marmonna Geordie. Je crois que je suis malade.

Noah fronça les sourcils.

— Malade comment ?

Geordie haussa les épaules.

— Je crois que j'ai attrapé ce qu'il avait, oncle Dan.

— Oncle Dan avait la migraine. Ce n'est pas contagieux.

L'argument n'ébranla nullement le petit garçon.

— Je peux rester à la maison ?

— Tu n'as pas l'air malade.

— Je veux rester à la maison avec toi, dit plaintivement Geordie.

— Impossible. Ce matin, je suis au tribunal, rétorqua Noah. Et toi, mon grand, tu as école. Alors tu te dépêches de finir ton petit déjeuner. Aujourd'hui, c'est Caitlin qui t'emmène.

— Mais c'est la fête de l'automne ! objecta Geordie. Il faut que tu voies mon projet. Celui qu'on a fait avec des feuilles.

— Je pensais que ça durait toute la semaine, grimaça Noah.

— Faut que tu viennes aujourd'hui !

— Voilà ce que je te propose, déclara Noah après réflexion. Je passe te prendre après la classe et tu me montres ça.

— Non, c'est pas bien. Tout le monde vient ce matin.

Geordie s'affala sur la table, la tête sur ses bras maigrelets.

Noah, lui, termina son toast.

— Cet après-midi, Geordie.

— Allez, Geordie, intervint Caitlin. Moi, je viens voir ton œuvre. Et si tu te dépêches, on passera du côté des écuries, tu sais, là où il y a des chevaux.

Geordie se redressa, les yeux ronds derrière ses lunettes.

— Ils seront dehors, les chevaux ?

— Probablement.

Comme par enchantement, l'enfant en oublia sa maladie et son dépit, bondit sur ses pieds et se précipita vers sa chambre.

— Holà ! Le bol, dit Caitlin.

Sans rechigner, Geordie fit volte-face, saisit son bol et sa cuillère et les déposa dans l'évier pour que Caitlin les lave. Puis il fonça chercher son sac à dos.

— Merci, dit Noah avec un soupir de soulagement. Tu m'as sorti d'affaire. Tu es douée, tu sais.

— Douée pour quoi ?

— Avec les gosses. Tu es douée.

Elle ne répliqua pas.

— Je t'assure, insista Noah. Chez toi, c'est naturel.

— Pas vraiment.

Noah scruta son visage.

— Tu penses à ton frère ?

Elle fit non de la tête, pourtant il avait lu dans son esprit.

— Une fois qu'ils sont ados, c'est trop tard, déclara Noah. On ne peut plus les changer.

Caitlin évitait ce sujet. Noah ne connaissait son histoire que dans les grandes lignes. Il savait qu'après le décès de leurs parents, Caitlin s'était installée dans la maison familiale pour s'occuper de son frère adolescent. Il savait aussi que James était mort d'une overdose médicamenteuse. Et c'était tout.

— Hmm, marmonna-t-elle, irritée.

— Tu n'es pas responsable de ce qui est arrivé à James. Crois-moi. Je vois des gamins comme lui sans arrêt, au tribunal. Même un père ou une mère n'y peuvent rien. Alors une sœur…

— Tu as sans doute raison, murmura-t-elle.

— Tu as fait le maximum.

— Ce n'était pas assez.

— Écoute, peut-être que tu ne me crois pas, mais j'étais sincère en te disant que tu es douée. Tu es une très bonne…

— Bonne quoi ? demanda une petite voix.

Noah pivota, baissa les yeux sur la frimousse de son fils. Ses grosses lunettes. Ses incisives écartées. Il souleva Geordie et l'étreignit.

— Oh, toi, tu es bon à croquer !

Geordie hurla de rire, tandis que son père feignait avec un grand slurp de dévorer sa joue duveteuse.

Sur le parking de l'école défilait en principe un cortège ordonné de véhicules qui s'arrêtaient pour déposer les enfants et repartaient aussitôt. Aujourd'hui, à cause de la fête, les adultes cherchaient à se garer pour accompagner leurs rejetons à l'intérieur du bâtiment. Caitlin avait l'habitude de laisser Geordie juste devant l'école, mais ce matin les portes de l'auditorium étaient ouvertes, or c'était plus près du parking. Elle continua donc, roulant au pas, et trouva une place de stationnement.

Geordie partit au galop et disparut dans la foule. Caitlin pénétra à son tour dans l'auditorium, équipé d'une scène à une extrémité et d'une cuisine ouverte à l'autre. Il faisait office de cafétéria à l'heure du déjeuner et souvent de gymnase. Pendant la fête de l'automne, tous les cours de gym avaient lieu dehors, au soleil ; les élèves prenaient leur repas comme à l'accoutumée, parmi les œuvres accrochées aux murs.

Caitlin jeta un regard circulaire, en quête de Geordie. La salle était pleine de parents que leurs enfants remorquaient ou traitaient avec la plus totale indifférence. Caitlin ne connaissait la plupart de ces gens que de vue, alors qu'eux semblaient tous intimes. Et beaucoup avaient connu Emily. Depuis son mariage avec Noah, Caitlin s'était efforcée de se montrer discrète, de crainte d'être accusée de ne pas respecter la mémoire d'Emily.

Toujours pas de Geordie à l'horizon. Soudain, elle aperçut Naomi ; ce visage familier lui fit un plaisir fou.

— Naomi !

Celle-ci, en pleine discussion avec une autre maman, pivota, les sourcils froncés. Puis elle agita la main pour saluer Caitlin qui s'approcha.

— Bonjour…

— Bonjour, Caitlin. Tu connais Janice ?

Comme Caitlin secouait la tête, Naomi fit les présentations, après quoi son interlocutrice s'excusa : elle devait s'en aller.

Caitlin fouilla des yeux l'auditorium bondé.

— Je cherche Geordie. Il s'est rué à l'intérieur avant que j'aie eu le temps de lui dire de m'attendre.

— Je ne l'ai pas vu. Bon, moi aussi, je m'en vais. Comment s'appelle son instituteur ?

— M. Needleman.

— Il doit être dans les parages, à faire des entrechats, ironisa Naomi.

— Il semble être un excellent enseignant, rétorqua Caitlin, une note de reproche dans la voix.

— Oh oui, il est compétent. Je pense simplement qu'il serait mieux pour tous ces garçons d'avoir un modèle plus… traditionnel.

— Traditionnel ?

— Plus viril, voilà ce que je veux dire. Moi, je me réjouis que Travis soit chez les scouts. Le chef de groupe est un ancien copain d'armée de Rod. Eh bien, je suis contente que mon gamin ait ce genre d'exemple. De nos jours, la vie est suffisamment compliquée.

— Je crois qu'il est bon pour les enfants de connaître toutes sortes de personnes, dit Caitlin, diplomate et préférant ne pas se lancer dans un tel débat avec sa belle-sœur.

— Sans doute, soupira Naomi. Bon, il faut que j'aille au travail. Si je croise Geordie, je lui dis que tu le cherches. Tu devrais regarder le travail de Travis. Il a pris pour thème le recyclage, précisa-t-elle fièrement.

— Je regarderai, promit Caitlin.

Naomi s'éloigna et, en un instant, fut engloutie par la foule.

Caitlin se dirigea vers l'exposition de la classe de M. Needleman. Elle ne cessait de jeter des coups d'œil en tous sens, dans l'espoir de repérer le garçonnet, en vain. Elle finit par trouver, parmi les travaux des élèves, celui de Geordie, qu'elle étudia attentivement pour en mémoriser les détails et pouvoir le lui décrire.

— Geordie a bien travaillé, commenta Alan Needleman, qui s'était approché.

Il était jeune – la trentaine –, pourtant il commençait déjà à se dégarnir. Il avait des fossettes, des cils pâles. Il portait une veste à damiers, des chaussures de jogging dernier cri. Il émanait de lui une espèce d'énergie positive qui, chaque fois qu'elle le rencontrait, amenait un sourire sur les lèvres de Caitlin. D'après la rumeur, il vivait avec un homme qui travaillait à la caserne des pompiers du comté de Deptford.

— J'avoue qu'il en est très fier, dit Caitlin.

— Il m'a expliqué que vous l'aviez aidé à réunir les feuilles et à chercher les noms latins.

— En effet, répondit-elle, ravie. Nous sommes allés à l'arboretum. J'adore faire des choses avec lui.

— Geordie est un petit garçon formidable.

— C'est aussi notre avis, répliqua-t-elle, fouillant de nouveau la salle des yeux. Vous ne l'auriez pas vu, par hasard ?

— Oh, je suis certain qu'il gambade dans les parages.

— Je n'aime pas partir sans l'avertir, mais je dois y aller, le travail m'attend. Vous lui direz que j'ai admiré son œuvre ?

— Comptez sur moi.

Le front plissé, Caitlin balayait la salle du regard.

— Louper une occasion d'être complimenté, ça ne lui ressemble pas.

— Sur ce plan, ils sont tous pareils, plaisanta Alan Needleman. Ne vous inquiétez pas, je lui répéterai vos éloges.

À l'université, Caitlin se gara sur l'emplacement qui lui était réservé, entra dans le bâtiment et déverrouilla la porte de son bureau. Août et septembre étaient généralement cauchemardesques, les étudiants prenant un malin plaisir à changer d'emploi du temps, de matière principale et, d'une façon générale, d'avis. Pourtant, à sa surprise, la semaine dernière avait été tranquille. Elle avait même eu la possibilité, en début de journée, de s'atteler à des tâches administratives en souffrance avant son premier rendez-vous pédagogique.

Elle passa à l'accueil saluer Beverly. Des portraits angéliques de ses quatre enfants s'alignaient sur sa table. Mais ce matin, une inconnue était assise sur sa chaise.

— Bonjour, dit Caitlin.

— Bonjour, madame Eckert. Je m'appelle June. Je remplace Beverley. L'un de ses gamins est tombé, il s'est cassé le poignet.

— Oh flûte…

— Elle sera là demain.

— Merci. Savez-vous ce que vous avez à…

— Beverly m'a briefée, l'interrompit June. Tout va bien.

— Merci. Je serai à côté, ajouta Caitlin, montrant sa porte.

June opina et, comme le téléphone sonnait, décrocha.

— Bureau de Mme Eckert.

Caitlin regagna son antre, petit mais douillet, et attendit que la remplaçante lui passe la communication. Mais rien ne se produisit. Surprenant. Certes, elle n'était peut-être pas concernée par ce coup de fil, et comptait naturellement sur Beverly pour filtrer les appels, mais comment June en serait-elle capable ? Oh, arrête de jouer les petits chefs, se tança-t-elle. Profite du calme.

— Elle sait sûrement ce qu'elle fait, marmonna-t-elle, s'adressant à un interlocuteur imaginaire.

Soudain, ce fut son mobile qui sonna. Elle sursauta, fouilla dans son sac et en extirpa l'appareil.

— Madame Eckert ? demanda une voix inconnue.

42

— Oui.

— Ici Mlle Benson. Du service administratif de l'école de Geordie. J'ai essayé de joindre votre mari, mais apparemment il a éteint son téléphone.

— Il est au tribunal. Qu'y a-t-il ? s'inquiéta Caitlin, songeant qu'au petit déjeuner Geordie s'était plaint d'être malade – peut-être n'avait-il pas menti, peut-être ne se sentait-il vraiment pas bien. Geordie est souffrant ?

Il y eut un silence à l'autre bout du fil.

— Je vous téléphonais justement pour vous poser cette question, articula Mlle Benson.

— Comment ça ? rétorqua Caitlin, saisie d'une brusque appréhension.

— Eh bien, il n'est pas à l'école aujourd'hui. En cas d'absence d'un élève, nous avons pour principe de nous informer auprès des parents.

— Il doit y avoir une erreur, dit Caitlin, abasourdie. Il est à l'école. Je l'ai amené moi-même ce matin.

Nouveau silence. Puis :

— Je vais encore vérifier et je vous rappelle. Dans un instant.

— Attendez… Que se passe-t-il ? s'écria Caitlin.

Mlle Benson hésita.

— L'instituteur de Geordie nous a signalé son absence.

— M. Needleman ? Mais il se trompe. J'ai bavardé avec lui à la fête, tout à l'heure.

— C'est sûrement une erreur. Je vérifie et je vous rappelle.

— Non, ne raccrochez pas !

— Je ne raccroche pas. J'appelle sur une autre ligne.

Caitlin avait les mains moites. Elle les essuya sur le pantalon de son tailleur.

La voix de Mlle Benson retentit de nouveau à son oreille.

— Je suis navrée, il n'y a pas d'erreur. M. Needleman n'a pas vu Geordie dans sa classe. Nous allons faire une annonce et fouiller le bâtiment. Je vous recontacte tout de suite après.

— Non, non. J'arrive.

Avant que son interlocutrice ait pu répliquer, Caitlin coupa la communication, saisit sa veste et son sac. Elle était tout étourdie, comme si on lui avait asséné un coup de poing en pleine face. Elle ne prit que le temps de dire à June qu'elle ignorait quand elle reviendrait. Sourde aux questions et protestations de la remplaçante, elle sortit en toute hâte.

3

En montant quatre à quatre les marches de l'école, Caitlin priait à mi-voix.

— Faites que ce soit une erreur. Seigneur, pitié. Faites que ce soit une erreur.

Une grande pancarte bariolée annonçant la fête de l'automne trônait dans le hall. Caitlin passa devant à toute allure, ouvrit brutalement la porte du bureau et découvrit dans la pièce plusieurs personnes. Avant que quiconque ait prononcé un mot, elle sut.

M. Needleman lui déclara sans autre préambule :

— Nous passons l'école au peigne fin, madame Eckert.

— Mais... je vous l'ai dit à l'auditorium. Il était là.

— Je sais, je sais. Malheureusement, il n'était pas en classe.

— Je ne comprends pas...

— Dès que je m'en suis aperçu... bredouilla M. Needleman d'un air peiné.

La directrice, Mme Hunt, une robuste femme d'âge mûr, s'approcha de Caitlin.

— Ne paniquons pas, dit-elle d'un ton apaisant. Il y a plusieurs explications possibles. Son père est peut-être venu le prendre. Jusqu'ici, nous n'avons pas réussi à le joindre.

— Il est encore au tribunal. Je leur ai téléphoné pour qu'ils avertissent Noah au plus vite.

— Tant mieux. Avec un peu de chance, il saura où se trouve Geordie. Mais, au cas où, il ne faudrait pas perdre un temps précieux. J'ai alerté la police, ils seront là d'un instant à l'autre. En attendant, on fouille l'école de fond en comble. Il se cache peut-être dans un coin. Les enfants font ça, parfois.

— Mon Dieu… balbutia Caitlin. La police ?

— Simple précaution. Tenez, asseyez-vous, dit Mme Hunt en lui avançant un siège.

Caitlin voulut refuser, mais ses genoux s'entrechoquaient. Elle se laissa tomber sur le fauteuil. Elle entendait des téléphones sonner dans le bureau, des voix nerveuses. Des gens se rassemblaient à l'extérieur de la pièce, dans le hall, ils parlaient tout bas. Quelqu'un lui offrit un verre d'eau, qu'elle refusa.

Elle se repassait mentalement le film de la matinée. Le petit déjeuner, le bref arrêt pour saluer les chevaux, le trajet jusqu'à l'école. Elle revoyait Geordie fendant la foule, pressé d'atteindre la salle d'exposition. Cependant il n'était pas dans l'auditorium lorsqu'elle y était entrée. Pourquoi ne l'ai-je pas cherché à ce moment-là ? pensa-t-elle. Je n'aurais pas dû m'en aller avant de l'avoir trouvé, de lui avoir dit que j'aimais beaucoup son travail. Pourquoi suis-je partie ?

Mme Hunt lui posa soudain une main fraîche sur le bras.

— Votre mari vient d'appeler. Il arrive.

— Il n'a pas vu Geordie ? demanda Caitlin d'une voix blanche car elle connaissait déjà la réponse.

La pensée qui la transperça alors lui contracta l'estomac si brutalement qu'elle craignit de vomir. Noah lui avait confié Geordie. Elle était coupable.

Dehors, une sirène retentit. La police débarquait. Un frisson glacé parcourut Caitlin. Où Geordie avait-il pu aller ? Quelqu'un l'avait-il…

Son esprit se refusait à envisager certaines hypothèses.

À travers la paroi vitrée de la pièce, elle entendit un claquement de porte, des pas. Ce n'était pas un policier qui accourait, mais une demi-douzaine d'hommes. Deux d'entre eux pénétrèrent dans le bureau, tandis que les autres attendaient à l'extérieur, sans répondre aux questions des élèves et des enseignants curieux attroupés dans le hall.

Un quinquagénaire en veston et cravate, un chauve aux traits accusés, les cheveux poivre et sel et les sourcils noirs, se présenta sucentryement :

— Inspecteur Mathis. Des nouvelles de l'enfant disparu ?

Mme Hunt secoua gravement la tête.

— Bon, dit l'inspecteur. On a des photos de lui ?

— Oui, répondit Caitlin.

Elle se leva, vacillante, farfouilla dans son sac.

— Vous êtes la mère de l'enfant ?

— Sa belle-mère, murmura-t-elle, sortant de son portefeuille la photo de classe de Geordie prise l'année précédente.

— Où est sa mère ?

— Elle… elle est décédée, bredouilla Caitlin en lui tendant le portrait dans sa pochette plastique. Voilà Geordie.

Mathis, impassible, examina le cliché.

— Quel âge il a ?

— Six ans. Il vient de les avoir. Hier, il a fêté son anniversaire.

— Qu'est-ce qu'il portait, ce matin ? interrogea Mathis d'un ton abrupt, mais sans hostilité.

Caitlin s'efforça de réfléchir.

— Euh… un sweat. À capuche. Un sweat gris. Avec un motif imprimé dessus.

— Quel motif ?

Caitlin s'efforça de visualiser le vêtement.

— Un personnage des *X-men*. Wolverine, je crois.

Mathis pivota et donna la photo à la secrétaire assise à sa table.

— Il a toujours des lunettes ?

— Oui, toujours, souffla Caitlin.

— Vous avez noté ? demanda Mathis à la secrétaire.

La jeune Mlle Benson opina craintivement.

— Tapez tout ça, scannez cette photo et faites-moi une centaine de copies. C'est possible ? Immédiatement ?

Elle hocha de nouveau la tête et s'attela illico à la tâche.

— Qui a signalé sa disparition ?

Alan Needleman s'avança, levant la main à contre-cœur.

— Je suis… l'instituteur de Geordie. Je m'appelle Needleman. Alan Needleman. La matinée a été passablement chaotique. Nous sommes en pleine fête de l'automne… ajouta-t-il, désignant le hall d'un geste vague.

Le policier, les sourcils froncés, détaillait son interlocuteur, sa frêle silhouette, sa veste à damiers.

— Et alors ?

— Et alors, je n'ai pas pu faire l'appel tout de suite. Mais quand je l'ai fait… Geordie n'était pas là. J'avais vu sa mère à l'auditorium ce matin, elle l'avait conduit à l'école. Donc, évidemment… je me suis inquiété.

L'inspecteur Mathis se tourna de nouveau vers Caitlin.

— D'accord. J'ai besoin de savoir exactement tout ce qui s'est passé. Vous l'avez amené ici ce matin ?

— Oui.

— Où était son père ?

— Il… Noah… il est avocat. Ce matin, il était au tribunal.

— Donc vous avez conduit l'enfant directement de votre domicile à l'école.

— Oui. Enfin… non. Nous nous sommes arrêtés… en chemin…

— Pour quelle raison ?

— Pour caresser des chevaux. Il adore ça. Ensuite nous sommes arrivés à l'école.

— Et vous l'avez accompagné dans le bâtiment.

— Oui.

— Vous l'avez accompagné à l'intérieur. En le tenant par la main.

— Eh bien, non. Il était très excité par la fête. Mais je l'ai vu entrer. Il était devant moi, il courait. Je l'ai vu entrer.

— Vous ne l'avez pas accompagné.

— J'étais juste derrière lui. À quelques mètres.

Mathis avait des yeux gris, un regard froid, indéchiffrable.

— Il est entré par la porte du hall ?

— Non, admit Caitlin, les joues rouges. Il y a une autre porte là-bas, à côté de l'auditorium. Ce matin elle était ouverte. Pour la fête de l'automne. L'exposition des travaux des élèves.

— C'est-à-dire ? Mathis se tourna vers Mme Hunt.

— C'est une de nos manifestations annuelles. Les élèves réalisent des travaux en rapport avec l'automne, et nous les exposons dans l'auditorium. Les familles peuvent les voir avant la classe.

— Vous êtes entrée pour voir cette exposition ? demanda-t-il à Caitlin.

— Oui.

— Avez-vous remarqué quelqu'un quand Geordie est entré dans l'auditorium ? Quelqu'un qui l'aurait croisé ?

— Il y avait beaucoup de monde, répondit pitoyablement Caitlin. Beaucoup de gens qui entraient et sortaient.

Mathis braqua son regard sur la directrice.

— C'est malheureusement vrai, confirma-t-elle.

— Vous avez rencontré des connaissances ?

Caitlin réfléchit une seconde.

— Oui… la tante de Geordie. Son fils fréquente aussi cette école.

— Il me faudra les noms.

— Naomi. Naomi Pelletier. Et Travis.

— Qui d'autre ?

— J'ai bavardé avec son instituteur, M. Needleman.

À ce moment, la porte du hall s'ouvrit. Noah se figea sur le seuil, impressionné par la présence des policiers en uniforme.

— Voilà mon mari, dit Caitlin. Je peux…

— Vous restez ici, ordonna l'inspecteur.

Noah, apercevant Caitlin dans le bureau, se précipita.

— Qu'est-ce qui se passe ? Où est Geordie ?

— Je ne sais pas, répondit Caitlin qui fondit en larmes. On ne le trouve pas.

Noah plaqua ses mains sur son nez et sa bouche, comme pour étouffer un cri.

L'inspecteur Mathis l'observait d'un drôle d'air.

— Vous êtes le père de l'enfant ?

Noah baissa les mains, acquiesça.

— Nous nous sommes déjà rencontrés. Je… c'est mon équipe qui a enquêté sur le délit de fuite. Quand votre femme a été tuée.

— Je me souviens, rétorqua Noah avec une pointe d'amertume. Vous n'avez jamais arrêté le chauffard.

— Je suis navré de vous revoir dans de pareilles circonstances.

Le visage de Noah était blême, glacial. Du marbre.

— Où est mon fils ?

— C'est ce que nous essayons de déterminer, déclara l'inspecteur Mathis avec brusquerie. Est-ce que votre fils a tenté de vous joindre, aujourd'hui ?

Par réflexe, Noah prit son mobile et vérifia le journal d'appels.

— Non.

Mathis lui désigna un siège. Noah fit non de la tête.

— Quand avez-vous vu Geordie pour la dernière fois ?

— Ce matin. Au petit déjeuner. Il…

Noah s'interrompit, pinçant les lèvres.

— Continuez.

— Il s'est plaint d'être malade. Il voulait rester à la maison. Moi, je devais me rendre au tribunal, se justifia Noah.

— Y a-t-il quelqu'un chez qui il aurait pu aller, s'il se sentait mal et avait décidé de quitter l'école ?

— Je ne sais pas. Ma mère. Mes beaux-parents… ses grands-parents. Il connaît leurs numéros de téléphone.

— Donnez-moi ces numéros.

Noah s'exécuta.

— Ma mère ne peut pas conduire. Elle ne serait pas venue le chercher. Et mes beaux-parents… ils ne l'auraient pas emmené sans le signaler.

L'inspecteur Mathis composait déjà leur numéro.

— Quel est leur nom ?

— Bergen, répondit Noah d'un ton acide. Vous ne vous en souvenez pas ?

Mathis opina gravement.

— Si, maintenant que vous le dites… oui, je m'en souviens. Évidemment.

Il fit signe à Noah de se taire.

— Monsieur Bergen ? Ici l'inspecteur Sam Mathis.

À cet instant, la secrétaire les rejoignit avec un paquet de feuilles. Caitlin discerna le petit visage de Geordie, ses lunettes, ses joues pâles contre le fond bleu ciel utilisé par le photographe qui tirait le portrait des élèves. Mathis rafla les papiers et sortit du bureau, tout en continuant à parler au téléphone. Il distribua les feuillets aux flics plantés dans le hall, qui s'éparpillèrent comme autant d'oiseaux prenant leur envol.

Noah se tourna vers Caitlin.

— Ma mère va être dans tous ses états. Les parents d'Emily aussi.

— Il y a forcément une explication.

— Oh, Seigneur… gémit-il en se passant la main sur la figure.

Caitlin se blottit dans ses bras. Il l'étreignit de toutes ses forces, il tremblait, la respiration sifflante, comme s'il soulevait un poids terrible.

— On le retrouvera, chuchota-t-elle.

— Mais où aurait-il pu aller ?

— Voilà, mes hommes ont la photo de Geordie, déclara Mathis en revenant dans le bureau. Ils interrogeront tout le monde dans l'école et ses environs, au cas où on aurait vu votre fils quitter les lieux, seul ou avec quelqu'un. J'ai envoyé un de mes gars avertir votre mère. Vos beaux-parents sont en route. Je leur ai demandé de nous rejoindre au commissariat. Est-il possible que votre fils ait fait une fugue ? Ça lui est déjà arrivé ?

Noah leva les mains dans un geste d'impuissance.

— Non. Il a six ans. Il ne sait même pas… se diriger tout seul.

— Parfois les très jeunes enfants agissent de façon impulsive. Il était contrarié ?

— Non, répondit Noah qui, désemparé, regarda Caitlin. Il n'était pas contrarié, hein ?

— Il allait bien, affirma-t-elle.

Noah examina son téléphone pour la énième fois.

— Il a dit qu'il était malade, mais je ne l'ai pas cru.

— Il n'était pas malade, chéri, insista Caitlin. Il allait très bien.

Alan Needleman s'approcha d'eux.

— Monsieur Eckert ? Je suis l'instituteur de Geordie.

— Bonjour, monsieur Needleman.

— Je suis terriblement navré. Je ne sais pas comment cela a pu se produire. J'ai prévenu la direction dès que…

— Ce n'est pas votre faute.

— Votre fils n'était pas bouleversé pour une raison ou une autre qui aurait pu l'inciter à quitter l'école sans rien dire ? insista Mathis.

— Non, soupira Noah. Il n'y avait rien de particulier.

Needleman grimaça et leva une main, tel un élève qui souhaite prendre la parole en classe. Mathis le regarda fixement. Il baissa la main.

— Quelquefois certains élèves plus âgés le chahutaient. Il… c'est un garçon petit, fluet. Les autres se moquent un peu de lui. Ils l'appellent « le binoclard », et ainsi de suite.

— Travis, articula Caitlin, furieuse.

— Qui est Travis ? demanda Mathis.

Noah dévisagea Caitlin d'un air mécontent. Elle baissa le nez, secoua la tête.

— Travis est le cousin de Geordie, expliqua Noah. Le fils de ma sœur. Il a traversé des moments très durs. Son père a été tué en Irak.

— Il brutalise votre fils ?

— Mais non, soupira Noah. Franchement, cela n'a rien à voir avec Travis.

— Inspecteur Mathis, appela Mme Hunt.

— Excusez-moi, dit Mathis qui les planta là.

— Je suis vraiment navré, murmura Needleman. Si je peux faire quoi que ce soit…

Noah ne réagit pas, la mine sombre.

— Merci, balbutia Caitlin.

L'instituteur s'éloigna.

Dans le bureau, les enseignants s'étaient regroupés et parlaient à voix basse. La directrice s'entretenait avec Sam Mathis. Des policiers revenaient dans le hall, faisaient leur rapport à un autre inspecteur qui vint se camper sur le seuil et héla Mathis. Les deux hommes se parlèrent tout bas, intensément.

Caitlin agrippa la main de Noah et pria, mais aucun son ne franchit ses lèvres desséchées.

Au bout de quelques minutes, Noah lui lâcha la main et se mit à faire les cent pas. Il fourrageait dans ses cheveux. Enfin, n'en pouvant plus, il interrompit les deux hommes.

— Qu'est-ce qui se passe ? Qu'est-ce que vous fabriquez ?

Sam Mathis se retourna vers Noah et Caitlin.

— Bon, écoutez. Il vaut mieux traiter cette affaire au commissariat. Il faut nous dire tout ce qui vous vient à l'esprit, le moindre détail. Les endroits où Geordie aurait pu aller. De notre côté, nous avons déclenché l'alerte AMBER.

Noah laissa échapper un gémissement. Caitlin s'essuya les yeux d'un revers de main.

— Qu'est-ce que c'est ?

— Une alerte lancée dans tout le pays quand un enfant est porté disparu. On ne traite pas les disparitions d'enfants comme les disparitions d'adultes ou même d'adolescents. On n'attend pas. Les recherches débutent immédiatement.

Noah le dévisagea.

— Vous pensez qu'on l'a enlevé.

Caitlin étouffa un cri.

— Nous n'avons pas de certitude. Il a pu s'en aller volontairement. Ça arrive. Les gamins sont comme ça, il leur passe une idée par la tête, et hop, ils s'en vont. À moins qu'il se cache quelque part ici même, dans l'école. Tout est possible. Mais nous devons envisager… le pire. Garder espoir, mais envisager le pire.

— Un kidnapping, dit Noah d'une voix tremblante.

Sam Mathis le dévisagea à son tour, une lueur de compassion adoucit un instant ses traits.

— Il nous faut travailler à partir de cette hypothèse. En effet.

4

L'atmosphère, au commissariat, était électrique. Tous les policiers disponibles étaient sur le pont. Le brigadier-chef de permanence répartissait les tâches, et les hommes s'en allaient par deux, munis du flyer sur lequel était imprimée la photo de Geordie. Mais tout se figea une fraction de seconde lorsque Caitlin et Noah, frissonnants et hagards, suivirent Sam Mathis dans la salle.

Les Bergen étaient déjà là. Paula laissa échapper un cri et se précipita vers Noah qui la serra brièvement dans ses bras.

— Aujourd'hui, je travaillais à la maison. Quand tu as téléphoné, que Westy m'a répété ce que tu avais dit...

— Nous sommes venus immédiatement, coupa Westy, les larmes aux yeux.

— Merci.

— Cet enfant est tout pour nous, dit Paula. Nous l'aimons tant. Il est tout ce qui nous reste d'Emily.

Westy, baissant la tête, enlaça son épouse pour la réconforter. Il avait le menton qui tremblait. À cet instant, la porte du commissariat s'ouvrit, livrant passage à Naomi accompagnée d'un officier de police.

— Noah ! s'exclama-t-elle.

Elle dit quelques mots au policier qui opina, et rejoignit son frère.

— Noah, qu'est-ce qui se passe ? La police a débarqué à mon boulot, ils m'ont ordonné de venir ici. Ils ne m'ont pas donné d'explication.

— Geordie a disparu.

— Oh, Seigneur ! fit Naomi, une main pressée sur son cœur. Disparu ? Mais il était à l'école…

— Personne ne l'a vu depuis que… Caitlin l'y a déposé.

— Comment c'est possible ?

— Vous êtes madame… interrogea Sam Mathis.

— Je vous présente ma sœur, Naomi Pelletier, répondit Noah.

— Merci d'être là, dit Mathis.

— De rien. Mais qu'est-ce que vous attendez de moi ?

— Madame Pelletier, nous avons quelques questions à vous poser. Mme Eckert nous a déclaré qu'elle vous avait rencontrée à l'école ce matin.

Naomi écarquilla les yeux.

— Oui, j'y étais. Bien sûr que j'y étais. Je suis allée voir le travail de mon fils.

— Votre fils s'appelle Travis.

— Oui. Il n'a plus que moi au monde. Son père a été tué en Irak.

Sam Mathis ignora cette allusion à sa triste situation.

— Nous interrogeons quiconque aurait pu apercevoir Geordie ce matin.

Le commissaire Burke, qui était au téléphone, raccrocha et sortit de son bureau. La figure rubiconde, les cheveux argentés, il n'était plus loin de la retraite. Il dégageait une impression de calme et de compétence. Il serra gravement la main des membres de la famille, à mesure que Sam Mathis les lui présentait. Quand il fut devant Paula, il la scruta.

— Madame Bergen. Nous nous sommes déjà rencontrés.

— Effectivement, répliqua Paula qui blêmit. Quand ma fille a été tuée.

— C'est ça, dit le commissaire avec un air évasif.

— Vous n'avez quand même pas oublié notre fille Emily, dit Westy dont les yeux jetaient des éclairs. Elle a été tuée voilà quatre ans par un chauffard qui a pris la fuite.

Le commissaire semblait embarrassé. Il s'éclaircit la gorge, se dérobant au regard affligé de Paula.

— Je n'ai évidemment pas oublié. Malheureusement, nous n'avons jamais pu retrouver cet individu.

— Affaire non élucidée, accusa Westy. C'est bien l'expression consacrée ?

Paula lui saisit la main, comme pour le calmer.

— S'il vous plaît, retrouvez notre petit-fils.

— Je vous le promets, déclara solennellement Burke. Je sais, messieurs-dames, combien c'est pénible pour vous tous. Votre aide nous sera très précieuse. Vous avez déjà fait la connaissance de l'inspecteur Mathis. Il assurera la direction de cette enquête. Lui et tous mes hommes remueront ciel et terre pour vous ramener Geordie. Je viens d'avoir le FBI en ligne. Je tiendrai le bureau de Boston informé de l'évolution de la situation.

— Ils vont participer à l'enquête ? demanda Noah.

Le commissaire frotta ses mains l'une contre l'autre.

— Dans l'immédiat, monsieur Eckert, nous n'avons pas la certitude qu'un crime ait été commis. Je les ai cependant avertis. Ils sont au courant. Nous pouvons simplement affirmer qu'un enfant a disparu. Comme vous l'a dit l'inspecteur Mathis, nous avons lancé une alerte AMBER. Cela signifie que la photo de Geordie et les renseignements dont nous disposons seront régulièrement diffusés par la radio et la télévision.

— Quand Travis apprendra ça... dit Naomi. Il sera complètement chamboulé.

Tu parles, pensa Caitlin qui se reprocha aussitôt sa méchanceté.

— Avoir la description d'un véhicule ou d'un individu qu'on aurait vu avec Geordie ce matin... cela nous serait très utile, reprit le commissaire. Nous essayons toujours de dénicher un éventuel témoin. Le problème, c'est qu'il y avait beaucoup de gens qui entraient et sortaient de l'école, ce matin, à cause de la fête. Beaucoup d'inconnus dans le bâtiment. Cela dit, il ne faut pas encore exclure la possibilité que Geordie se soit enfui ou se cache quelque part, dans les environs de l'école.

Par pitié, mon Dieu, pria Caitlin, faites qu'il se soit caché.

— Monsieur Eckert, je vais devoir mettre sur écoute la ligne de votre domicile, au cas où on réclamerait une rançon. J'ai contacté le juge, nous avons son autorisation.

— Cela vous paraît vraisemblable ? interrogea Noah.

Burke et Mathis échangèrent un regard.

— Une demande de rançon ? dit Mathis. Eh bien… le fait que Geordie ait disparu à l'école rend cette hypothèse peu plausible.

— Pourquoi vous dites ça ? intervint Westy.

— Les kidnappings avec demande de rançon sont en principe soigneusement organisés. À moins d'être totalement abruti, le ravisseur savait que la direction de l'école est tenue de contacter immédiatement la police quand un enfant est introuvable. Ce qui exclut le silence, le secret, dont un kidnappeur préfère s'entourer.

— Vous pensez donc qu'on pourrait avoir choisi Geordie… au hasard ? bredouilla Noah.

— Nous n'en savons rien. Jusqu'à plus ample informé, inutile de se perdre en spéculations, déclara le commissaire d'un ton sévère.

— Et maintenant, qu'est-ce qu'on fait ? murmura Noah, le front brillant de sueur.

— Dans l'immédiat, nous devons relever vos empreintes et prélever votre ADN afin de procéder par élimination.

— Élimination de quoi ? s'étonna Noah.

— De la base Codis [1], déclara tranquillement le commissaire.

— Je vous garantis, monsieur, qu'aucune des personnes ici présentes n'y figure, s'insurgea Noah.

— Qu'est-ce que c'est ? chuchota Caitlin.

---

1. Banque de données, gérée par le FBI, répertoriant les profils ADN. (*Toutes les notes sont de la traductrice.*)

— Le répertoire national des agresseurs sexuels, lui expliqua l'inspecteur Mathis.

— Vous devriez relever les empreintes de ce M. Needleman. L'instituteur de Geordie, dit Naomi. À ce qu'on raconte, il vit avec un homme.

— Ce qui ne fait pas de lui un pédophile ou un criminel, Naomi, s'énerva Noah.

— Je ne dis pas ça. Mais il passe tout son temps avec des petits gamins.

— Évidemment, il est enseignant ! répliqua Caitlin.

Naomi la dévisagea, les sourcils en accent circonflexe.

— J'essaie juste d'envisager toutes les possibilités, se justifia-t-elle.

Sam Mathis s'interposa.

— On a fait des recherches sur l'instituteur de Geordie avant de l'engager. C'est pareil pour tous les éducateurs. S'il est employé par le comté en tant qu'enseignant, il n'est pas fiché. Ça, c'est une certitude.

— J'essaie juste de vous aider, s'obstina Naomi.

— L'inspecteur Mathis et ses hommes vont vous raccompagner chez vous, monsieur et madame Eckert. Nous voulons que vous soyez là-bas au cas où quelqu'un chercherait à vous contacter. Ou, dans la meilleure des hypothèses, au cas où Geordie se serait tout bonnement perdu et aurait réussi à réintégrer votre domicile. Je sais combien tout cela est pénible, mais ne perdez pas espoir. Il est encore tôt, il n'y a aucune raison de désespérer. Nous vous ramènerons Geordie. Nous ne lâcherons pas tant que nous ne l'aurons pas récupéré.

— Merci, souffla Caitlin.

Sam Mathis ordonna à deux policiers de les emmener pour qu'on relève leurs empreintes digitales et génétiques.

— J'y vais la première, bougonna Naomi, visiblement encore vexée qu'on ait si mal réagi à ses propos sur M. Needleman. Je n'ai rien à cacher, moi.

Et elle suivit le policier dans le couloir. L'inspecteur Mathis se tourna vers Paula et Westy.

— Si votre petit-fils a fugué, serait-il capable de retrouver son chemin jusque chez vous ? Je présume qu'il y est allé souvent.

— Depuis sa naissance, confirma Paula. Mais je doute qu'il puisse se repérer seul.

— Nous posterons également un policier chez vous.

— Faites tout ce qui est nécessaire, déclara Westy. Viens, chérie. Soumettons-nous aux prélèvements et rentrons à la maison. Peut-être que notre petit garçon nous y rejoindra.

Paula hocha la tête puis regarda Noah d'un air anxieux.

— Nous devrions être à tes côtés.

— Non, il a raison. Allez-y. De toute façon, dès qu'on en parlera à la télé, les gens commenceront à téléphoner. Je ne peux pas tout assumer.

— On se chargera de ça, promit Westy. Si tu as besoin de quoi que ce soit, on est là.

Noah étreignit de nouveau ses beaux-parents. Puis Paula tourna vers Caitlin un regard empli de chagrin et d'inquiétude.

— Je sais que vous l'adorez. Ne perdez pas courage, ma chère. On le retrouvera.

Caitlin craignit de s'effondrer lorsque Paula la serra dans ses bras. Que quelqu'un ait conscience de sa peine lui mettait du baume au cœur.

— Vous verrez, murmura Paula. Il reviendra. Forcément.

— Allez, dépêchons-nous, grommela Westy. Finissons-en.

Paula et Westy se dirigèrent d'abord vers la pièce où l'on prit leurs empreintes et un échantillon de leur ADN. L'affaire de quelques minutes, après quoi, escortés par un policier, ils quittèrent le commissariat.

Ce fut ensuite au tour de Caitlin et Noah. On leur enfonça un coton-tige dans la bouche, on leur encra les doigts, et on les renvoya patienter dans le couloir.

Comme ils s'asseyaient, le mobile de Noah sonna.

— Oh, salut, Dan. Oui… Comment tu es au courant ? Ah bon. Déjà ? Eh bien, ç'a été rapide. Oui… on est toujours au commissariat. C'est un vrai cauchemar. Non. Caitlin l'a conduit à l'école et voilà, il s'est évaporé.

Noah s'interrompit, écouta son interlocuteur.

— Si tu veux revenir, bien sûr, mais tu ne peux rien faire de plus. Quoique tes parents apprécieraient, évidemment. Non, je t'assure. Si je savais quelque chose, je te le dirais. Merci quand même. Oui. C'est peut-être une bonne idée. On se rappelle. Merci, mon vieux. Au revoir.

— Le frère d'Emily ? demanda Caitlin d'une voix éraillée.

— Oui, il est au travail. Il a appris la nouvelle parce que la station de radio où il bosse doit relayer l'alerte AMBER.

— Haley est au courant ?

— Je suppose qu'il la préviendra.

Un policier se pencha vers eux.

— Monsieur et madame Eckert… l'inspecteur Mathis va vous raccompagner chez vous, dans un instant.

— J'ai l'impression qu'on perd du temps, rétorqua Noah d'un ton acerbe.

— Je vous garantis, monsieur, que nous faisons le maximum.

— Je sais. Mais ça n'arrête pas de tourner dans ma tête. Qu'est-ce qui s'est passé ce matin, Caitlin ? Qu'est-ce qui s'est passé exactement ?

Elle soutint son regard.

— Comment ça ? Je te l'ai expliqué. Je l'ai amené à l'école. Il a couru vers l'auditorium.

Elle sentait que le policier les écoutait.

— Tu n'es pas entrée avec lui ?

— Si, bien sûr. Je voulais qu'il me montre son travail. Mais il était loin devant moi. Il était impatient.

— À cause de la fête.

— C'est ce que j'ai cru. Mais…

— Quoi donc ? interrogea Noah qui la scrutait.

— Eh bien, je me suis dirigée vers l'exposition de sa classe. J'ai rencontré M. Needleman. J'ai regardé le travail de Geordie.

— Il était là.

— Non. Il n'était pas dans l'espace réservé à sa classe.

— Où est-ce qu'il était ?

— Je n'en sais rien, répondit doucement Caitlin.

— Tu l'as aperçu avant de repartir ?

— Arrête. J'ai l'impression d'être au tribunal. Je l'ai attendu. Je l'ai cherché…

— Et ensuite ?

— Il n'est pas venu du côté de l'expo. Moi aussi, ça m'a étonnée. Tu sais combien il adore montrer ce qu'il a réalisé. Être complimenté. J'étais persuadée qu'il allait me rejoindre. J'ai attendu aussi longtemps que possible…

— Et tu es repartie. Sans l'avoir vu.

— J'ai supposé qu'il avait rencontré un copain, qu'il m'avait oubliée…

— Et tu es partie.

Caitlin ne répliqua pas.

— Pourquoi tu ne l'as pas cherché, trouvé ? s'écria Noah. Ce n'est qu'un petit garçon. Pourquoi tu ne t'es pas assurée que…

— Il était à l'école. J'ai supposé que, dans l'enceinte de sa propre école, il ne risquait rien !

— Tu as supposé.

— J'ai pensé que tout allait bien. Je l'avais vu entrer ! Je ne comprends pas du tout ce qui s'est passé.

— On l'avait peut-être déjà kidnappé. Pendant que tu papotais.

— Je suis désolée, murmura-t-elle d'un ton implorant.

— Que tu sois désolée ne me console pas. Ça ne le ramènera pas, accusa-t-il.

Caitlin accueillit la colère de Noah comme on reçoit des coups, la culpabilité la submergea tel un flot d'eau sale. Mais, à sa surprise, elle émergea de cette vague, suffoquant et crachant, et la fureur l'envahit. Noah ne semblait pas conscient – ou bien il s'en fichait – qu'elle souffrait autant que lui.

— Comment oses-tu me parler de cette façon, Noah ? Ça aurait pu arriver avec n'importe qui. À ma place, tu aurais agi de la même manière et tu le sais pertinemment.

Ils demeurèrent un instant muets, à se fusiller du regard. Puis Noah détourna les yeux. Il réfléchit, et finalement poussa un soupir.

— Oui, tu as raison. J'aurais probablement fait la même chose.

La colère de Caitlin s'évanouit aussitôt.

— Noah, pria-t-elle en lui saisissant la main.

Il secoua la tête.

— Quoi ?

— C'est mon enfant, gémit-il. C'est mon fils.

Caitlin frissonnait, bien que le commissariat fût une véritable étuve.

— Je sais, murmura-t-elle.

Elle se remémora Geordie la veille au soir, après la fête, la tête nichée sur l'épaule de son père, tendant sa petite main vers elle et disant : « Merci, maman. » C'est aussi mon fils, songea-t-elle.

Mais elle n'osa pas le dire à voix haute.

5

Immobile dans le jardin, Caitlin regardait fixement le vélo de Geordie, équipé de stabilisateurs, qui traînait toujours là où le garçonnet l'avait abandonné, sous un arbre. Noah, flanqué de l'inspecteur Mathis, ouvrit la porte de leur maison et franchit le seuil. Elle entendit la voix chevrotante de son mari résonner dans les pièces.

— Geordie, tu es là ?

Pas de réponse.

— Geordie ! Réponds à papa. Où es-tu ?

D'autres policiers pénétrèrent à leur tour dans la maison. Caitlin tournait le dos. Geordie n'était pas rentré. Bien sûr. Si quelqu'un l'avait ramené, il n'aurait sans doute pas été capable de reconnaître leur allée. Leur maison, comme toutes celles du secteur, était entourée d'un grand terrain et bâtie très en retrait de la route à deux voies, dangereuse, qui passait au ras de leur propriété. Elle n'était pas visible derrière la haie d'arbres, pareille à un mur même en plein hiver, et qui étouffait complètement les bruits de la circulation.

Construit le long des virages traîtres de la Route 47, leur quartier avait l'apparence d'une étendue boisée, parsemée çà et là d'une grange ou d'un chapelet de lacs étales. On n'apercevait des résidences que les boîtes à lettres plantées au débouché des voies privées surgissant d'entre les arbres.

Même si, par miracle, Geordie réussissait à revenir dans le coin, Caitlin ne supportait pas de l'imaginer marchant au bord de cette route déserte où les voitures roulaient à fond de train, frôlant au passage les cerfs qui s'aventuraient hors des bois, où il n'y avait ni sentier ni trottoir pour les piétons. C'était sur cette route, au bout de leur allée, que la mère de Geordie était morte. Caitlin ne pouvait s'empêcher de se représenter l'horrible scène – le corps inerte d'Emily sur la chaussée, les factures et les prospectus, qu'elle venait juste de prendre dans la boîte à lettres, éparpillés autour d'elle, tandis que le conducteur qui l'avait renversée s'enfuyait, paniqué.

Elle ferma les yeux, s'efforça d'effacer l'effroyable tableau de son esprit. Il lui fallait vivre avec ça. Jour après jour.

Elle se dirigea vers le perron, poussa la porte et pénétra dans le vestibule.

Noah était assis sur le divan du salon, à gauche de l'entrée, la tête dans les mains. Caitlin alluma une lampe. Elle entendait les voix des policiers dans la maison.

Elle prit place à côté de Noah qui s'essuya les yeux.

— Comment une chose pareille a pu arriver ? dit-il.

À cet instant, l'inspecteur Mathis les rejoignit. Il approcha un siège du canapé.

— Monsieur Eckert…

— Noah. Appelez-moi Noah.

— Très bien. Je ne vais pas tourner autour du pot. Même si nous sommes parés à recevoir une demande de rançon, il est très peu probable que Geordie ait été kidnappé par un inconnu. Dans la plupart des cas, l'enfant est enlevé par une personne qu'il connaît.

— Mais qui l'aurait enlevé ?

Mathis plissa le front.

— En principe, nous pensons d'abord à l'un des parents, quand il y a désaccord sur la garde des gosses, mais de toute évidence dans notre affaire…

— La mère de Geordie est morte, articula Noah.

— Je sais. Et sa famille ? Vous semblez avoir de bonnes relations avec eux. Sont-ils autorisés à voir votre fils quand ils le souhaitent ? De nos jours, il y a aussi, quelquefois, des problèmes avec les grands-parents…

Noah balaya l'argument d'un geste.

— Ils le voient quand ils en ont envie.

Mathis ne broncha pas, attendant que Noah étoffe sa réponse. Caitlin hésita puis dit :

— Noah fait en sorte que Geordie soit proche de ses grands-parents maternels. Il passe beaucoup de temps avec eux. Hier, nous avons fêté son anniversaire. Nous avons invité toute la famille. Les grands-parents. Les oncles et tantes. Les amis. Les petites amies…

— Une grande famille unie, coupa l'inspecteur, sceptique.

Noah darda sur lui un regard indigné.

— Oui, en effet. Un gamin a besoin d'une grande famille. Quand ma femme est morte…

Sa voix se brisa. Caitlin lui saisit la main et la serra entre les siennes.

— La famille de ma femme. La mienne. Tous nous ont aidés à surmonter cette épreuve. Nous nous sommes mutuellement soutenus.

Sam Mathis se tourna vers Caitlin.

— Et vous, madame Eckert ? Votre famille était aussi invitée à la fête ?

Caitlin sursauta. Elle était en train de songer que, dans les moments de stress, Noah disait encore d'Emily qu'elle était sa femme. Comme si elle était toujours là, avec lui, dans cette maison.

— Pardon ? marmonna-t-elle.

L'inspecteur la dévisagea sans ciller.

— Je vous demandais si votre famille assistait à la fête.

— En réalité, je n'ai plus de famille. En dehors de Noah. Et de Geordie. Mes parents sont décédés voilà quelques années. J'avais un frère… mais il est également décédé.

— Que ce soit bien clair, inspecteur, enchaîna Noah qui s'était ressaisi. Les parents de ma femme ont été une bénédiction. À la mort d'Emily, je leur ai promis de ne jamais quitter la région avant la majorité de Geordie. Je tiens à ce qu'il ait cette stabilité. Le sentiment de n'être pas seul au monde.

Mathis reporta de nouveau son attention sur Caitlin.

— Depuis combien de temps êtes-vous mariés, tous les deux ?

— Deux ans, répondit-elle.

— Donc vous n'avez pas de famille dans le coin.

— Non, mais je travaille à Brunswick University. Je dirige le service de recrutement des étudiants issus de minorités.

— Vous projetez de chercher un poste dans une fac plus importante ?

Caitlin ouvrait la bouche pour répondre, quand elle prit conscience que la question n'était pas anodine.

— Je venais d'une fac plus importante. Je suis très satisfaite de ma situation.

— Oui, mais si on vous proposait une place plus intéressante, vous ne pourriez pas partir d'ici. À cause de Geordie.

— Je n'ai aucun désir de partir. Et je suis d'accord avec mon mari : Geordie a besoin de sa famille.

Sam Mathis, cette fois, se tourna vers Noah.

— Si je ne m'abuse, c'est la maison que vous habitiez avec votre première épouse. N'est-ce pas ?

— Oui.

— Cela vous gêne ? demanda l'inspecteur à Caitlin.

— Non, ça ne me gêne pas, répliqua-t-elle sèchement. Pourquoi nous posez-vous toutes ces questions ? Au lieu de chercher Geordie ?

Sam Mathis resta impassible.

— Et si on parlait un peu de vous et Geordie ?

— Eh bien, quoi ?

— Comment vous vous entendez avec lui ?

On ne demanderait pas ça à une mère, pensa amèrement Caitlin. En vérité, elle aimait tellement cet enfant que parfois elle oubliait qu'elle n'était pas sa mère biologique. Mais les autres ne l'oubliaient pas. « Nous

nous entendons comme une mère et son fils ! » aurait-elle voulu répondre. Impossible.

— Geordie est un… merveilleux petit garçon.

— Pas de chamailleries ?

— Non. Enfin… bredouilla Caitlin, coulant un regard vers Noah. Si, bien sûr. Les vétilles habituelles.

— Du genre ? insista Mathis, à qui l'hésitation de Caitlin n'avait pas échappé.

— Rien. Je ne sais pas. L'heure du coucher, les repas, la politesse. Les choses du quotidien.

— Inspecteur, vous faites fausse route, intervint Noah. Caitlin aime Geordie comme s'il était son enfant.

Comme si. Même Noah le disait.

— Je pose ces questions car parfois un désaccord insignifiant pour un adulte peut pousser des gamins à s'enfuir. Ils ont tendance à être excessifs.

— Je ne l'ignore pas, répliqua-t-elle en le fixant. Il n'y a eu aucun désaccord.

— Monsieur Eckert, vous arrive-t-il de frapper votre fils ?

— Vous voulez dire lui donner une fessée ?

Mathis opina.

— Non, poursuivit Noah d'un ton las. Je ne crois pas aux vertus de la fessée.

— Et vous, madame Eckert ?

— Non, je ne frappe pas Geordie.

— Même quand il fait un caprice ? Après tout, ce n'est pas votre enfant. Quelquefois on a du mal à ne pas perdre son sang-froid.

— Je ne prétends pas que je ne suis jamais en colère. J'ai dit que je ne le frappais jamais.

— Vous pouvez le confirmer ? demanda Mathis à Noah.

— Naturellement. Vous perdez votre temps, inspecteur. Ma femme et moi aimons Geordie de tout notre cœur. Il n'y a pas de parents qui aiment davantage leur enfant.

— C'est vrai, dit Caitlin, farouche, d'une voix étranglée.

Noah et elle gardaient leurs doigts entrelacés.

— Et l'entourage amical… Y a-t-il quelqu'un que Geordie voit régulièrement et qui a eu des ennuis avec la justice ?

— Personne. À ma connaissance, répondit Noah.

— Et dans votre travail ? Vous êtes avocat. Vous avez des ennemis, à cause des dossiers que vous avez traités ?

— Non… Je m'occupe essentiellement de contrats. Ma spécialité, c'est le droit des affaires. Je ne fais quasiment pas de droit pénal et presque pas de droit de la famille – de divorces, notamment.

Sam Mathis poussa un soupir.

— Si un inconnu avait essayé d'entraîner Geordie dehors, aurait-il eu l'idée de résister ? De se débattre ?

— Oui, j'en suis sûr, décréta Noah. Il n'ignore pas ces choses-là. Je ne l'imagine pas suivant un inconnu de son plein gré.

— Vous seriez surpris. Dites à un gosse que vous avez besoin de son aide pour retrouver votre petit chien et vous le verrez jeter illico aux orties tout ce que lui avez appris sur les inconnus.

— Voilà qui est réconfortant, merci.

— Désolé, mais c'est vrai. Nous fouillons le passé de tous les enseignants et de tous ceux qui habitent ou travaillent en relation avec l'école, y compris les gardiens et employés qui font traverser la rue aux enfants.

— Vous disiez pourtant que ces gens doivent avoir un passé sans tache pour être engagés dans un établissement scolaire.

— En effet, mais on loupe parfois certains détails. C'est fréquent.

— Formidable, marmonna Noah.

Se penchant en avant, il enfouit son visage dans ses mains.

— Notre problème, c'est qu'aujourd'hui, il y avait du public invité à cette fête de l'automne. Donc beaucoup de gens qui allaient et venaient, et dont nous ignorons tout.

— Il n'y a pas de caméras de surveillance ? interrogea Noah.

— Il y en a une à l'entrée, mais pas sur les autres portes qui ne s'ouvrent que de l'intérieur et qui, normalement, sont verrouillées. En principe, on ne laisse pas ouverte celle qui se trouve à côté de l'auditorium.

— On croirait qu'on a choisi délibérément cette journée, en sachant que les conditions de sécurité seraient moins strictes, voire inexistantes, fit remarquer Caitlin.

— C'est une possibilité. Peut-être qu'ils seront plus vigilants à l'avenir.

— Trop tard, hélas, dit Noah.

L'après-midi fut long et éprouvant. Pas de demande de rançon, même si tout le monde sursautait à la moindre sonnerie de téléphone. Les appels provenaient en majorité des habitants de Hartwell qui avaient appris la nouvelle par la télévision ou la rumeur. Un enfant avait disparu à l'école élémentaire. L'information se répandait à travers la ville comme un feu de brousse, les gens étaient sincèrement désireux de faire quelque chose. On les expédiait en quatrième vitesse, afin de libérer la ligne.

Vers vingt et une heures, Paula et Westy arrivèrent ; l'un des policiers postés chez eux les avait amenés. Paula annonça qu'elle avait préparé le repas.

— Elle n'a pas pu s'en empêcher, expliqua Westy. C'est sa façon de gérer le stress.

Paula souleva le couvercle de la cocotte et entreprit de remplir des assiettes en plastique.

Noah se borna à contempler la sienne, comme si la seule vue de la nourriture lui donnait la nausée. En revanche, les policiers ne se firent pas prier et, en un clin d'œil, les assiettes furent nettoyées. Il ne restait que quelques gouttes de café dans la verseuse. Westy s'assit près de Noah qui fixait le vide devant lui. Caitlin rejoignit Paula dans la cuisine et lui donna un coup de main pour laver la vaisselle.

— J'aimerais pouvoir vous être plus utile, dit Paula.

— Vous avez apporté le dîner, c'est déjà beaucoup.

— Haley a téléphoné. Elle a parlé à Dan.

— Noah aussi.

— Je pensais que Naomi serait là.

Caitlin haussa les épaules.

— Elle a appelé pour dire qu'elle ne viendrait pas, que Travis était trop bouleversé à cause de Geordie.

— Vraiment ? rétorqua Paula, sceptique.

— Il se sent probablement coupable d'avoir bousculé Geordie, dit Caitlin, tout en rangeant la cocotte dans le grand sac de Paula.

— Ce garçon a traversé de dures épreuves. Perdre son père dans cette guerre, ensuite sa mère qui a été longtemps dépressive. Elle passait tout son temps le nez dans les bouquins.

— Je sais. Mais quelquefois je suis furieuse parce que Naomi ne gronde jamais Travis, même quand il maltraite Geordie. Noah ne dit rien non plus. Il a trop pitié de lui.

— Nous avons tous tenté d'aider Naomi à élever ce garçon. Ils n'ont pas eu la vie facile. Nous essayons d'entourer Travis chaque fois que c'est possible.

Caitlin eut l'impression d'avoir manqué de compassion.

— Je le sais. Et Noah vous en est profondément reconnaissant.

Paula retira une main savonneuse de l'évier et tapota le bras de Caitlin.

— Dieu merci, Noah vous a.

Caitlin s'efforça de sourire à la mère d'Emily qui l'observait avec tant de bonté dans les yeux.

— C'est si gentil de votre part. Surtout que... Emily...

— Mais vous n'y êtes pour rien. Mon Emily a été victime d'un drame atroce, abominable. Moi, je sais qu'elle est au ciel. Elle se réjouit que Noah et Geordie aient quelqu'un comme vous dans leur vie. Je le sais.

— J'espère que vous avez raison, souffla Caitlin.

La voix lui manquait. Paula a raison, se dit-elle. Ce n'est pas ma faute. Cependant cette antienne ne la convainquait nullement. Elle avait la sensation que le remords lui serrait la gorge, l'étranglait.

6

Geordie courait sur une plage ensoleillée. L'eau était calme, argentée. Le sable avait l'aspect poudreux d'un biscuit de porcelaine. Pourtant les grosses chaussures de sport de Geordie n'y creusaient aucune empreinte. Son sac à dos tressautait contre sa capuche. « Geordie », murmura Caitlin. Il ne se retourna pas pour la regarder, il continuait à courir. Elle essaya de l'appeler, mais il ne sortait de sa bouche, malgré tous ses efforts, qu'une espèce de couinement. Alors elle tenta de se lancer à sa poursuite. En vain ; elle était clouée sur place, tandis que lui disparaissait au loin.

Caitlin se réveilla. Une lumière grise filtrait par l'interstice des rideaux. Il faisait jour. Brusquement la mémoire lui revint. Pas de nouvelles de Geordie. Pas de demande de rançon. Personne ne l'avait vu. Rien. Près de vingt-quatre heures s'étaient écoulées. Geordie n'était toujours pas là. Il s'était évaporé, comme s'il n'avait jamais existé.

Elle se retourna et s'aperçut que Noah n'était pas couché à son côté. Cela ne la surprit pas. Elle s'était effondrée sur le lit, tout habillée, vers cinq heures du matin, vaincue par la fatigue. Il ne l'avait manifestement pas rejointe. Elle entendait des gens parler dans la maison.

Pas la moindre note d'excitation dans ces voix. On n'était pas venu la tirer du sommeil. Cela signifiait fatalement qu'on ne savait rien de plus. La veille, dans l'après-midi, une battue avait été organisée avec des volontaires de Hartwell. Les recherches s'étaient prolongées jusqu'au milieu de la nuit. Le responsable de chaque groupe faisait régulièrement son rapport. Noah et Caitlin avaient voulu participer, mais Sam Mathis les en avait empêchés : ils devaient rester à la maison.

Caitlin s'autorisa à penser à Geordie. Hier, évidemment, elle avait songé à lui toute la journée. Quoique... ce ne soit pas absolument exact. Ils avaient tous passé cette journée à réfléchir, à examiner des photos de criminels, des images de vidéos de surveillance, à éplucher les dépositions des enseignants, des voisins. C'était comme un puzzle invisible que la police s'efforçait de reconstituer à partir de rien. Ils pensaient aux différents aspects de ce puzzle. Mais ils essayaient de ne pas penser à Geordie.

À un moment, elle était allée dans la chambre de l'enfant et était restée plantée là, à contempler ses affaires. Noah, furieux, lui avait ordonné de sortir de là.

— Pourquoi ? lui avait-elle demandé.

— On dirait que tu... que tu es plongée dans tes souvenirs de lui.

Elle avait compris son angoisse et refermé la porte de la chambre. Geordie existait quelque part dans l'univers. Il n'était pas un souvenir. Il ferait en sorte de ne pas l'être.

À présent, couchée sur le lit, les yeux rivés sur la lumière grise filtrant par la fenêtre, Caitlin s'autorisait à penser à lui. Sa frimousse, son air sérieux, ses lunettes. Sa voix haut perchée. Son rire. La façon qu'il avait de se concentrer. La façon dont son sourire découvrait toutes ses dents, présentes ou absentes. À mesure qu'elle se le représentait, les larmes roulaient sur ses joues et mouillaient l'oreiller. Elle ravala ses sanglots au point d'avoir du mal à respirer.

— Caitlin, appela Noah. Tu es réveillée ?

— Oui, répondit-elle d'une voix rauque.

— Haley est là.

Haley. Caitlin vit mentalement le doux visage rond de son amie, ses cheveux blonds, ses vêtements saupoudrés de farine. Cela lui ferait du bien d'être avec Haley.

Lève-toi. Change-toi. Sors de cette pièce.

Elle se mit debout, péniblement, retira son tailleur de la veille, son corsage en soie, et les laissa tomber par terre, devant la penderie. Puis elle enfila un caleçon, des bottes en tricot, un long sweat-shirt. Des vêtements pour se tenir chaud. Pour être à l'aise. Elle se brossa les cheveux, les attacha en queue de cheval, et se regarda dans le miroir de la coiffeuse. Elle avait le teint gris et hâve, ses pommettes saillaient sous ses yeux noirs. Sa chevelure couleur café, en principe brillante, paraissait terne et sans vie.

Elle se détourna de son reflet, ouvrit la porte avec difficulté et sortit.

Noah était attablé dans la cuisine en compagnie de Haley. Il leva les yeux vers Caitlin lorsqu'elle apparut sur le seuil.

— Bonjour, chérie.

Haley se redressa et s'approcha. Caitlin l'embrassa, Haley lui frictionna le dos avec une vivacité qui exprimait son désarroi.

— Tu tiens le coup ?

— Couci-couça.

— J'ai apporté des brioches, dit Haley, désignant les viennoiseries sur les assiettes recouvertes de napperons en dentelle qui voisinaient sur la table avec gobelets en plastique, carnets et journaux. Je ne savais pas quoi faire d'autre.

— C'est pile ce qu'il nous fallait. Il n'en restera pas une miette, répliqua Caitlin, pensant aux policiers qui tournaillaient dans la maison.

— Bon, tout le monde vous dit ça… mais si je peux faire quoi que ce soit d'autre…

Caitlin l'embrassa de nouveau.

— Dans ta bouche ce ne sont pas que des mots, je le sais.

— Je dois y aller, mais…

Haley s'interrompit, approcha sa main de son oreille dans un geste signifiant : « Appelle-moi. » Caitlin acquiesça.

— Je te raccompagne.

Elle escorta son amie jusqu'au vestibule, en passant par le salon où deux policiers lisaient des documents.

— Bonjour, leur dit-elle.

Ils hochèrent la tête d'un air grave. Les deux amies s'immobilisèrent sur le seuil. Caitlin ouvrit la porte.

— Je vois bien que tu as pleuré, murmura Haley avec sollicitude, étreignant la main de Caitlin.

— J'ai rêvé de Geordie.

— On le retrouvera, Caitlin. Forcément.

Toutes deux s'embrassèrent encore, puis Haley se dirigea vers sa fourgonnette de livraison. Sam Mathis, qui venait d'arriver, remontait l'allée.

— Du nouveau ? lui demanda Caitlin.

— Peut-être.

— C'est vrai ? s'exclama-t-elle. Quoi donc ?

Sans répondre, Mathis entra dans la maison. Il alla droit à la cuisine. Caitlin le suivit et s'assit à la table à côté de Noah.

— Il y aurait du nouveau, apparemment, dit-elle à Noah.

Noah tressaillit ; avant qu'il ait pu énoncer sa question, Mathis leva les mains comme pour leur intimer de se calmer.

— Une assistante d'éducation embauchée depuis peu à l'école s'est présentée à nous. Elle est jeune, tout juste diplômée, et elle ne connaît pas Geordie, par conséquent elle n'est sûre de rien. Mais le matin de la fête, elle sortait des toilettes pour femmes et elle a vu un garçon correspondant à la description de Geordie, un gamin avec des lunettes, menu, vêtu d'un sweat à capuche. Il quittait l'auditorium avec un homme coiffé d'une casquette.

— Oh, mon Dieu, balbutia Caitlin.

Noah bondit sur ses pieds.

— Que voulez-vous dire ? Qu'on l'emmenait de force ? Pourquoi elle ne l'a pas arrêté ?

— L'enfant paraissait suivre cet homme de son plein gré. Tout semblait absolument normal. Elle a pensé que c'était un parent qui raccompagnait son môme jusqu'à sa salle de classe.

— Et c'était bien Geordie ?

— Comme je vous l'ai dit, elle ne le connaît pas, donc elle ne peut pas l'affirmer avec certitude.

— Seigneur…

Un bref instant, Caitlin inclina la tête, accablée.

— À quoi ressemblait ce type ? questionna Noah. Jeune, vieux…

— Elle ne les a vus que de dos.

— Mais elle les a vus quitter l'école ?

— Non. Elle dit les avoir remarqués uniquement parce que l'homme avait une casquette à l'effigie des Eagles, or elle est fan des Eagles. Elle a juste remarqué ça, en passant.

— Dans le New Jersey, une personne sur deux est fan des Eagles, marmonna Noah, écœuré.

— Je dois vous poser la question : avez-vous une casquette à cette effigie ?

— Si j'ai quoi ? s'écria Noah, les yeux ronds.

Le regard de Sam Mathis ne vacilla pas.

— Évidemment que j'en ai une. Pas vous ?

L'inspecteur ne répondit pas.

— Nous avons demandé au témoin si elle accepterait de témoigner sous hypnose au cas où d'autres détails lui reviendraient. Elle est d'accord.

— Et ça marche, cette technique ? interrogea Caitlin.

— Dans certains cas, ça s'est révélé utile.

— Et dans d'autres, c'est une perte de temps pure et simple, ajouta Noah, de plus en plus dégoûté. Le témoignage sous hypnose n'est pas admis par les juges.

— Nous ne sommes pas dans un prétoire. Nous essayons de retrouver votre fils.

— Je sais, soupira Noah. Excusez-moi. Je suis à bout de nerfs.

— On l'a enlevé, souffla Caitlin.

L'idée de son fils emmené par un inconnu Dieu seul savait où… La peur lui broyait le cœur. Elle regarda Noah, lut la même terreur dans ses yeux.

— Nous n'avons pas la certitude qu'il s'agissait bien de Geordie, objecta Mathis. Mon équipe vérifie si un père n'aurait pas fait sortir son gamin de l'école pour une raison quelconque. Par ailleurs, j'ai longuement discuté avec le commissaire. Nous sommes d'avis qu'il est temps de lancer un appel. L'un de vous deux, ou tous les deux, vous allez préparer une déclaration pour la télé. En gros, vous demandez à quiconque aurait des renseignements de se manifester. Vous désirez seulement retrouver votre enfant. Vous ne posez aucune question.

— Alors là, vous rêvez ! grommela Noah.

— Nous tentons d'inciter ceux qui pourraient détenir des informations à sortir de l'ombre, rétorqua Sam Mathis.

— Je sais, je sais, s'impatienta Noah. Je comprends.

— Vous vous adresserez également à Geordie, au cas où il y aurait un téléviseur dans le lieu où il est enfermé. Demandez-lui de vous téléphoner. Les numéros défileront sur l'écran.

— Il les connaît, nos numéros de téléphone, dit Caitlin.

— Simple précaution.

— Bon, on va faire ça, marmonna Noah.

— Caitlin ?

— Oui, bien sûr.

— Quand ? interrogea Noah.

— Le plus tôt possible. Ça vaut mieux.

— Alors il n'y a plus qu'à s'y mettre.

Sam Mathis se leva.

— Parfait. Je vais organiser ça. Excusez-moi, ajouta-t-il en prenant son mobile.

Caitlin observait son mari. Il n'était pas rasé et avait enfilé un sweat par-dessus la chemise qu'il portait la veille. Avant que leur monde ne s'écroule. Il avait les joues creusées, le teint jaunâtre. Il sentait le rance, l'odeur de draps qu'on a trop longtemps oublié de changer.

Elle posa la main sur la sienne. Ils échangèrent un bref regard, puis Noah détourna la tête. À cet instant, Sam Mathis reparut.

— Très bien. C'est prévu pour dans... – il consulta sa montre – deux heures.

— Il vous arrive d'obtenir des résultats concrets de cette manière ? demanda Noah d'un ton rageur.

— Ce n'est pas garanti. Mais on ne sait jamais.

— On doit le tenter, dit Caitlin.

— Oui, on doit tout tenter, renchérit Noah.

Sam Mathis les avait prévenus que le studio de télévision serait bourré de policiers et de journalistes, cependant ils ne s'attendaient pas à ce qu'autant de gens soient là pour les écouter quémander des informations. L'inspecteur leur avait recommandé de ne parler à aucun reporter, de se borner à lire la déclaration qu'ils avaient rédigée.

Caitlin tenait la main de Noah lorsqu'ils s'installèrent devant une rangée de micros, à une table recouverte d'une nappe. Les lumières autour d'eux étaient aveuglantes. On ordonna à Noah de s'asseoir à côté du chevalet et à Caitlin de prendre place à la gauche de son mari. Sam Mathis, debout devant le micro, réclama le silence.

— Comme vous le savez tous, dit-il, balayant la salle des yeux, George Eckert, âgé de six ans, connu sous le nom de Geordie, a disparu de l'école élémentaire de Hartwell hier matin. Il a été vu pour la dernière fois au moment où il entrait dans l'école, par sa belle-mère Caitlin Eckert.

Mathis désigna du menton Caitlin qui hésita. Comment réagir ? Un geste, un sourire ? Non, cela ne convenait pas. Elle s'humecta les lèvres et regarda droit devant elle.

— Nous avons prié ses parents de s'adresser à vous aujourd'hui, de demander l'aide du public dans cette étrange affaire de disparition. Si vous avez aperçu George Eckert, composez le numéro inscrit sur l'écran. N'hésitez pas, s'il vous plaît. Tous les renseignements que vous serez en mesure de nous fournir nous seront utiles. Tous sans exception. Appelez le numéro inscrit sur l'écran. Notez-le. La vie de Geordie en dépend.

Il se tourna vers Noah.

— Monsieur Eckert ? Je vous cède la parole.

Noah opina et s'éclaircit la gorge. Il s'était douché, rasé, avait revêtu une chemise propre et une veste en tweed. Il était présentable, malgré ses cernes et sa pâleur. Caitlin fut soulagée qu'il parle le premier. Elle n'était pas timide de nature, mais aujourd'hui elle avait des crampes d'estomac, et n'était pas sûre de réussir à émettre un son.

Noah n'aurait pas ce problème. Il était avocat, il avait l'habitude de s'exprimer en public. Il n'aurait même pas le trac. Il parlerait calmement, déploierait toute sa persuasion. Pourtant, quand il ouvrit la bouche, elle fut alarmée – chaque mot semblait le mettre au supplice.

— Mon fils Geordie n'a que six ans. C'est un merveilleux petit garçon qui n'a jamais fait de mal à qui que ce soit. Je m'adresse à… la personne qui m'a pris mon enfant. Qui nous a pris notre enfant. J'ignore pourquoi vous avez fait ça, mais si vous avez un peu d'humanité, je vous en supplie, laissez mon fils partir. Laissez-le rentrer à la maison. Laissez-le me revenir… nous revenir. Rendez-le à ses… à Caitlin et moi. Nous aimons Geordie par-dessus tout. Que vous soyez puni pour votre acte m'importe peu. Simplement… laissez-le partir. Laissez Geordie rentrer à la maison. Déposez-le quelque part. N'importe où. J'irai le chercher. Je vous en supplie, ne lui faites pas de mal. Lui n'a jamais fait de mal à quiconque. Je vous en prie.

Noah s'écarta du micro, plaqua une main sur ses yeux.

Sam Mathis fit signe à Caitlin.

Elle saisit le micro entre ses mains comme s'il risquait de s'échapper. Elle l'approcha de sa bouche et regarda la caméra, ainsi que Mathis le lui avait conseillé. Elle tremblait de tous ses membres.

— Merci, murmura-t-elle. Geordie, si tu m'entends, si tu me vois, j'ai une chose à te dire. Tu es un garçon très courageux, et je veux que tu gardes ton courage, que tu essaies de ne pas avoir peur. Nous allons te retrouver. Je te le promets. Papa et moi… nous te ramènerons à la maison. N'oublie pas ça. Nous t'aimons plus que tout au monde, ça non plus, ne l'oublie pas. Si tu m'entends… Quant à la personne qui a enlevé Geordie…

Sa voix s'érailla. Elle baissa les yeux, Mathis se pencha vers elle.

— Ça va ? chuchota-t-il.

Caitlin hocha la tête et poursuivit :

— Il faut que vous alliez vraiment très mal pour enlever un petit garçon innocent à sa famille. Pour l'enlever dans l'enceinte de son école. Je ne vous demande qu'une chose, de tout mon cœur : ne faites pas de mal à Geordie, et libérez-le pour qu'il puisse rentrer à la maison. Il n'a que… six ans.

Ces derniers mots furent prononcés dans un souffle, un gémissement, comme dans son rêve, quand elle s'efforçait en vain d'appeler Geordie. Elle lâcha le micro, se radossa à son siège, vidée. Noah l'entoura de son bras et l'attira contre lui.

— Madame, vous êtes la dernière à avoir vu l'enfant vivant… lança quelqu'un dans la foule.

Une expression effrayée se peignit sur le visage de Caitlin, sous l'œil de la caméra. D'une mimique, Sam Mathis lui intima de se taire, avant de se retourner vers les journalistes.

— Pas de questions. Nous ne répondrons pas aux questions. Merci de porter ces déclarations à la connaissance du public, dans le seul but de retrouver cet enfant et, peut-être, de lui sauver la vie.

Caitlin fixait la lumière crue des projecteurs, agrippée à la main de Noah. Geordie était-il blessé ? Terrorisé ? Avait-il faim ? Elle l'imagina en train de la regarder droit dans les yeux, sur un écran de télé.

N'aie pas peur, lui dit-elle mentalement. Je t'aime. On te retrouvera. Essaie de ne pas avoir peur.

7

On affecta du personnel supplémentaire au standard du commissariat, et trois policiers se relayèrent pour surveiller les appels téléphoniques chez les Eckert. Durant vingt-quatre heures, les effets de la déclaration télévisée parurent prometteurs. On récolta une masse de renseignements, qui tous furent vérifiés. Certaines pistes furent aussitôt abandonnées. Une femme, sur la hotline, affirma avoir entendu des gémissements et des pleurs dans son immeuble, provenant de l'atelier du concierge, situé au sous-sol et qui était fermé à clé. La police se rendit sur les lieux et ordonna au gardien de déverrouiller la porte. Il s'avéra que ce monsieur cachait là une portée de chiots, dans un immeuble où les animaux étaient interdits. Il y eut un autre appel, une autre femme disant que son fils prétendait avoir parlé à Geordie, à l'école, le lundi matin. Lorsque deux policiers questionnèrent le garçon, son histoire se fit plus vague, plus décousue – il finit par admettre que cela devait s'être passé la semaine précédente. Un type bredouilla que M. Needleman était le coupable et que tout le monde à l'école le savait. M. Needleman accusa le coup, mais déclara qu'il ne se laisserait pas intimider.

Une piste était intéressante. Quelqu'un affirmait avoir vu un homme et un enfant qui sortaient de l'école le matin des faits. Cela confirmait les déclarations de l'assistante d'éducation. Le témoin, qui travaillait pour une chaîne de télévision par câble, était dans son fourgon lorsqu'il les avait vus passer. Il était quasiment certain que le type ne portait pas de casquette à l'effigie des Eagles, ni aucun autre couvre-chef. Le petit garçon protestait, pleurnichait. Le témoin avait supposé qu'il s'agissait d'un père et de son fils.

Sam Mathis allait personnellement l'interroger au cours de la matinée. Il promit de tenir les Eckert informés, si cette piste était en mesure d'orienter l'enquête.

Les heures s'égrenaient avec une lenteur effarante. Caitlin était seule à la maison. Loïs, la secrétaire de Noah, avait téléphoné et, après moult excuses, dit qu'on avait vraiment besoin de lui au bureau. Un client, qui n'habitait pas la région, serait en ville pour quelques heures seulement et voulait absolument s'entretenir avec son avocat. Noah avait hésité, mais Caitlin l'avait encouragé à partir et à prendre son temps. Elle souriait vaillamment, cependant quand la voiture de son mari s'était éloignée, elle s'était soudain sentie abandonnée. Noah et elle ne s'étaient pas séparés un instant depuis que l'école les avait prévenus de la disparition de Geordie. Ils s'étaient mutuellement soutenus, se remontant le moral quand l'un d'eux flanchait. Brusquement, sans Noah, Caitlin était écrasée sous le poids d'une insupportable solitude.

Pourtant elle n'était pas vraiment seule. Deux policiers arrivaient dans l'allée, tandis qu'elle contemplait par la fenêtre le paysage triste et pétrifié. Ils la saluèrent en entrant dans la maison.

— Il y a du café chaud, leur dit-elle.

— Il reste des roulés à la cannelle ? demanda Jack, le plus jeune.

— Ils ont été livrés à l'aube. Servez-vous.

Haley avait déposé les roulés tout frais sur le perron, alors que Noah et Caitlin se reposaient encore. Caitlin était submergée par la gentillesse des gens. Sa cuisine débordait de victuailles, mais rien ne la tentait. Elle avait perdu l'appétit et le sommeil. Elle dormait quelques minutes et se réveillait en sursaut, accablée de douleur. Aujourd'hui, après le départ de Noah, elle avait décidé de prendre une bonne douche, mais s'était ravisée. Cela l'angoissait trop. Et si le téléphone sonnait pendant qu'elle était dans la salle de bains ? Une angoisse absurde, elle en avait conscience. Elle avait la possibilité de vérifier si elle avait manqué un appel. Cependant elle ne s'était pas douchée. Elle se sentait sale, exténuée. La moindre tâche lui semblait au-dessus de ses forces. Elle était paralysée, incapable de faire quoi que ce soit.

À ce moment, elle vit la voiture de Sam Mathis s'engager dans l'allée. Son cœur bondit dans sa poitrine. Elle sortit en courant sous la bruine. Mathis baissa sa vitre.

— Alors ? s'exclama-t-elle. L'assistante d'éducation, elle a été mise sous hypnose ?

— Hier soir.

— Et alors ?

— Rien de très utile.

— Rien ?

La frustration lui nouait la gorge, lui coupait le souffle, comme si elle avait ingurgité un aliment auquel elle était allergique.

— Et l'homme de la chaîne câblée ?

— Il veut nous aider. Il en a très envie, mais il n'a pas de gosses. J'ai constaté au fil des ans que les hommes qui n'ont pas de gosses remarquent à peine les enfants et sont incapables de les décrire. Je vais à l'école chercher les portraits des gamins qui sont dans la classe de Geordie. Pour essayer de lui rafraîchir la mémoire. Je suis juste passé vous tenir au courant. Mais je ne peux pas rester.

— Non, attendez !

Elle faillit l'agripper par la manche de son veston, pour l'empêcher de la laisser là, toute seule, en proie à ses terreurs obsédantes.

Il la dévisagea.

— Qu'est-ce qu'il y a ?

— Je ne supporte plus…

— Je comprends. Nous faisons le maximum…

— Je le sais. Mais je me sens tellement inutile.

— C'est une épreuve abominable.

— Permettez-moi de venir avec vous, balbutia-t-elle. Je peux donner un coup de main. Participer à la battue.

— Je suis navré, répondit-il. C'est dur, mais il vaut mieux que vous restiez ici, à la maison.

Caitlin secoua la tête.

— Non, vous ne comprenez pas. Je ne peux plus. Tout simplement. J'ai suivi vos directives à la lettre. Mais je ne peux pas passer la journée à attendre ici. Je veux participer aux recherches. Permettez-le-moi. Au moins ça. Quel mal y aurait-il ?

La veille, après leur déclaration télévisée, Noah et elle avaient été autorisés à se rendre à l'église servant de QG, d'où partaient les équipes de volontaires et où elles revenaient se reposer. Mathis avait ordonné aux jeunes policiers d'apporter la photo de Geordie à l'église, sans doute pour motiver les gens. Des parents qui se sentaient concernés et des personnes âgées, réunis dans l'édifice, offraient flyers, cookies et litres de café aux citoyens ordinaires formant les groupes de volontaires. Émus par tant de solidarité, Caitlin et Noah avaient distribué des poignées de main et écouté avec gratitude les paroles d'espoir de leurs concitoyens. Puis la police les avait rapidement emmenés.

— Je sais que c'est dur, déclara Sam Mathis. Mais ces procédures ont un sens. Si les parents participent aux recherches, ça devient difficile. Les journalistes ne vous lâchent plus, des renseignements importants filtrent parfois. On ne peut pas courir ce risque.

— Je ne parlerai à personne, je vous le jure, supplia Caitlin.

— Tous ces gens si sympathiques décidés à chercher votre petit garçon ? Et vous ne leur adresseriez pas la parole ?

— Je peux parler sans me répandre, s'insurgea-t-elle.

— Le ravisseur est peut-être parmi les volontaires. Quelquefois ces criminels prennent leur pied en étant sur les lieux à regarder de près les parents souffrir.

Caitlin en eut un haut-le-corps.

— Quelle horreur. Il faut vraiment être tordu.

— Vous n'imaginez même pas à quel point.

— Je vais vous dire... rester assise à contempler la pluie et surveiller la pendule, c'est une espèce d'enfer. S'il s'agissait de votre enfant, vous accepteriez ça ?

Sam Mathis plissa le front, soupira. Finalement il marmonna :

— Entendu. Je sais bien que vous devenez dingue. Si vous voulez, vous pouvez venir avec moi.

— Oh, merci. Merci.

— Ne me le faites pas regretter.

— Accordez-moi juste le temps de courir chercher mon ciré.

Caitlin se sentait chancelante, telle une malade que l'on autorisait enfin à quitter l'hôpital. Installée dans le SUV de Sam Mathis, à côté du conducteur, elle était étourdie par l'air et le changement de décor. Un instant, elle ne pensa plus à Geordie. Un très bref instant. Après quoi elle poussa un soupir.

Sam lui jeta un coup d'œil oblique.

— Il n'y a rien de pire que ça, dit-il gentiment. Ne pas savoir.

— Oui. Avez-vous des enfants, inspecteur ?

— Deux adolescents. Une fille et un garçon. Ils me mèneront au cimetière à force de me donner du souci.

— Hmm... je me rappelle.

— Votre adolescence ?

— Non, je… je songeais à… mon jeune frère. Ce sont des années difficiles, s'empressa-t-elle d'ajouter.

Ils roulèrent un moment dans un silence que troublait uniquement la pluie tambourinant sur le toit du véhicule.

— Alors comme ça, demanda Mathis, vous connaissiez votre… la mère de Geordie ?

— Non, mais j'ai l'impression de la connaître. Elle devait être, il me semble, une femme merveilleuse.

Mathis hocha pensivement la tête.

— Et comment vous l'avez rencontré, Noah ?

Caitlin piqua un fard.

— Euh… au cours d'une manifestation caritative, répondit-elle d'un ton brusque.

— Avant ou après la mort de sa femme ?

Caitlin darda sur Mathis un regard furieux.

— Après, bien entendu. C'est donc pour m'interroger que vous m'avez permis de vous accompagner ? Vous m'accusez de quoi, exactement ?

— On discute, voilà tout, rétorqua Mathis, apaisant, mais à l'évidence le malaise de Caitlin ne lui échappait pas. Vous m'êtes sympathiques, tous les deux. J'étais curieux de savoir ce qui vous avait réunis.

— Navrée de vous décevoir, mais je ne me suis jamais intéressée aux hommes mariés. Je me suis toujours dit : s'ils sont capables de tromper leur femme, qu'est-ce qui les empêchera de me tromper ?

— Une réflexion pertinente.

— D'ailleurs, si je ne m'abuse, Noah et Emily étaient heureux ensemble.

97

— En effet. Je me souviens de l'époque où elle est morte. Votre mari était complètement anéanti. Que nous n'ayons pas réussi à arrêter le chauffard qui l'avait tuée m'est toujours resté sur le cœur.

Caitlin se tut, regardant droit devant elle.

— Votre mari est incroyablement malchanceux. D'abord son épouse meurt dans un accident. Ensuite son fils est kidnappé. C'est trop pour une seule vie.

— Il est très solide, heureusement.

Mathis bifurqua à droite, puis de nouveau à droite pour s'engager sur un parking d'aspect familier.

— Nous sommes à l'école, fit remarquer Caitlin.

— Vous n'êtes pas obligée d'entrer si vous ne le souhaitez pas.

Caitlin hésita, le cœur battant.

— Si, je viens.

Il gara son SUV et coupa le moteur.

— D'accord mais, s'il vous plaît, ne répondez à aucune question. Tenez-vous à l'écart.

À la vue de Caitlin, les personnes rassemblées dans le grand bureau parurent stupéfaites et gênées. Caitlin savait que la secrétaire, la directrice et de nombreux enseignants s'étaient joints aux volontaires basés à l'église presbytérienne. Elle leur en était reconnaissante et se sentait dans l'obligation d'essayer de les mettre à l'aise, mais elle était trop lasse. Elle demeura debout, silencieuse, évitant leurs regards anxieux, tandis que Sam Mathis annonçait qu'il souhaitait voir Mme Hunt. Il tendit ensuite un badge visiteur à Caitlin. Elle l'épingla sur son T-shirt, se remémora la journée du lundi. Si seulement ils avaient été aussi prudents, ce jour-là. Assez, se gourmanda-t-elle. L'école s'enorgueillissait d'accueillir le public lors de certaines manifestations. La direction désirait inciter la collectivité à participer. C'était précisément une des raisons pour lesquelles Caitlin aimait cet établissement.

— J'en ai pour une minute, dit Mathis, alors qu'on l'escortait jusqu'au bureau de la directrice.

Caitlin s'assit sur une chaise près de la porte, avec l'impression qu'on ne voyait qu'elle. Les secrétaires, à leur table de travail, lui lançaient des coups d'œil furtifs, comme si elle était un phénomène de foire. Elle avait envie de leur crier : « Qu'est-ce que vous regardez comme ça ? », mais elle se tut.

La porte du bureau s'ouvrit, elle entendit un homme rire. Elle se tourna à demi, avisa M. Needleman en train de bavarder avec un autre homme, jeune, qui gesticulait en marchant. M. Needleman entra et lança :

— Bonjour, gentes dames !

Les secrétaires tentèrent de l'avertir discrètement. Lorsqu'il découvrit Caitlin, il laissa échapper un petit cri. Le sang se retira de son visage.

— Bonjour, monsieur Needleman.

— Madame Eckert… j'ignorais que… A-t-on des nouvelles de Geordie ?

Elle fit non de la tête.

— Je suis navré. Je n'aurais pas dû rire… bredouilla-t-il, désignant le hall d'un geste. Je discutais avec le professeur de musique et…

À ces mots, Caitlin rougit. Ainsi toute manifestation de joie était interdite en sa présence ?

— Ne soyez pas stupide, murmura-t-elle sans le regarder dans les yeux.

Il y eut un silence gêné.

— Pas de nouvelles, alors ? bredouilla-t-il.

— Non, aucune.

Elle flairait l'envie qu'il avait de fuir. Comme si elle était pestiférée.

Il hésita, un peu de rose monta à ses joues pâles. Il prit une profonde inspiration.

— Madame Eckert… vous vivez la pire des épreuves. Je regrette de n'avoir pas été plus vigilant ce jour-là. J'aurais voulu faire quelque chose, n'importe quoi, pour empêcher ça.

— Ce n'est pas votre faute. J'étais là aussi, ne l'oubliez pas. Comment aurions-nous pu deviner ? J'ai entendu dire qu'on vous tourmentait. J'en suis désolée. Les gens sont parfois cruels.

M. Needleman eut un faible sourire. Il haussa les épaules.

— On a jeté quelques œufs sur mon pare-brise, quelle importance ? Je suis de taille à le supporter, du moment que vous me comprenez. J'aime les enfants. Tous les enfants. Je ne leur ferais jamais le moindre mal.

— Arrêtez. Vous n'avez pas à vous justifier.

— Je prie sans cesse pour que Geordie revienne sain et sauf.

— Merci. Continuez à prier.

M. Needleman opina et se dirigea d'un air solennel vers le comptoir de la réception. Il se mit à parler à voix basse.

Caitlin se leva et sortit du bureau pour attendre Sam Mathis. De toute façon, rester assise sous le feu de tous ces regards attristés lui était intolérable. Elle s'appuya contre le mur et ferma les paupières pour ne plus lire la pitié sur les visages de ceux qui allaient et venaient dans le hall.

8

À l'extérieur de l'église presbytérienne, des lycéens qui s'étaient portés volontaires pour quitter l'abri de leur salle d'étude distribuaient sous la pluie des flyers avec la photo de Geordie aux automobilistes badauds qui roulaient au pas. Un policier en uniforme, affublé d'une sorte de bonnet de douche en plastique protégeant sa casquette, était posté près de la porte du sous-sol, en compagnie de quelques journalistes et photographes qui faisaient le pied de grue sous une avancée du toit, et harponnaient ceux qui entraient et sortaient du QG.

Le policier s'empressa de saluer Sam Mathis qui lui adressa quelques mots avant de pénétrer dans la vaste salle de réunion. Caitlin, les mains enfoncées dans les poches de son ciré, la capuche relevée pour dissimuler son visage, lui emboîta le pas.

Le sous-sol de l'église presbytérienne avait servi de décor à de nombreux rassemblements amicaux – dîners, kermesses ou soirées entre messieurs appartenant à divers clubs –, mais aujourd'hui il régnait une atmosphère lugubre dans ce cadre agréablement vieillot.

En entrant, la première chose que vit Caitlin fut le chevalet sur lequel on avait posé le portrait agrandi de Geordie, à côté de trois longues tables accolées. Une carte était fixée sur un panneau d'affichage. On y avait noté les secteurs déjà fouillés, et combien de fois on les avait fouillés.

Des volontaires en tenue de pluie sirotaient du café, mangeaient les sandwichs disposés sur des plats et, tout en discutant, essuyaient les verres embués de leurs lunettes. Caitlin, qui scrutait leurs visages en quête d'une lueur d'espoir, reconnut soudain deux d'entre eux. Naomi, vêtue d'une grosse combinaison de travail, les cheveux humides, parlait à un homme âgé en pantalon de velours. Martha était assise près d'eux, ses yeux fixant le vide ; de temps à autre, elle intervenait dans la conversation. Caitlin se dirigea vers eux.

Naomi la regarda puis se tourna vers sa mère.

— Maman, c'est Caitlin.

Elles n'avaient jamais été très démonstratives l'une envers l'autre, cependant Caitlin éprouva une bouffée d'affection pour sa belle-sœur, manifestement résolue à retrouver son neveu. Caitlin serra dans ses bras Naomi qui lui rendit gauchement son étreinte. Puis elle prit la main de Martha entre les siennes.

— Ça me fait du bien de vous voir, Martha.

— J'aimerais pouvoir dire la même chose. Oh… je plaisante.

— Oui, je sais. Tu as participé aux recherches, aujourd'hui ? demanda Caitlin à Naomi.

Celle-ci haussa les épaules.

— Au centre de recyclage, c'était calme. Dès qu'il pleut, on n'a plus un client à la librairie. J'ai préféré me rendre utile et consacrer quelques heures aux recherches. Je l'ai laissée ici, ajouta Naomi désignant sa mère, pour qu'elle papote avec les gens. Elle est mieux là, à bavarder, que toute seule à la maison, à se ronger les sangs. Paula et Westy s'en allaient pile quand on est arrivées. Ils ont participé à la première battue de ce matin.

— Tout le monde se dévoue, commenta Caitlin.

— Où est Noah ? questionna Martha d'une voix forte.

— Il a été obligé de travailler un peu. Moi j'ai décidé de venir ici. L'inspecteur Mathis ne voulait pas, mais je ne supporte plus cette attente.

— Ouais... opina Naomi. Le temps ne passe pas vite.

— Je suppose qu'il n'y a aucun signe de... bredouilla Caitlin.

— Pas là où on était, en tout cas. Bon, je vais ramener maman à la maison et retourner au centre. Appelle-moi s'il y a du nouveau. Viens, maman. Je te raccompagne.

— Nous prions pour Geordie jour et nuit, déclara Martha.

— Merci, répondit Caitlin.

Non loin, du côté des tables, Sam Mathis discutait avec une femme d'âge mûr, coiffée d'une casquette à l'effigie des Eagles. Caitlin s'approcha d'eux.

Sam Mathis la présenta comme la mère du petit Geordie. Puis il dit :

— Madame Eckert, vous connaissez Madelyn Crain ?

Caitlin acquiesça. Cette femme, qui avec son mari Burt était de facto la coordinatrice civile des recherches, ne lui était effectivement pas inconnue.

— Nous nous sommes déjà rencontrées. Merci infiniment, madame Crain, pour tout ce que vous faites, vous et votre mari.

Son interlocutrice l'étreignit avec une chaleur maternelle.

— Ne vous inquiétez pas. Tant que nous ne l'aurons pas retrouvé, nous n'aurons pas de répit. Un groupe vient de rentrer, et nous en avons un autre qui s'apprête à y aller.

— Je craignais que les gens ne soient plus motivés, à présent, qu'ils se désintéressent de…

— Se désintéresser d'un enfant qui a disparu de l'école ? Nous avons tous des enfants et des petits-enfants dans cette école. Personne ne s'en désintéressera, affirma Madelyn.

— Je n'ai pas de mots pour exprimer combien cela compte pour mon mari et moi. Je me disais qu'aujourd'hui je pourrais participer aux recherches avec les volontaires, enchaîna Caitlin, sans regarder Sam Mathis.

— Ce n'est pas une bonne idée, grommela-t-il.

— Je garderai ma capuche et je marcherai en baissant la tête, s'obstina Caitlin. Ils ne me remarqueront pas.

Madelyn dévisagea l'inspecteur.

— Vous pouvez la comprendre, non ?

— Je préférerais vraiment que vous vous absteniez.

Caitlin observa le bataillon de femmes de tous âges, en sweat-shirts et imperméables, les jeunes et athlétiques ouvriers du bâtiment et les messieurs voûtés, aux cheveux blancs, assemblés à l'entrée de la salle, et qui tous donnaient leur temps pour retrouver son fils.

— Je dois participer, dit-elle.

Le chef de groupe, un jeune officier de police équipé d'un gilet en plastique jaune fluo par-dessus son ciré noir, leur livra ses instructions avant qu'ils se mettent en route.

— Je m'appelle Ralph. J'ai ce gilet pour être facilement repérable dans les marais. Tant que vous êtes dehors, vous ne devez pas me perdre de vue.

Il montra à tous, sur la carte, la zone qu'ils auraient à passer au peigne fin.

— Ça ne sera pas du gâteau, messieurs-dames. Je veux que vous soyez tous très attentifs. Je ne tiens pas à ce que l'un d'entre vous s'embourbe. Alors vous gardez un œil sur moi et l'autre sur une éventuelle trace de notre victime.

Le mot fit tressaillir Caitlin. Voilà donc pourquoi, entre autres, Sam Mathis s'était acharné à la dissuader de se joindre aux volontaires. Ménager ses sentiments était pour ces gens tout bonnement impossible. Elle devait être prosaïque, comme eux. Ils recherchaient en effet la victime d'un kidnapping.

— Nous savons ce qu'il portait. Voilà une photo, dit le policier, et il brandit un cliché montrant des vêtements semblables à ceux de Geordie. Nous cherchons des bouts de tissu, des objets qui seraient tombés de son sac à dos, etc. Si vous trouvez quelque chose, que cela vous paraisse ou non important, ne le ramassez pas, n'y touchez pas. Est-ce bien clair ? Je dois insister sur ce point. Vous trouvez quelque chose, vous appelez tout de suite. D'accord ? Il y aura une demi-douzaine d'officiers de police sur Goshen Hill Road, ils examineront vos trouvailles. Laissez-les faire. Nous ne pouvons pas courir le risque de perdre un indice à cause d'un malentendu. Tout le monde a bien compris ?

Un murmure courut dans l'assemblée.

— OK. On monte dans les voitures et on démarre.

D'un pas cadencé, tous franchirent les portes et gagnèrent le parking. On cornaqua Caitlin jusqu'à un Subaru Forester pourvu d'une plaque d'immatriculation de la caserne des pompiers. Le conducteur se prénommait Jerry. Elle noua sous son menton le cordon de sa capuche, prétendit s'appeler Kate quand on lui demanda son nom et s'en tint là. Jerry était séduisant, robuste, avec des mains carrées, des cheveux noirs et bouclés. Il avait les dents du bonheur. Caitlin s'installa à l'avant, et deux vieux messieurs en tenue de pêcheurs prirent place à l'arrière.

Ils se mirent à plaisanter, à propos du mauvais temps, de leurs parties de pêche dans les marais près de Goshen Hill Road. Caitlin comprit bientôt que ces hommes avaient lié connaissance durant les battues pour retrouver Geordie. Ils y participaient depuis le début. Son cœur se gonfla de gratitude à leur égard.

— Ouais, y a des rats musqués dans ce marécage, disait l'un d'eux. En pagaille. Sales bestioles.

— Vous rigolez, rétorqua Jerry. J'en ai mangé au banquet des vétérans. Quand c'est bien cuisiné, c'est excellent.

Caitlin se sentait nauséeuse.

— C'est encore loin ? demanda-t-elle d'une voix chevrotante.

— On y est ! répondit Jerry qui gara le Subaru et coupa le moteur. Terminus, tout le monde descend ! ajouta-t-il, jovial.

Ses passagers s'extirpèrent du véhicule. Les policiers étaient tous en gilet jaune, et deux d'entre eux tenaient en laisse des bergers allemands. Les chiens grognaient, haletants, pressés de s'élancer. Manifestement, il fallait être costaud pour les maîtriser. Caitlin vit un des policiers leur tendre un chiffon rouge à renifler. Et soudain, elle reconnut le « chiffon » : un T-shirt qu'elle avait choisi dans la penderie de Geordie, quand Sam Mathis lui avait demandé un vêtement que le garçonnet mettait souvent. Elle eut un étourdissement en comprenant ce que signifiait la scène qui se déroulait sous ses yeux.

— Maintenant, écoutez bien, déclara Ralph. Suivez votre chef de groupe et faites attention où vous posez les pieds. Dans ces marais, le sol peut paraître solide et, tout à coup, céder sous votre poids. Le gamin n'a disparu que depuis quatre jours, par conséquent vous ne trouverez pas de squelette ni d'ossements. Il est encore intact.

Caitlin dut se détourner et respirer à fond. On parlait de son fils. Ressaisis-toi. Sam Mathis t'avait avertie.

— Ça ne va pas ? lui demanda l'un des hommes de son groupe.

— Si, ça va. Allons-y.

Caitlin s'aperçut bientôt qu'elle devait être prudente à chaque pas. Rester près des arbres ne garantissait pas d'être au sec. Ces arbres paraissaient enracinés dans la fange. Elle glissait à tout bout de champ dans la vase et manqua s'affaler dans l'eau marron qui clapotait autour de ses bottes. Au fur et à mesure de leur progression, son groupe dénicha une profusion d'emballages et de gobelets provenant, semblait-il, de tous les fast-foods du sud du New Jersey. Mais ils ne trouvèrent rien qui appartenait à Geordie.

Il n'est pas là, se dit-elle. S'il y était, je le saurais. Je le sentirais. Elle garda cependant son intuition pour elle. Ces braves gens se décarcassaient, dans des conditions éprouvantes, et n'étaient pas disposés à entendre sa théorie sur la perception extrasensorielle. Elle n'avait pas envie de les décourager.

Brusquement, la tranquillité des marais, où l'on n'entendait que le flic-flac de la pluie, vola en éclats. Des aboiements retentirent, aigus, frénétiques, féroces. Caitlin n'avait jamais rien entendu d'aussi terrible. Son cœur se mit à cogner, elle eut l'impression que tout son sang se retirait de son cerveau pour se précipiter dans ses pieds. Elle vacilla.

— Attention à ne pas tomber dans cette eau, dit gentiment Jerry. Ce ne sont que les chiens qui aboient.

Levant le nez, elle le vit qui scrutait la clairière d'où venait le vacarme.

— On dirait qu'ils ont trouvé quelque chose, commenta-t-il.

Caitlin ne répondit pas. Elle demeura un instant figée, au bord de la fondrière. Puis elle se mit à courir, trébuchant et glissant sur les feuilles mortes, la figure griffée par les branches dénudées des arbres. Elle courait vers les chiens.

— Hé, pas si vite ! lui cria Jerry. On est censés rester ensemble !

Caitlin fit la sourde oreille. Arrêtez. Assez ! Elle était furieuse contre ces chiens. Ils s'excitaient comme s'il s'était produit quelque chose de formidable. Des vautours. Des vampires. Émergeant d'un taillis, elle avisa des policiers et des volontaires groupés autour des molosses. Non… non.

Elle n'eut pas le temps d'approcher, l'un des policiers lança d'une voix forte, agacée :

— Ce n'est rien, messieurs-dames ! Fausse alerte. Ils ont vu un rat musqué.

Les volontaires éclatèrent de rire, soulagés, et retournèrent à leur tâche.

Caitlin se courba, les mains sur ses cuisses, telle une sprinteuse après la course, essayant de calmer son cœur emballé. Ce n'était rien. Ils n'avaient rien trouvé. *Il n'était pas là.*

Elle ne voulait pas qu'ils découvrent quoi que ce soit dans ces marais désolés, elle en avait à présent conscience. Si Geordie s'était perdu par ici, ou si on l'y avait abandonné, il mourrait de froid. Il se noierait. Jamais il ne réussirait à survivre.

Il fallait qu'elle rentre à la maison. Qu'elle s'éloigne de ce lieu abominable. Elle ne supportait pas d'imaginer Geordie ici, tout seul. Terrifié.

— Hé, regardez ! cria quelqu'un.

Caitlin se redressa, tremblante.

— Des lunettes. J'ai trouvé une paire de lunettes !

Les policiers en gilet fluo convergèrent sur le volontaire qui montrait du doigt le trophée à ses pieds. Mais Caitlin fut la première à le rejoindre.

Elle s'arrêta près de l'homme âgé, capta le reflet des verres sous la surface de l'eau.

Elle se pencha aussitôt, plongea sa main dans la boue et saisit les lunettes cassées.

— N'y touchez pas ! tonna un policier. Je croyais qu'on avait été clairs sur ce point. Madame, s'il vous plaît, ne ramassez rien.

Caitlin tenait les lunettes entre ses mains. Les larmes roulaient sur ses joues. Elle secoua la tête.

— Non, balbutia-t-elle. Non.

— Qu'est-ce que vous fabriquez ? Donnez-moi ça ! Ça ne va pas ou quoi ?

Caitlin continuait à secouer la tête.

— Non.

— Quoi, « non » ?

Elle serra les lunettes contre sa poitrine.

— Ce ne sont pas les siennes, souffla-t-elle.

Le policier la dévisagea, tandis que les autres formaient un arc de cercle autour d'eux.

— Qu'est-ce que vous en savez ? Mais… une minute. Vous êtes…

Elle ne leva pas les yeux.

— Il faut que je rentre chez moi, murmura-t-elle.

Caitlin était muette sur le siège passager à côté de Ralph, le jeune policier, qui la reconduisait à la maison. Elle tremblait de la tête aux pieds et ne parvenait pas à endiguer le flot de larmes qui lui inondait la figure. Elle les essuyait d'un revers de main machinal.

Ralph stoppa dans l'allée derrière deux autres voitures de police, ainsi que l'automobile de Noah et un véhicule cabossé que Caitlin ne reconnut pas. Elle se tourna vers son jeune chauffeur.

— Je suis vraiment désolée. Je n'aurais pas dû... Pardon de vous avoir causé des ennuis.

— Il vaut sans doute mieux que vous nous laissiez mener les recherches, rétorqua-t-il gravement.

Elle acquiesça, le remercia encore avant de sortir. Elle envisageait de prendre un bain chaud et une tasse de thé avec Noah. Pour le moment, ses projets n'allaient pas plus loin.

Elle poussa la porte de la maison, pénétra dans le vestibule. Noah était au salon. Assis au bord du canapé, il tambourinait sur l'accoudoir. Il était pâle et, dans ses yeux, Caitlin lut un avertissement.

En face de lui, dans le rocking-chair vert sauge, se tenait une jeune femme grassouillette, au visage grêlé, couleur moka, couronné d'une tignasse brune et crépue. Elle portait une jupe serrée, des bas résille troués et une veste en vinyle noir. Une énorme croix au bout d'une chaîne pendait à son cou.

Elle se leva quand Caitlin entra dans la pièce.

— Caitlin ! Comment va, ma grande ?

Le cœur de Caitlin manqua un battement.

— Karla...

— Je vous ai vus, toi et ton mari, sur Internet. Alors je me suis dit qu'il fallait que je vienne.

9

Juchée sur ses bottes aux talons usés, Karla s'avança vers Caitlin et la serra dans ses bras.

— Tu es toute mouillée, dit-elle en s'écartant.

Caitlin lança un coup d'œil à Noah qui la dévisageait d'un air sombre. Il était très raide, tendu.

— J'ai participé aux recherches, aujourd'hui.

Pas la moindre lueur chaleureuse dans le regard de Noah. Il ne demanda pas si les volontaires et elle avaient trouvé quelque chose.

— Karla, euh… ce n'est peut-être pas le meilleur moment pour nous rendre visite.

— Et pourquoi pas ? articula Noah.

Caitlin le considéra avec stupéfaction.

— Oh, mais je suis venue de Coatesville juste pour te voir, dit tristement Karla. J'aurais dû attendre qu'on m'invite, ça c'est vrai, mais j'avais tellement mal au cœur pour vous tous. Alors j'ai pas voulu attendre. Comme tu sais, j'étais en… désintox quand James est mort. J'aurais aimé pouvoir venir à l'époque. Eh ben, je suis là maintenant.

Caitlin n'osait pas regarder Noah.

— Il faut vraiment que j'enfile des vêtements secs. Tu désires boire quelque chose ? Je crois qu'on a du soda ou du thé glacé.

— Non, ça baigne, répondit Karla avec un geste apaisant de la main.

— Je vous rejoins, bredouilla Caitlin. Chéri…

À cet instant, l'un des policiers qui leur tenaient compagnie en permamence émergea de la cuisine.

— Monsieur Eckert, je peux vous dire un mot ?

Noah se redressa brusquement.

— Bien sûr. Enchanté d'avoir discuté avec vous, Karla.

— Pareil pour moi, Noah. J'espère que tout s'arrangera et que vous récupérerez votre petit garçon.

Noah eut un sourire contraint puis suivit le policier dans la cuisine. Caitlin se réfugia dans la chambre, ôta ses habits trempés et se rhabilla à la va-vite. Elle devait faire sortir Karla du salon, se disait-elle, l'emmener dans un endroit plus discret. Mais à en juger par l'expression de Noah, il était déjà trop tard. Elle se peigna et rejoignit Karla, lui indiquant une petite pièce tapissée de livres, attenante au salon, sur le devant de la maison.

— Installons-nous dans le bureau, suggéra-t-elle. C'est plus… cosy.

— Comme tu veux, rétorqua aimablement Karla.

Caitlin l'entraîna dans le bureau et lui indiqua une bergère recouverte d'une tapisserie à l'aiguille. Karla s'y assit confortablement, tandis qu'elle-même se pelotonnait dans le fauteuil club qui lui faisait face.

— Tu as changé, Karla.

Elle ne mentait pas. La jeune fille dont elle se souvenait, qui fréquentait le même lycée que James, était maussade et ne s'exprimait que par monosyllabes. La croix qu'elle portait représentait également une nouveauté. Naguère, la religion de Karla se fondait sur les médicaments, généralement volés. Raison pour laquelle elle avait été arrêtée, peu avant que la famille de Caitlin quitte Coastesville pour le sud du New Jersey.

— Oui, je suis différente. Complètement différente. J'ai trouvé la voie et la lumière.

— C'est formidable.

— J'ai rencontré Jésus-Christ, ajouta Karla avec candeur.

— Tant mieux. Je suis contente pour toi.

— Tu aimerais qu'on dise une prière ensemble ? Pour ton fils ?

— Non, ça va, merci.

— On a tous besoin de l'aide du Seigneur. Moi, je dis ça comme ça.

— Je sais. Mais on… on prie beaucoup.

— C'est bien. Note que je m'en doutais. Sur le Net, on montrait tous les gens du coin qui essaient de donner un coup de main.

— Tout le monde a été très gentil, acquiesça Caitlin, drapant un plaid tricoté sur ses jambes – elle tremblait toujours. J'avoue que je… je ne m'attendais pas à te voir ici.

— Les voies du Seigneur sont impénétrables, comme on dit. Je surfais sur le Net, et je suis tombée sur votre vidéo. Ça faisait le buzz, parce que les gens, ils aiment bien les affaires de gamins disparus. Moi aussi, je le reconnais, enchaîna-t-elle, l'air penaud comme si elle avouait une passion coupable pour la glace au chocolat. Enfin, bref, je pensais même pas à toi et tout à coup... j'en ai pas cru mes yeux. C'était toi. Exactement comme dans mon souvenir. Encore que, quand j'étais avec James, je te voyais pas souvent. Tu bossais ailleurs... où ça, déjà ?

— En Nouvelle-Angleterre. Dans une université du Massachusetts.

Les tremblements de Caitlin ne se calmaient pas, au contraire elle claquait des dents, mais Karla ne semblait pas s'en apercevoir.

— Ah oui, maintenant je me rappelle. James disait toujours que, de vous deux, c'était toi le cerveau.

Caitlin opina, le cœur serré.

— J'aurais voulu être là quand il est mort, poursuivit Karla. D'abord on m'a dit que je pourrais assister aux obsèques, mais quand ils ont appris que c'était en dehors de l'État, ils ont refusé. J'ai pleuré toutes les larmes de mon corps. Ç'a été le pire jour de ma vie.

— Je ne... je n'aime pas repenser à cette époque.

Karla ne se laissa pas démonter.

— Quand j'ai été libérée, j'ai commandé une messe pour lui, dans mon église. Rien de grandiose, mais quelques-uns de ses anciens copains sont venus. Je t'ai envoyé une invitation. Tu l'as reçue ? Je l'ai envoyée à l'adresse de tes parents. La maison où tu habitais quand James... enfin, tu sais...

— Non, je ne l'ai pas reçue. C'était une période vraiment chaotique. Je suis navrée. Quelle gentille attention de ta part.

116

— En fait, ç'a été très beau. Le pasteur nous a permis de passer les morceaux de musique préférés de James. Et puis deux ou trois personnes ont parlé. J'ai tout enregistré. Je te l'enverrai.

— Je… vraiment je suis touchée. Ça lui aurait plu.

— Je sais bien qu'il allait pas à l'église. Note que moi non plus, quand on sortait ensemble. Mais je me suis liée à ce groupe de prière pendant que j'étais au centre de redressement, et ça a totalement changé ma vie. Ça m'a ouvert les yeux, je t'assure, et du coup j'ai trouvé ma voie.

— C'est merveilleux, Karla, dit Caitlin en se relevant. Et c'est très gentil d'être venue. Je souhaiterais pouvoir te proposer de rester dîner, mais nous sommes anéantis à cause de la… disparition de notre fils.

Karla hocha la tête d'un air compatissant.

— Je me doute. Quelle horreur. Et qu'est-ce qui lui est arrivé à votre petit garçon ?

— Je… je ne peux pas expliquer. Tous les médias en ont parlé. Il a été… kidnappé à son école.

— Ça, je le sais. Je l'ai vu sur le Net. Je voulais dire : tu sais pourquoi ?

— Pourquoi quelqu'un enlèverait un enfant de six ans ? Non, je n'en ai aucune idée.

— Quelquefois, c'est rudement difficile de comprendre les desseins du Seigneur, déclara pompeusement Karla.

— Oui, en effet, soupira Caitlin.

— C'est comme pour James.

Caitlin tressaillit.

— Pardon ?

— Son suicide. Ça, c'est le fond du gouffre.

— Il est mort d'une overdose de médicaments.

— Disons qu'il a choisi ce moyen-là, rectifia Karla en haussant les épaules.

— Tu as sans doute raison, murmura Caitlin.

— J'aurais tellement aimé être là pour lui pendant cette période de cauchemar. Lui et moi... nos âmes étaient en communion. Souvent je pense que je l'aurais sauvé. Mais au centre, pour le téléphone, les SMS, le règlement était strict. J'étais rationnée. Et lui, il avait besoin de quelqu'un à qui parler jour et nuit. En plus, je me concentrais sur ma propre guérison, tout ça. J'ai pas réalisé à quel point le remords le rongeait...

— Le remords ? répéta Caitlin qui se figea.

— Ne te reproche rien. C'est ce que je disais à ton mari. Je suis sûre que tu as fait le maximum, mais James pouvait pas vivre avec ça.

Karla avait donc raconté ce qu'elle savait à Noah ? Cette simple idée donna le vertige à Caitlin. Affolée, elle agrippa le dossier d'une chaise pour ne pas s'effondrer.

— Tu es au courant, hein ? ajouta Karla qui levait vers elle un regard innocent.

— Au courant de quoi ?

— De l'accident.

— Oui, répondit Caitlin d'un ton impatient. Oui, je sais, mais je n'ai aucune envie d'en discuter, Karla. Dans l'immédiat, avec la disparition de Geordie, je ne peux pas faire mieux.

— James ne se supportait plus. Il avait découvert que cette femme avait un enfant. Dès qu'il fermait les yeux, il la revoyait qui se précipitait devant le pick-up, comme ça. Il ne supportait plus. Littéralement.

118

Au souvenir de James, Caitlin eut une brusque bouffée de colère. Il l'avait suppliée de comprendre, de lui pardonner. Il l'avait aussi suppliée de ne pas alerter la police. Les conséquences de son acte le terrifiaient.

— Écoute, Karla, avant que tu ne lui tricotes une auréole, permets-moi de te dire que James se fichait totalement de la personne qu'il avait tuée. Il ne voulait pas aller en prison, voilà tout. Il était sous le coup d'une suspension du permis de conduire. Il était défoncé…

— Non, à mon avis, il ne l'était pas.

— Oh, pour l'amour du ciel ! s'exclama Caitlin, exaspérée. J'étais là. Je m'occupais de lui chaque jour. Crois-moi, je sais ce qu'il faisait à cette époque.

— Avec moi, Caitlin, il mettait son cœur et son âme à nu.

— Karla, vraiment, je ne peux pas parler de tout ça.

Elle devait mettre un terme à cette conversation. Elle jeta un regard vers la porte, craignant que Noah ne les écoute.

Karla se leva, hocha tristement la tête.

— Je dis simplement que, sachant ce que je sais maintenant, j'aurais pu trouver les mots pour le réconforter, l'aider, mais en ce temps-là…

— Et maintenant il est trop tard. Nous ne pouvons plus rien y faire, c'est du passé.

Caitlin énonça ces paroles d'un ton résolu, comme on referme une porte. Puis elle sortit du petit bureau et attendit que Karla l'imite. La jeune femme passa dans le salon et, à contrecœur, saisit son énorme sac posé à côté du fauteuil.

— Merci d'être venue de si loin, articula Caitlin avec raideur.

— Je voulais juste te soutenir.

— Oui, je sais.

— Bon… prends soin de toi. J'espère que tu retrouveras très vite ton fils.

— Merci.

Elle accompagna Karla jusqu'au perron, se contraignit à l'embrasser du bout des lèvres. La jeune femme traversa le jardin en courant, levant son sac au-dessus de sa tête pour se protéger de la pluie. Sa jupe remonta sur ses cuisses, découvrant la bande élastique de ses bas troués. Caitlin la regarda s'engouffrer dans sa voiture, exécuter un demi-tour et agiter la main avant de s'éloigner dans l'allée. Elle garda les yeux rivés sur la voiture. Elle voulait être certaine que Karla s'en allait.

Elle sentit Noah derrière elle avant même qu'il n'ouvre la bouche. Son esprit était en ébullition ; même si elle avait imaginé cette discussion des milliers de fois, elle ignorait ce qu'elle allait dire.

— Caitlin…

Elle se retourna, le regarda.

— Quelle pie, celle-là. Mon frère en était fou. Je ne me doutais pas qu'elle viendrait.

— C'est ce qu'elle a dit.

— Si j'avais su, je serais restée à la maison.

— Nous avons eu une conversation très intéressante, déclara-t-il froidement.

— Elle était là depuis longtemps ?

— Suffisamment longtemps.

Caitlin hocha la tête.

— Allons dans la voiture, commanda-t-il.

— Pourquoi ? Il pleut.

— J'ai à te parler, en privé, rétorqua-t-il avec un coup d'œil en direction des deux inspecteurs installés dans la salle à manger.

— On pourrait monter dans notre chambre.

— Non ! Surtout pas.

— Laisse-moi enfiler des bottes sèches.

— Je t'attends dans la voiture.

Elle ne lui posa pas de questions sur leur destination. Elle redoutait d'entamer la discussion pendant qu'il conduisait, de crainte qu'il soit incapable de se concentrer sur la route. Il roula jusqu'à un parc non loin de la maison, aménagé par le Lions Club. On y avait vue sur le lac voisin et, tous les jours ou presque, de jeunes enfants s'y adonnaient avec enthousiasme à l'escalade et à la balançoire. Elle y emmenait souvent Geordie. Elle se le représenta accroché à la cage à poules, ses lunettes glissant sur son nez, criant : « Regarde-moi ! » Aujourd'hui il pleuvait, le parc était désert.

Noah coupa le moteur. Ils restèrent un instant silencieux.

— Geordie adore cet endroit, murmura-t-elle.

— Je ne veux pas parler de mon fils, répliqua-t-il d'un ton menaçant.

Nouveau silence.

— Écoute… commença Caitlin, j'ignore ce qu'elle t'a raconté, mais tu sembles très contrarié. Je reconnais que je ne t'ai jamais beaucoup parlé de mon frère…

— Arrête, coupa-t-il – il se tourna vers elle, l'enveloppa d'un regard sombre. J'exige la vérité.

— Je ne comprends pas ce que tu…

Combien de fois avait-elle regretté de ne pas lui avoir tout avoué le premier jour ? Elle se souvenait de chaque minute de cette journée, comme si elle la revivait au ralenti. Elle s'était rendue à cette petite cérémonie en l'honneur d'Emily pour une seule raison : rencontrer les membres de sa famille et leur expliquer ce qui s'était passé. Elle avait dû rassembler tout son courage pour y aller, mais elle était consciente de leur devoir la vérité. Ils avaient besoin de savoir ce qui était arrivé à celle qu'ils chérissaient, et de savoir que James avait payé pour son acte – le prix le plus terrible qui soit.

Ce n'était que justice. Elle avait les mains qui tremblaient, ce jour-là, pendant qu'elle se préparait. Pourtant elle n'avait pas flanché, sûre de faire ce qu'il fallait.

Et puis elle avait rencontré Noah, qui était séduisant et intelligent, qui l'avait fait rire dès les premiers mots. Une hésitation et... c'en avait été fini de ses résolutions.

— À propos de...

— L'accident de ton frère. Il y a quatre ans, n'est-ce pas ? Il a renversé une femme. Une jeune maman. Il l'a tuée. Et ensuite il a pris la fuite.

Caitlin avait l'impression d'entendre son sang cogner à ses oreilles. Une seconde, du fond de son désespoir, elle faillit nier. Répondre que Karla avait raconté n'importe quoi. Non, impossible. N'avoir jamais rien dit était une chose, mais nier... Inventer un nom, une autre victime ? Non, inutile. Noah devinerait aussitôt qu'elle mentait. Il était avocat, mener des investigations ne lui poserait aucun problème. D'ailleurs, à l'évidence, il subodorait la vérité. Il ne lâcherait pas.

— Oui. C'est vrai.

— Qui était-ce ? La victime, qui était-ce ?

Caitlin prit une grande inspiration. Elle voulait avant tout se justifier. Expliquer. Hélas, il était trop tard pour les explications. Le désespoir l'engloutit. Elle n'avait plus le choix.

— C'était Emily. C'était ta femme.

10

Noah ne bougea pas un cil, il regardait droit devant lui à travers le pare-brise.

— C'est bien ce que je pensais.

— Je voulais te le dire…

Impassible, il tourna simplement la tête vers elle.

— D'accord, ce n'est pas très crédible…

— Tu n'imagines même pas à quel point.

— Mais tu dois me croire. Je n'ai jamais eu l'intention de te mentir. Noah, le jour de notre rencontre… le jour où on plantait ces arbres pour Emily, je suis venue dans un seul but. Je savais que la famille d'Emily serait là, et je souhaitais… vous dire tout ce que je savais.

— Ce que tu n'as pas fait, rétorqua-t-il d'une voix monocorde.

— Effectivement. Je t'ai rencontré et… je n'en ai pas eu le cran. Je ne voyais pas comment… C'était une idée stupide. J'aurais dû comprendre que j'avais choisi le pire moment possible.

— Et plus tard dans la semaine, quand je t'ai téléphoné pour t'inviter à dîner, tu as estimé qu'il valait mieux que j'ignore la vérité : ton frère avait fait de moi un veuf, il m'avait privé de ma femme. Ton frère avait enlevé sa mère à mon fils…

— Non ! À t'entendre, on dirait que j'avais un plan. J'ai essayé tant de fois de trouver les mots. Je ne m'attendais absolument pas à nouer une relation avec toi. Seulement, je suis tombée amoureuse de toi et j'ai eu peur…

— S'il te plaît, ironisa-t-il. L'amour comme argument de défense…

— Il ne s'agit pas de me défendre. Je ne cherche pas à me justifier. Je veux juste que tu saches comment ça s'est passé.

Noah se dérobait au regard implorant de Caitlin.

— Tu connaissais la vérité depuis le début. Depuis le jour où ça s'est produit.

— Pas exactement. Pas tout. C'est-à-dire que… je savais qu'il avait renversé quelqu'un avec le pick-up. Mais au début, il ne m'a pas révélé où s'était déroulé l'accident. Je l'ai compris grâce aux médias.

— N'appelons pas ça un accident, d'accord ? Appelons ça par son nom. Un homicide routier. Un meurtre. Le chauffard roulait à une telle vitesse qu'Emily a été tuée sur le coup. Elle prenait le courrier dans la boîte à lettres. Notre bébé… Geordie était encore dans la voiture. Endormi dans son siège, pendant qu'on tuait sa mère. Le chauffard ne s'est même pas arrêté. Il n'a pas tenté de secourir Emily. Il l'a laissée crever sur la route. Voilà ce qu'était ton frère.

— Je sais. Je suis tellement… et je n'essaie pas de l'excuser. Il n'a aucune excuse. Je lui ai dit qu'il devait se livrer à la police. Il était d'accord, mais ensuite il s'est enfermé dans sa chambre. Il refusait d'en sortir, il ne me parlait plus. Je devais faire quelque chose, j'en étais consciente. Je pensais sans arrêt à la famille de la femme qu'il avait écrasée. À votre peine à tous. Et à ce que mes parents auraient voulu que je fasse. Ce qui s'imposait, mais qui était si difficile. Je me suis pourtant décidée. Je suis entrée dans sa chambre et j'ai déclaré à James que nous irions au commissariat le lendemain matin. Il était couché sur son lit, il me tournait le dos. Je lui ai dit qu'il devait assumer les conséquences de son acte. Cette nuit-là, il a fait une overdose. Et le lendemain, je l'ai retrouvé… mort.

Les yeux de Noah étaient deux cailloux.

— Je suis censé en être attristé ?

— Non, répondit Caitlin d'un ton hésitant. Je suppose que je ne peux pas espérer ça.

— Tu supposes ? Tu connaissais la vérité depuis le début. Tu savais et tu t'es tue ?

— Je n'ai pas d'excuse, je…

— Tu savais et tu m'as épousé ? Tu as fait semblant d'aimer Geordie ? L'enfant d'Emily ?

Caitlin essuya ses larmes d'un geste brusque.

— Je n'ai pas fait semblant, ne dis pas ça ! Ce n'est pas juste.

— Juste ? Tu as le culot de décréter ce qui est juste ou pas ?

— J'essaie simplement de t'expliquer. Noah… tu me connais. Nous sommes ensemble depuis maintenant deux ans. Deux et demi si on compte les premiers mois pendant lesquels nous nous sommes fréquentés. Tu dois bien savoir que je n'ai jamais voulu te blesser. J'ai été lâche, je l'admets. Savoir la vérité et ne pas être capable de te l'avouer… c'était une espèce de torture. Parfois, l'occasion se présentait et je me disais : là, c'est le moment, vas-y. Mais je ne voulais pas voir cette expression dans tes yeux. Cette expression qui est là, maintenant, dans tes yeux. C'était au-dessus de mes forces. J'ai été si heureuse avec toi. Je pensais que peut-être… ça se dissiperait avec le temps.

— Se dissiper ?

— Ce n'est pas le bon mot. S'atténuer, disons. J'espérais qu'avec le temps la douleur s'atténuerait et qu'au moment propice, je te raconterais tout.

— Ou pas.

— Comment ça, « ou pas » ?

— Ne rien me dire. Jamais. C'était ça, ton plan, n'est-ce pas ?

— Je n'avais pas de plan. Je te le répète, je crois que j'attendais… une ouverture.

— Quel aurait été le moment idéal, selon toi ? Noël ? Mon anniversaire ?

— Ne dis pas ça, supplia-t-elle. Tu ne le penses pas. Je n'ai pas délibérément cherché à te faire du mal. Toi, tu ne t'es jamais trouvé dans une situation inextricable ? Sur laquelle tu n'avais pas de prise ?

— Non. Honnêtement, je ne comprends pas de quoi tu me parles.

La violence de ces paroles fut pour Caitlin une gifle en pleine face. Elle tressaillit, mais n'eut même pas l'idée de riposter. Elle méritait son mépris. Elle était coupable.

— Je ne te reproche pas d'être en colère. À ta place, je serais furieuse. Mais essaie de ne pas oublier que ce n'est pas moi qui conduisais ce pick-up. Ce n'est pas moi qui ai tué Emily.

Noah reprit son souffle, la regarda fixement. Elle espéra qu'il l'avait entendue, qu'il mesurait le dilemme auquel elle avait été confrontée. Elle ne s'illusionnait pas, cependant. Il la dévisageait avec une aversion qu'elle n'aurait pas crue possible. Elle en voulut à Karla d'avoir déboulé dans une histoire dont elle ignorait tout, mais elle se raisonna. Non, Karla n'était pas responsable. Absolument pas.

Elle était l'unique coupable. Elle aurait dû parler et ne l'avait pas fait. Elle avait eu des centaines d'occasions et ne les avait pas saisies.

— Noah ? Dis quelque chose.

Il secoua la tête, sans la quitter des yeux.

— Comment savoir si c'est la vérité ? Si tu ne mens pas ? Je n'ai que ta parole. Or, maintenant, j'ai une petite idée de ce qu'elle vaut.

— Je t'en prie, Noah. Dans l'immédiat, nous avons besoin l'un de l'autre. Il faut rester soudés. Nous sommes si inquiets pour Geordie...

— Il n'y a pas de « nous », Caitlin.

— Mais si, murmura-t-elle.

— Désormais, je dois mettre en doute tout ce que tu as pu me raconter. Par exemple, as-tu vraiment amené Geordie à l'école lundi ? Ou y a-t-il eu un accident ? Tu as peut-être décidé de ne rien me dire. Pour mon bien. Sous prétexte qu'il est mieux pour moi de croire qu'il a disparu.

— Noah... balbutia-t-elle, sidérée.

— Je ne te connais pas, Caitlin. Je ne sais pas de quoi tu es capable.

— Tu m'accuses ? D'avoir fait… du mal à Geordie ?
Noah la regarda droit dans les yeux.

— Alors ?

— Comment aurais-je pu ?

Ça suffit, pensa-t-elle. Assez. J'ai eu tort, je n'ai pas
bien agi, mais oser suggérer que je serais capable de
nuire à Geordie…

Où aller ? Vers qui se tourner ? Elle n'en avait pas la
moindre idée, elle savait seulement qu'elle ne resterait
pas une seconde de plus avec lui. Elle sortit, claqua la
portière.

Il ne lui demanda pas de remonter dans la voiture,
n'ébaucha pas un geste. La bruine s'insinuait sous le
col de son ciré, mouillait son visage. Elle s'éloigna,
rejoignit l'entrée du parc puis, à pas lents, le boule-
vard. Attention, se dit-elle, sois prudente. C'était sur
cette route qu'Emily avait été tuée. Écrasée par James.

Fourrant les mains dans ses poches, elle reprit la
direction de leur domicile. Un moment après, Noah, au
volant, quitta le parc. Il la dépassa sans même lui jeter
un regard.

Lorsqu'elle arriva à la maison, la porte de leur
chambre était fermée. Elle avait la figure bouffie de
larmes, ce qui en soi n'était pas extraordinaire. Les
policiers avaient l'habitude de lui voir cette tête. En
réalité, ils ne lui avaient vu que cette tête-là. Pourtant il
lui sembla qu'elle n'avait nulle part où se réfugier. Elle
ôta son ciré ruisselant et le suspendit à la patère du vestibule. Puis elle alla dans le bureau où elle se pelo-
tonna dans le fauteuil en cuir. Elle drapa le plaid tricoté
sur ses jambes et contempla le jardin par la fenêtre. Il y

avait des livres, des journaux et des magazines dans la pièce, ainsi qu'une télé et un ordinateur. Rien ne l'intéressait. Elle n'avait même pas l'énergie de se concentrer sur un écran, elle était trop exténuée.

Combien de temps s'écoulerait avant qu'ils se parlent de nouveau ? Aurait-elle la force de supporter l'absence de Geordie, sans pouvoir s'appuyer sur Noah ? Car ils se soutenaient mutuellement. Il en prendrait conscience, nécessairement. Elle n'espérait pas qu'il lui pardonne tout de suite. Elle-même lui avait déjà pardonné ses cruelles accusations. Il cherchait à la blesser car il se sentait trahi, elle devait le comprendre. Elle oscillait entre le désespoir et la révolte, mais elle se réfrénait. La rage de Noah était légitime.

Elle entendit la porte de la chambre s'ouvrir, des pas s'approcher du bureau. Noah apparut sur le seuil, portant deux lourdes valises. Elle en fut éberluée.

— Je te les mets dans ta voiture, déclara-t-il.

Caitlin s'extirpa maladroitement du fauteuil et passa au salon.

— Mais qu'est-ce que tu fais ?

— À ton avis ? Ce sont tes affaires. Du moins quelques-unes de tes affaires. Tu les prends et tu t'en vas. Je t'enverrai le reste.

— Tu me chasses de ma maison ?

— Ta maison ?

— Ah, c'est vrai. Ce n'est pas la mienne, c'est celle d'Emily.

Elle lut dans les yeux de Noah une lueur de remords, fugace.

— Va-t'en, s'il te plaît. Finissons-en avec ça.

— Et Geordie ? demanda-t-elle d'une voix hachée qui lui fit honte. Tu y penses, à Geordie ?

Il la dévisagea froidement.

— Tu sais quelque chose à son sujet ? Parce que c'est le moment de me le dire.

Il voulait la punir, elle le comprenait. Elle ne l'en blâmait même pas. Mais s'obstiner à suggérer qu'elle dissimulait quelque information à propos de Geordie… c'était plus qu'elle n'en pouvait supporter. Elle avait atteint ses limites.

— C'est cruel, Noah. Pire que cruel. Tu sais combien je l'aime.

— Ah oui ?

Elle décrocha son manteau et son sac de la patère, arracha les valises à Noah et, tant bien que mal, ouvrit la porte.

La pluie avait cessé. Caitlin traîna ses bagages jusqu'à la voiture, les balança dans le coffre et claqua le hayon. Sans un regard en arrière, elle s'installa au volant et démarra. Dès qu'elle fut hors de vue, elle s'arrêta au bout de l'allée et contempla la route devant elle. Elle ne savait pas où aller. Littéralement, elle ne savait pas quelle direction prendre.

11

Caitlin se gara près du panneau « À VENDRE » délavé par les intempéries, et resta dans la voiture à observer la modeste demeure où ses parents comptaient passer leur retraite. Certaines maisons semblent porter malheur, songea-t-elle. Quand ils avaient acheté celle-ci, ses parents avaient foi en l'avenir, or dans les deux années suivantes, l'un et l'autre avaient succombé à la maladie. James s'était tué entre ces murs. Et maintenant Caitlin était de retour, bannie par son époux, son enfant avait disparu. Au moins ici, elle pouvait se dire que Geordie était son enfant. Elle n'aurait pas le cœur plus déchiré si elle l'avait mis au monde.

Elle n'avait aucune envie d'être là, dans cette maison abandonnée, témoin de tant de chagrins. Mais elle ne savait pas où aller. Elle ne fréquentait que des gens rencontrés à la fac ou grâce à Noah. Elle ne tenait pas à ce que ses collègues aient vent de ce nouveau désastre, et les personnes de son entourage l'éviteraient dès qu'elles sauraient pour quelle raison Noah et elle s'étaient séparés.

Elle prit son mobile et composa le numéro de l'agence immobilière inscrit sur le panneau. Elle tomba sur la boîte vocale.

— Bonjour Stéphanie, ici Caitlin Eckert. Je vais loger dans la maison de mes parents pendant… quelque temps. Par conséquent si vous avez des acquéreurs potentiels, prévenez-moi avant de les amener ici. Merci.

Quoique ce ne fût pas vraiment un problème, les acquéreurs ne se bousculant pas, songea-t-elle en rangeant le téléphone dans son sac. La maison était en vente depuis maintenant deux ans, et pas la moindre touche. L'immobilier s'effondrait, c'était la pire période pour tenter de vendre un bien. Particulièrement une bâtisse aussi banale.

Elle s'en voulut de cette pensée. Ses parents avaient été si heureux de la trouver, cette maison. En parfait état, propre, de plain-pied en prévision de leurs vieux jours. Elle était entourée d'arbres, agrémentée d'une petite véranda sur l'arrière, où ils s'imaginaient, installés dans des rocking-chairs, admirant le coucher du soleil les soirs d'été. Au souvenir de son père et sa mère, Caitlin sentit ses yeux se mouiller. Ils n'avaient pas eu des rêves extravagants. De la sérénité, un peu de tranquillité, une liberté bien méritée. Le destin en avait décidé autrement.

Au moins, elle était toujours propriétaire de cet endroit, se dit-elle. Dans l'immédiat, cette maison s'avérait utile. Elle pouvait tourner la clé dans la serrure, entrer. Personne ne la ficherait dehors en l'accusant de crimes affreux. Quel soulagement.

Caitlin soupira et descendit de voiture. Elle sortit les valises et les porta jusqu'à la maison. Elle passa devant le garage, où le pick-up endommagé de son père rouillait dans le noir. À présent, il n'y avait sans doute plus trace du sang d'Emily sur le pare-chocs avant cabossé. Caitlin avait laissé là le véhicule et n'y avait plus jamais touché. C'était plus simple que de demander à un garagiste d'effectuer les réparations. Elle continua à marcher, sans jeter un coup d'œil au garage. À quoi bon ? Si ce pick-up s'était évaporé, elle en remercierait le ciel.

Caitlin introduisit la clé dans la serrure passablement grippée. Elle réussit néanmoins à ouvrir la porte, et pénétra dans le vestibule obscur, humide. Home, sweet home, se dit-elle, le cœur serré.

Elle eut envie de s'écrouler sur le divan, se recroqueviller en position fœtale et ne plus bouger, mais elle résista à la tentation. Elle devait s'assurer avant la tombée de la nuit que les lieux étaient habitables. La maison était fermée depuis si longtemps, si l'on exceptait, de loin en loin, les rapides visites de l'agent immobilier. Du coup, elle ne savait pas trop ce qu'elle allait trouver. Elle avait payé ses factures, elle aurait au moins le gaz et l'électricité. Mais l'eau ? Et puis y aurait-il de quoi faire le lit, et quelque chose à grignoter ?

Toujours chargée de son fardeau, elle passa devant la chambre de ses parents. Y dormir était au-dessus de ses forces, quoique cette pièce fût la plus spacieuse. Pendant près de deux ans, la maladie y avait régné en maître. Son père y était mort assez vite, du cœur. Pour sa mère, c'était allé plus lentement. L'un et l'autre avaient été ramenés de l'hôpital dans cette chambre où ils avaient vécu leurs derniers jours.

Elle passa ensuite devant la chambre de James, n'y jeta qu'un bref coup d'œil. Du malheur, encore. Elle choisit de dormir dans la petite chambre d'amis. Elle poussa le battant, y déposa ses bagages. Une pièce douillette, décorée dans le style rustique que sa mère affectionnait. Et le lit était fait. Caitlin tâta les draps. Ils étaient humides, à l'instar de l'atmosphère ambiante. Elle repoussa la courtepointe pour les aérer. Elle allumerait le chauffage. Peut-être qu'ainsi ces draps seraient secs avant qu'elle ne doive s'y glisser. Mais elle était si épuisée que, dans le fond, cela importait peu. Elle serait capable de dormir n'importe où.

Elle revint au salon. La maison n'étant pas câblée, le téléviseur ne marchait pas. Elle alluma la chaudière qui émit des bruits sinistres mais se déclencha, puis elle alla dans la cuisine. Poussiéreuse, mais propre. Elle avait engagé une entreprise de nettoyage pour tout lessiver avant de mettre la maison en vente. Hésitante, elle ouvrit le réfrigérateur. Heureusement, il était vide et propre. Elle inspecta les placards et y découvrit quelques provisions. De la soupe en boîte. Des paquets de crackers et de pâtes. Des conserves de légumes, des sauces en flacon. Et l'eau coulait des robinets. Cela suffisait amplement.

Soudain, un coup frappé à la porte la fit sursauter. Nul ne savait qu'elle était ici. Elle s'approcha de la fenêtre de la cuisine, écarta les rideaux froncés, et épia l'allée. Elle reconnut immédiatement la voiture. Elle y avait pris place le matin même.

Elle regagna le vestibule, ouvrit la porte. Sam Mathis se tenait devant elle.

— Geordie ? murmura-t-elle.

Il secoua la tête.

— Puis-je entrer ?

Les épaules de Caitlin se voûtèrent. Elle fit un pas de côté pour permettre à son visiteur de franchir le seuil.

— Comment avez-vous su que j'étais ici ?

— C'est votre mari qui y a pensé. Il m'a dit qu'il vous avait demandé de quitter votre domicile.

Caitlin eut l'impression de recevoir une gifle.

— Il n'a pas perdu de temps. Il vous a expliqué pourquoi ?

— Oui. Il a dit que vous saviez qui avait assassiné sa première femme.

Ce verbe la fit ciller, cependant elle ne protesta pas. Elle invita l'inspecteur à s'asseoir. Il prit place dans le vieux fauteuil du père de Caitlin. Elle s'installa sur le divan, se plongea dans la contemplation de ses mains jointes.

— Vous a-t-il dit autre chose ?

— C'est moi qui pose les questions, répliqua-t-il d'un ton brusque. Qu'est-ce que vous savez sur la mort d'Emily Eckert ?

Caitlin le dévisagea longuement. Elle avait du mal à discerner ses yeux dans la pénombre de cette fin d'après-midi. Se relevant, elle alluma les lampes, puis se rassit. Mathis la considérait avec froideur.

— Je ne sais pas par où commencer.

— Par le commencement. Est-ce que ça a un rapport avec la disparition de Geordie ?

— Non ! s'exclama-t-elle. Cela n'a rien à voir avec Geordie. Si c'était le cas, je vous en aurais parlé immédiatement.

136

— Eh bien, vous avez intérêt à me parler maintenant.

Caitlin inspira profondément. Elle avait l'impression d'être tout au bord d'une falaise, sur le point de tomber.

— D'accord. Juste pour préciser… Une fille, Karla, nous a vus sur Internet, et elle est venue aujourd'hui. C'était la petite amie de mon frère. Elle était en contact avec lui quand il s'est… suicidé. Enfin, il est mort d'une overdose médicamenteuse, mais je n'ai jamais cru à une erreur de sa part. Bref, Karla était en contact avec mon frère quand ça s'est produit. Il lui a avoué qu'il avait renversé une femme alors qu'il conduisait le pick-up de mon père. Il avait pris la fuite. La femme était décédée. James en était désespéré. Ce drame a précipité sa mort. Je n'étais pas à la maison au moment où Karla est arrivée. En attendant mon retour, elle a tout raconté à Noah. C'est un homme très intelligent. Il a deviné le reste. Cette personne que mon frère avait renversée, c'était Emily Eckert.

Sam grimaça.

— Eh oui, murmura-t-elle.

— Votre frère est le meurtrier d'Emily ?

— En effet.

— Et vous le saviez ? Quand vous avez épousé Noah ?

— Oui.

— Pas étonnant qu'il vous ait fichue dehors, commenta-t-il d'un air écœuré.

— Merci infiniment.

— Allons, Caitlin.

— Je sais. Je l'ai cherché.

— Pourquoi vous n'avez pas dénoncé votre frère, si vous saviez qu'il était coupable d'un acte pareil ?

— Je l'en ai menacé. Et c'est là qu'il a fait une overdose.

— Vous auriez quand même dû parler. La famille aurait pu faire son deuil.

— Voilà justement ce que j'avais en tête lorsque j'ai rencontré Noah. Je souhaitais dire la vérité à la famille d'Emily, au lieu de quoi je suis tombée amoureuse de son mari.

— Et vous ne lui avez jamais dit…

— Je ne lui ai jamais dit, non. J'avais trop honte. Je ne l'ai jamais dit à personne.

Cet aveu aurait des conséquences, Caitlin en était consciente. Elle s'en fichait.

— Je me rends compte qu'en gardant le silence, j'ai peut-être moi aussi commis un délit.

— Quelle voiture conduisait votre frère quand il a tué Emily Eckert ?

— Le pick-up de mon père. Il est… là-bas, dans le garage. Si vous désirez l'examiner.

— Il a été réparé ?

— J'ai envisagé de l'amener au garage, de dire que j'avais percuté un cerf. Mais je n'ai pas eu le courage de raconter d'autres mensonges. Vous voulez le voir ?

— Oui.

— Suivez-moi.

Caitlin n'ignorait pas qu'offrir ainsi à la police la preuve d'un crime était une folie. Elle aurait dû appeler un avocat, se protéger. Mais en se taisant, elle avait attiré la foudre sur sa tête. À présent, elle éprouvait seulement le besoin de se délivrer de tout ça. Quitte à être punie pour son silence.

Elle alluma la lumière extérieure, remit son ciré et guida l'inspecteur jusqu'au garage. Elle en ouvrit le portail, entra. Le pick-up cabossé était toujours là où elle l'avait laissé, des années auparavant.

Sam en fit le tour.

— Il y a un paquet d'éraflures.

— Ça, ce n'est pas une éraflure.

Mathis dut se faufiler entre l'avant du véhicule et le mur pour regarder.

— Votre frère était défoncé quand ça s'est passé ?

— Sans doute. Il l'était souvent.

Les sourcils froncés, Sam Mathis étudiait les dégâts. Il se pencha vers le pare-chocs, inspecta la partie abîmée, couleur de rouille.

— Je dois saisir ce pick-up pour établir avec certitude que c'est bien le véhicule qui a tué Emily Eckert.

— C'est bien lui. Mais allez-y, saisissez-le. Je m'en fiche. Dites-moi juste ce qui va m'arriver.

Sam haussa les épaules.

— Vous avez dissimulé des preuves dans une enquête sur un homicide. D'abord, on doit être sûr que ce pick-up est bien une preuve. S'il y a encore du sang sur la calandre, on devrait le savoir bientôt.

— Et ensuite ?

— Vous pourriez être arrêtée.

Serait-ce pire que ce qu'elle était en train de vivre ? Elle en doutait.

— Tant pis. Je ne veux plus de mensonges.

L'expression glaciale de Sam Mathis se radoucit quelque peu.

— Vous aurez peut-être droit à une certaine indulgence, puisque vous nous apportez volontairement cette preuve. Tout dépendra du juge. En tout cas, je vous conseillerais d'engager un avocat.

— Vous ne m'arrêtez pas tout de suite ?

— Non, pas tout de suite.

— Noah sera déçu.

— Votre mari connaît par cœur les procédures légales.

— Vous en avez assez vu ?

— Oui, je laisse les gars de la scientifique examiner ça de plus près.

Il sortit le premier du garage et, d'un geste brusque, Caitlin éteignit la lumière.

Dehors, l'inspecteur passa un coup de fil. Caitlin frissonnait, il faisait froid. Elle se sentait pourtant mieux, à la seule idée qu'on allait emporter ce maudit pick-up. Ainsi, il ne lui rappellerait plus sans cesse le drame. Les erreurs qu'elle avait accumulées.

Mathis rempocha son mobile et se tourna vers elle. Ils étaient immobiles dans le cercle argenté que dessinaient les lampes halogènes extérieures.

— On m'a dit que, aujourd'hui avec la patrouille, vous aviez passé un sale quart d'heure.

— Quand je me suis retrouvée là-bas, j'ai saisi pourquoi vous ne vouliez pas que j'y aille. Je n'aurais pas dû insister.

— Il y a des choses qu'il vaut mieux confier aux autres.

— Quand ces chiens se sont mis à aboyer…

Les yeux de Caitlin s'emplirent de larmes ; elle avait eu si peur. Un frisson la parcourut.

— Vous devriez rentrer, suggéra-t-il.

— Oui, c'est ce que je vais faire.

— Pour le pick-up, ils viendront demain matin. Je leur ai dit que, ce soir, ça ne me paraissait pas nécessaire. Vous ne toucherez pas à ce véhicule, je n'en doute pas.

— Pourquoi le ferais-je maintenant ?

— Je vous tiendrai au courant de nos découvertes.

— Je vous en serais reconnaissante.

— Puisque Noah et vous n'êtes plus sous le même toit, j'ai été obligé de vous affecter un de mes hommes. La voiture de patrouille sera là sous peu.

— Merci.

— De quoi ?

Caitlin hésita un instant.

— Je suis contente de n'avoir plus ça sur le cœur.

— Essayez de vous reposer, dit-il et, dans ses yeux, elle lut soudain de la gentillesse.

Elle le salua d'un geste de la main et se dirigea vers la maison. Une fois à l'intérieur, elle verrouilla la porte et, sans ôter son manteau, s'écroula sur le canapé. Il lui semblait que plus jamais elle n'aurait la force de bouger. Elle se remémora les paroles de Sam Mathis. Un avocat. David Alvarez, un associé de Noah, était leur avocat. À l'évidence, elle ne pouvait pas faire appel à lui. Il y avait aussi celui qui, à la mort de ses parents, s'était chargé de régler la succession. Il était plus âgé et, probablement, ne traitait pas d'affaires criminelles. Elle pouvait toujours s'adresser à lui. Mais cela revenait à esquiver ses responsabilités, or ce n'était pas son objectif.

Elle entendit les pneus de la voiture de Sam Mathis crisser sur les gravillons, puis le bruit de moteur qui s'estompait. Elle était toute seule, engloutie dans le silence. Fermant les yeux, elle appuya sa nuque contre le dossier du canapé, les mains toujours enfoncées dans les poches de son manteau. Soudain, elle perçut la sonnerie de son mobile, dans son sac posé sur la table basse.

Des journalistes, songea-t-elle aussitôt. Mais comment seraient-ils déjà au courant ? Non, c'était trop tôt. Sam Mathis n'informerait pas la presse avant d'avoir la certitude que c'était bien le pick-up qui avait écrasé Emily. Caitlin n'avait pas encore pensé au tollé que déclencherait la révélation de la vérité. Encore un cauchemar en perspective. Elle perdrait probablement son poste à l'université.

Le téléphone continuait à sonner. Elle espéra une seconde que c'était Noah. Ne rêve pas, ma grande.

À moins qu'il y ait des nouvelles de Geordie ? Elle devait répondre, pour cette seule raison. Farfouillant dans son sac, elle y pêcha son mobile et jeta un coup d'œil à l'écran. Un numéro inconnu, dont l'indicatif ne lui évoquait rien. Mauvais signe.

— Allô ?

Une petite voix, lointaine et hésitante, résonna à son oreille :

— Maman ?

12

Elle aurait reçu une décharge électrique qu'elle n'aurait pas été plus sidérée.

— Geordie, balbutia-t-elle. C'est toi ? Oh, mon Dieu.

— Coucou, maman.

Caitlin serrait le téléphone entre ses doigts, comme si, à travers l'appareil, elle pouvait toucher son petit garçon.

— Geordie ! Où es-tu, chaton ? Tu vas bien ?

— Où il est, papa ?

— Il ne… il n'est pas là. Chéri, raconte-moi. Où es-tu ? Tu vas bien ? Est-ce que… on t'a fait du mal ?

— Je vais bien. Mais je peux pas te dire où je suis, répondit-il d'un ton plaintif.

Avant qu'elle n'ait le temps de demander pourquoi, la communication fut coupée.

— Geordie ! cria-t-elle. Geordie…

Elle regarda fixement le mobile, tentant peut-être d'y distinguer le visage de l'enfant. Elle vérifia le numéro, qui décidément ne lui évoquait rien, rappela son mystérieux correspondant. Son cœur cognait. À l'autre bout de la ligne, les sonneries s'enchaînaient. Inlassablement.

Le désespoir l'assaillit telle une lame de fond. Geordie, de nouveau, avait disparu, hors d'atteinte. Et elle ne savait toujours rien. Ni où il se trouvait ni dans quel état il était. Rien.

Non, rectifia-t-elle. Tu sais l'essentiel. Il est vivant. Vivant !

Le bruit strident de la sonnette lui fit faire un bond. Elle courut à la porte qu'elle se hâta d'ouvrir.

— Madame Eckert ? dit un policier en uniforme, campé sur le perron. Je m'appelle Wheatley. C'est l'inspecteur Mathis qui nous envoie.

Il parut remarquer subitement l'agitation de Caitlin, ses yeux exorbités.

— Tout va bien ?

— Oui, s'exclama-t-elle. Contactez-le. L'inspecteur Mathis. Immédiatement. Dites-lui que mon fils vient de téléphoner. Geordie m'a téléphoné !

Elle brandissait son mobile, comme si c'était une preuve.

— Le petit garçon qui a disparu ?

Elle acquiesça.

— Il va bien ?

— Oui. Enfin, je ne sais pas. Il n'a pas pu m'expliquer. Écoutez, j'ai besoin de votre aide. S'il vous plaît. Je ne suis pas en état de conduire. J'ai les mains qui tremblent. Il faut que je parle à mon mari. Nous pouvons aller à la maison ?

— Vous voulez aller chez votre mari maintenant ?

144

— Il faut que je lui dise. Je vous en prie.

Le jeune policier rumina cette requête impliquant qu'il enfreigne les ordres qu'on lui avait donnés.

— Permettez que j'en réfère à l'inspecteur Mathis.

Il passa un rapide coup de fil, à voix basse, pressante. Puis il se retourna vers Caitlin.

— D'accord, venez. L'inspecteur Mathis et votre mari nous rejoindront au commissariat.

— Mais… bredouilla-t-elle, déconcertée. Pourquoi au commissariat ?

— C'est ce qu'on m'a dit. Je dois vous emmener au poste. Et il faudrait qu'on se dépêche, ajouta-t-il, comme elle hésitait.

Elle sortit, referma la porte derrière elle.

— Je dois vous confisquer votre téléphone.

Elle serra l'appareil contre son cœur comme s'il s'agissait de Geordie.

— Non, je le garde, j'en ai besoin.

— L'inspecteur Mathis a été très clair là-dessus. Ce téléphone contient peut-être des renseignements sur l'endroit où se trouve votre fils. Allons, il faut me le donner.

Elle le considéra d'un air lugubre.

— Vous le récupérerez, déclara-t-il.

Caitlin soupira. Elle se moquait bien de ce téléphone. Mais le lâcher équivalait à lâcher la main de Geordie. Absurde, d'accord. Fermant les yeux, elle obéit.

Le trajet jusqu'au centre-ville fut rapide. Ils roulèrent avec gyrophare et sirène à deux tons. Caitlin était sur la banquette arrière, Wheatley devant, occupé à communiquer par radio, tandis que son coéquipier conduisait.

Quand la voiture de patrouille atteignit le commissariat, un bonhomme qui promenait son chien se démancha le cou pour tenter d'apercevoir le criminel qu'on s'apprêtait à coffrer. Il s'éloigna, déçu, lorsque Wheatley ouvrit poliment la portière et que Caitlin descendit.

Escortée par les deux policiers, elle monta les marches et pénétra dans le vieux bâtiment en grès. Ils la guidèrent à travers la salle bondée de flics et de délinquants qui la lorgnaient avec curiosité. Parvenus devant le bureau du commissaire Burke, ils toquèrent à sa porte. On les pria d'entrer.

Burke était assis à sa table de travail, Sam Mathis debout à son côté. Noah avait pris place dans un fauteuil, face au commissaire. Il braqua sur Caitlin un regard circonspect mais plein d'espoir. Un homme jeune se tenait près du drapeau américain, dans un coin de la pièce, les bras croisés sur la poitrine.

Caitlin s'adressa directement à son mari.

— Noah, il m'a appelée ! Il y a une demi-heure à peine.

Burke leva la main pour lui intimer le silence.

— Où est le téléphone ?

Wheatley le lui tendit, dans un sachet en plastique.

— Donnez-le à l'inspecteur Thurman qui est là, ordonna le commissaire, désignant l'homme immobile à côté du drapeau.

Wheatley s'exécuta ; Thurman se saisit de la pochette et quitta le bureau.

146

— Merci, messieurs, ajouta Burke. Veuillez attendre dehors. Et refermez la porte.

Caitlin sentit les ondes négatives qui saturaient l'atmosphère. Nul ne lui proposa de s'asseoir. Elle regarda Noah qui détourna les yeux.

— Qu'est-ce qu'il y a ? demanda-t-elle.

— Expliquez-nous ce qui s'est passé, dit le commissaire Burke.

Il ne s'embarrassait pas de politesses, remarqua-t-elle, et lui parlait d'un ton glacial.

— Mon téléphone a sonné. J'ai décroché. J'ai entendu la voix de Geordie.

— Qu'est-ce qu'il a dit ? interrogea Sam Mathis.

— Il a dit : « Coucou, maman », répondit-elle et soudain, à son grand embarras, elle fondit en larmes.

Noah se pencha, agrippant les accoudoirs de son fauteuil comme pour se lever, mais il resta assis. Caitlin s'essuya les yeux, essaya de recouvrer son calme.

— Il m'a demandé où était son papa. Je lui ai dit qu'il n'était pas avec moi. Je lui ai demandé s'il allait bien, où il était. Il m'a répondu qu'il ne pouvait pas me le dire. Voilà, c'est tout.

— Vous avez regardé le numéro ? questionna Mathis.

— Naturellement. Je ne le connais pas.

— L'indicatif ?

— Il ne s'agissait pas d'un indicatif régional. J'ai rappelé. Ça sonnait, mais on n'a pas décroché.

— L'inspecteur Thurman est notre expert en la matière. Il déterminera précisément d'où provenait le dernier appel sur votre mobile, déclara Mathis, qui s'adressait à elle plus aimablement que le commissaire.

— C'est faisable ?

— Si cet appel est bien réel, oui, articula Burke.

Surprise, Caitlin pivota vers lui.

— Pardon ?

Il ne répliqua pas.

— Vous pensez que je serais capable de mentir là-dessus ?

Elle se tourna vers son mari.

— Noah ? Tu le penses ?

Il détourna les yeux.

— Geordie m'a appelée, bon sang. J'ai entendu sa voix.

— C'était peut-être une mauvaise plaisanterie, dit Mathis, comme pour s'excuser. Les gens, dans les affaires de ce genre, sont capables du pire.

— Non, c'était bien Geordie.

— Je l'espère sincèrement, dit le commissaire.

— Je le sais ! s'écria Caitlin. Je connais mon… fils.

— Je me pose pourtant une question, rétorqua Burke. Pourquoi vous aurait-il appelée, vous, et non son père ?

— Vous voulez dire : parce que je ne suis pas sa vraie mère ? riposta-t-elle, pointant le menton.

— Eh bien oui, pour être franc.

— Parfois son père est au tribunal, ou injoignable. Geordie sait qu'il peut m'appeler n'importe quand s'il a besoin de moi. Il a mémorisé mon numéro. En cas d'urgence.

Le commissaire Burke se radossa à son siège, les mains nouées sur la boucle de son ceinturon.

— Ça fait de vous une héroïne, en quelque sorte, non ? Celle qui a eu des nouvelles de la victime. Celle qu'on a choisie, qui a reçu ce coup de fil, lequel de votre propre aveu ne nous donne en réalité aucune information sur l'état de l'enfant ni sur le lieu où il se trouve.

— Je lui ai posé ces questions. Nous avons été aussitôt coupés. Comme si quelqu'un était là, à côté de lui, et le surveillait.

Le commissaire sourcilla.

— Mais pourquoi le ravisseur l'aurait-il autorisé à téléphoner ? Simplement pour que vous sachiez que l'enfant va bien ?

— Je l'ignore ! protesta Caitlin. Je n'ai pas la moindre idée de la façon dont un individu de ce genre fonctionne. Je vous explique simplement ce qui s'est passé.

— Aujourd'hui, j'ai appris que vous aviez déjà entravé une enquête policière, madame Eckert. Résultat, je suis évidemment quelque peu sceptique…

Caitlin le dévisagea d'un air de défi.

— Je dis la vérité.

À cet instant, le téléphone de Burke sonna.

— Ç'a été rapide, déclara-t-il à son interlocuteur, après quoi il écouta ce qu'on lui répondait. Très bien. Continuez… C'était l'inspecteur Thurman, enchaînat-il après avoir raccroché. L'appel émanait d'un appareil à carte prépayée. Acheté à Chicago.

— Chicago, gémit Caitlin.

— Alors on sait qu'il est à Chicago ? s'exclama Noah.

— On sait que l'appareil a été acheté dans cette ville, rectifia prudemment le commissaire. On contactera la police de Chicago, on leur donnera l'alerte. Et on tentera de retrouver le magasin qui a vendu le mobile.

— Un téléphone à carte, grommela Noah. Les gens achètent ces machins-là et les balancent.

— Effectivement.

— Il est possible de retrouver le magasin ?

— C'est possible. Mais avec un appareil de ce genre, l'information peut nous mettre sur une fausse piste. Par exemple, une personne pourrait utiliser un téléphone à carte pour appeler son propre mobile.

Le commissaire se retourna vers Caitlin.

— Madame Eckert ? Avez-vous acheté un appareil à carte pour appeler votre propre mobile ?

— Mais… bredouilla-t-elle, stupéfaite. Pourquoi ferais-je une chose pareille ? Je n'en reviens pas…

— Je vous pose la question, car nous en sommes au point où cette histoire n'a plus aucun sens. L'enfant ne pouvait disposer d'un téléphone à carte qu'à la condition que son ravisseur ait acheté l'appareil et lui ait permis de s'en servir. Et pourquoi aurait-il agi ainsi ? Pourquoi tiendrait-il à ce que nous sachions que Geordie est vivant ? Il n'y a pas eu de demande de rançon. Quel autre but pourrait avoir cet appel ?

Caitlin refusait de lui montrer combien ses mots la torturaient.

— Je comprends votre point de vue. Je comprends que cela paraisse bizarre. Mais la réponse à votre question, la voici : non, je n'ai pas acheté de téléphone à carte pour appeler mon mobile. Et je n'ai même jamais mis les pieds à Chicago.

— Un complice, peut-être… insista Burke qui la dévisageait froidement.

Elle pivota, posa la main sur le bras de Noah. Il sursauta comme si ce contact le brûlait, leva vers elle un regard tourmenté.

— Je me moque de ce qu'ils pensent. En revanche, il est important que, toi, tu me croies. Écoute-moi, Noah. Même si tu es furieux contre moi, tu sais que je ne mentirais pas à propos de Geordie. Au fond de toi, tu le sais. Et je te le répète : il est vivant. Geordie est vivant.

Les yeux de Noah se mouillèrent. Il déglutit, il semblait partagé entre le scepticisme et un espoir fou.

Le commissaire Burke toussota.

— Sam, raccompagnez Mme Eckert. Dites à Wheatley de la reconduire chez elle.

Caitlin lâcha le bras de Noah et se laissa entraîner dans la salle d'attente. Sam Mathis murmura quelques mots à Wheatley qui s'approcha d'elle.

— Je vous ramène, lui dit-il.

— Merci.

Elle sortit du poste de police, s'engouffra de nouveau à l'arrière de la voiture de patrouille. Durant tout le trajet jusqu'à la maison de ses parents, elle pensa à la voix de Geordie, et à l'expression de Noah, au commissariat.

Il est vivant, se répétait-elle. Et tu as un avantage par rapport aux autres : tu sais que c'est vrai. Alors, accroche-toi à ça.

Quand ils atteignirent la maison, Caitlin remercia les policiers. La voiture redémarra et s'éloigna.

Ce fut seulement quand elle fut dans son lit, tout habillée, recroquevillée sous les couvertures, qu'elle se rendit compte d'une chose : ils avaient gardé son téléphone. Elle ne l'avait plus. Si Geordie essayait de la rappeler... Cette idée, malgré son épuisement, l'empêcha toute la nuit de fermer l'œil.

13

Une aube grise se levait quand, après un somme d'une petite heure, Caitlin fut réveillée par un coup frappé à la porte. Péniblement, elle s'extirpa du lit et se changea. Puis, traînant les pieds, elle gagna le vestibule. Lorsqu'elle ouvrit la porte, elle vit aussitôt le camion d'enlèvement dans l'allée.

— Madame Eckert, lui dit un policier. Nous sommes venus saisir votre véhicule. Pouvez-vous signer ceci, s'il vous plaît ?

Les yeux larmoyants, Caitlin parapha le document qu'il lui tendait, puis referma la porte pour ne pas les voir exécuter leur travail. Ils allaient emmener le pick-up, pratiquer des analyses qui aboutiraient peut-être à son arrestation. Y penser lui donnait la nausée, mais ce n'était pas pire que de se dire qu'on n'avait pas retrouvé Geordie ou de se remémorer l'attitude de Noah. Son mari et elle vivraient séparément cette nouvelle journée d'attente, ils traverseraient seuls ce sinistre désert. Sans réconfort. Sans amour.

Arrête, s'ordonna-t-elle. N'oublie pas l'essentiel. Geordie est vivant. Rien d'autre ne compte. Cette nuit, en tout cas, Geordie était vivant.

S'accrochant à cette idée en guise de consolation, elle passa dans la cuisine et fouilla les placards. Il n'y avait pas de café et, même s'il y en avait eu, son estomac ne l'aurait pas supporté sans lait. Elle ouvrit un paquet de céréales périmées depuis plus d'un an, y plongea la main et se força à mastiquer et avaler. Les céréales avaient un goût de papier moisi.

Je ne peux plus, décréta-t-elle. Je ne peux pas me nourrir d'aliments périmés et me cacher dans cette baraque. J'ai des choses à faire. Récupérer mon télé-phone. Boire le calice jusqu'à la lie. Avouer la vérité aux proches d'Emily, leur expliquer ce qui est arrivé à leur sœur et leur fille. Ils ont le droit de savoir, et c'est à toi de le leur dire, s'enjoignit-elle. Prends le taureau par les cornes, avant de finir terrée au fond de ton lit, paralysée par le désespoir.

Elle jeta le paquet de céréales à la poubelle et alluma la lumière.

Au commissariat, on la fit patienter presque une heure, cependant elle en repartit avec son mobile dans son sac. C'était une sorte de victoire, fût-elle insigni-fiante. Immobile sur le perron du bâtiment, elle réflé-chit à la suite. Son estomac gargouillait ; si elle ne mangeait pas quelque chose, elle n'irait pas plus loin. Elle descendit les marches et se dirigea vers la boulan-gerie.

Quand elle en franchit le seuil, Haley était au comptoir. Son visage s'illumina à la vue de Caitlin.

Celle-ci s'assit à l'une des petites tables rondes à dessus de marbre, tandis que Haley achevait de servir un client.

— Tu me rends visite ou tu veux manger ? demanda-t-elle à Caitlin.

— Les deux.

— Qu'est-ce que je te sers ?

— Un café et une brioche.

— Tout de suite.

Haley s'affaira derrière le comptoir et, un instant après, posa devant Caitlin un mug fumant et une brioche dorée à souhait. Sans ôter son tablier de cuisine, constellé de taches de confiture et de chocolat, elle s'assit à côté de son amie et lui étreignit la main.

— Il y a du nouveau ?

Caitlin tripotait son mug, mesurant combien il lui serait difficile de révéler le lien entre son frère et la mort d'Emily. Les mots étaient coincés dans sa gorge.

Mais par chance, il y avait effectivement du nouveau, et elle fut heureuse de pouvoir en parler à quelqu'un qui la croirait.

— Hier soir, Geordie m'a appelée.

— Oh, mon Dieu ! Tu as averti la police ? Tu sais d'où il téléphonait ?

Caitlin, d'un geste, endigua le flot de questions.

— Oui, j'ai immédiatement prévenu la police. Le coup de fil n'a duré que quelques secondes. Geordie n'a rien pu m'expliquer. Mais c'était bien lui.

— Merci, Seigneur. Oh, il faut que je contacte Dan. Il sera fou de joie.

— Pour l'instant, n'appelle personne. Je ne sais pas trop comment la police veut gérer ça. Apparemment, le coup de fil a été passé avec un téléphone à carte prépayée.

Elle préféra ne pas préciser que l'appareil avait été acheté à Chicago. Comment déterminer ce qui, pour les enquêteurs, était confidentiel ou non ?

— Oh, flûte.

Caitlin prit un bout de brioche, le mangea et but une gorgée du café aromatisé à la vanille.

— Il est vivant, Haley. Je m'accroche à ça.

— Et tu as raison, c'est l'essentiel. Il faudrait prévenir les Bergen. Ils sont sur des charbons ardents, ils attendent des nouvelles.

— Noah les a peut-être déjà appelés.

— Où est-il ?

Caitlin, les dents serrées, s'arracha un sourire.

— Je ne sais pas trop. Nous nous sommes… séparés.

Haley écarquilla des yeux stupéfaits.

— Vous deux ?… Je n'en reviens pas.

— Hmm… Nous subissons un stress terrible.

— Dans ces cas-là, on se dispute, évidemment.

— Je me suis réinstallée dans la maison de mes parents, pour le moment. Elle n'est toujours pas vendue, alors…

— Ce doit être déprimant.

— Oh, le mot est faible.

— Tu m'étonnes…

— Donc, je pense que je vais aller voir les Bergen moi-même. De toute façon, j'ai à leur parler.

Haley parut juger cela parfaitement naturel.

— Je voulais leur envoyer du gâteau aux pommes. Westy adore mon gâteau aux pommes. Tu le leur apporteras ?

— Avec plaisir.

Haley sauta sur ses pieds.

— Je reviens.

Voilà ce que je dois faire maintenant, songea Caitlin. En finir avec ça. Qu'elle soit ou non mise en examen, elle jugeait impossible d'échapper à sa responsabilité morale. Depuis le début, elle connaissait les circonstances de la mort d'Emily. Il lui incombait de révéler la vérité aux parents et au frère. Et d'implorer leur pardon. Pour Dan, elle devrait se rendre à Philadelphie. Elle commencerait donc par Westy et Paula. Ils étaient ici, en ville. Leur parler serait aussi difficile que de parler à Noah, voire plus pénible. Maintenant que, grâce à Geordie, elle savait ce qu'on éprouvait quand on était mère, elle savait aussi que perdre un enfant était la plus atroce des épreuves. Un frisson d'angoisse la parcourut à la perspective d'affronter le couple. Inutile cependant d'atermoyer.

Haley revint avec une boîte blanche en carton, nouée de bolduc.

— Hou ! hou ! Tu as l'air dans la lune.

— Je le suis, soupira Caitlin.

Haley lui tendit la boîte.

— Gâteau aux pommes pour Westy.

— Je le lui livrerai.

Caitlin se leva, s'approcha de la caisse et sortit son portefeuille.

— Non, non, range ça. Tu es de la famille.

Ces mots, si gentils, sonnèrent aux oreilles de Caitlin comme le glas. Tôt ou tard, elle devrait aussi avouer la vérité à Haley.

La demeure des Bergen était bâtie en haut d'une petite butte, le terrain descendait en pente douce jusqu'au rivage d'un lac marécageux. L'atelier de Westy se dressait là, ceint d'une balustrade sur laquelle s'alignaient fièrement des télescopes braqués sur l'eau. Un canoë en aluminium flanqué de ses pagaies était renversé sur la berge. Le parc était superbement aménagé, arboré et parsemé de nichoirs sophistiqués, fixés sur des piquets, que Westy avait fabriqués justement dans cet atelier.

En pénétrant dans la propriété, Caitlin fut frappée par le charme paisible du paysage. La maison des Bergen datait probablement de l'époque coloniale et avait été amoureusement restaurée. Paula avait une serre à côté du bâtiment principal et, grâce à Westy, tout était soigneusement entretenu.

Quand elle se gara dans l'allée, elle fut surprise de voir, dans le jardin de devant, Travis qui, à la va comme je te pousse, ratissait les feuilles mortes, lesquelles semblaient se disperser au fur et à mesure qu'il les rassemblait en tas. Caitlin descendit de voiture et prit, sur le siège passager, la boîte renfermant le gâteau aux pommes.

— Bonjour, Travis. Tu n'as pas classe aujourd'hui ?

— Cet après-midi.

— C'est gentil de ta part d'aider à ratisser les feuilles.

— Elle me paye cinq dollars.

— Mme Bergen ?

— Ouais.

Elle se fait voler, songea Caitlin, tandis que Travis démolissait à coups de râteau un monceau de feuilles.

— J'apporte un gâteau aux pommes. On t'en offrira peut-être une tranche.

Le gros garçon haussa les épaules, mais Caitlin vit une lueur d'intérêt s'allumer dans ses yeux.

Paula ouvrit la porte. Elle était élégamment vêtue, des mèches éclairaient ses cheveux coupés à la dernière mode. Cependant des cernes creusaient ses yeux, témoins de l'angoisse qui l'habitait.

— Caitlin… entrez donc. Je suis désolée, la maison est une véritable épave. Je ne fais rien de mes journées, sinon me ronger les sangs. J'ai décidé de travailler ici, au cas où on aurait des nouvelles. Je suis incapable d'aller au bureau. C'est au-dessus de mes forces.

— Pareil pour moi.

Caitlin suivit Paula à l'intérieur. Une épave ? Il y avait de quoi s'étonner, tout était si pimpant. Des fleurs ornaient les rebords de fenêtre, des gravures et des aquarelles représentant des oiseaux égayaient les murs. Sur le manteau de la cheminée, qui occupait la majeure partie d'un mur du salon, étaient disposées des photos de famille. Emily, Noah et Geordie, alors que ce dernier était nourrisson. Dan et Haley le jour de leur mariage. Westy et Paula lors d'un anniversaire. À voir tous ces visages souriants, on n'aurait jamais pu deviner les malheurs que le destin leur réservait.

— Vous avez une si jolie maison, dit-elle.

— Merci, ma chère. Venez dans la cuisine. Je prépare le thé pour Westy.

— Haley vous envoie ce gâteau aux pommes.

— Comme c'est gentil de sa part. Mais qui peut avaler la moindre bouchée en ce moment ?

— Travis a eu l'air intéressé.

— Travis, soupira Paula. Naomi nous a demandé de le prendre. Elle est au centre de recyclage et ne pouvait pas descendre en ville. Je me demande comment elle arrive à travailler alors qu'on n'a pas retrouvé Geordie. Qui est capable de se concentrer en ce moment ?

Caitlin hocha la tête.

— C'est impossible, en effet.

— Naomi m'a dit de le ramener chez eux, puisque Martha est là-bas, mais j'ai pensé que ça lui ferait du bien de ratisser les feuilles et de respirer un peu d'air frais. Sans parler des cinq dollars qu'il avait très envie de gagner. Il n'est jamais trop tôt pour inculquer aux enfants le sens de l'effort.

— Elle n'a jamais réussi à me l'inculquer, plaisanta Westy. Elle essaie encore.

Il portait une chemise à carreaux, des chaussures de sport. Paula leva les yeux au ciel.

— Toi, tu travailles sans arrêt, dit-elle en saisissant la bouilloire sur la gazinière.

Caitlin les écoutait, répondait quand on s'adressait à elle, mais elle avait l'esprit ailleurs. Elle tentait d'élaborer le récit qu'elle allait leur faire et se demandait si elle trouverait la force de parler.

Westy était assis à la table, devant une tasse ébréchée sur laquelle on lisait « N° 1 Grandpa ». Il avait le

160

teint pâle, un peu terreux, d'un homme âgé, une expression légèrement ahurie, contrairement à son épouse qui rayonnait d'énergie.

— Des nouvelles de notre garçon ? questionna-t-il tristement.

Caitlin les dévisagea tour à tour.

— Noah ne vous a pas téléphoné ?

— Non… dit Paula. Il s'est passé quelque chose ?

— Eh bien… rétorqua Caitlin, hésitante. Je ne sais pas ce que je suis censée dire ou pas…

— Quoi ? l'interrompit Paula. Que s'est-il passé ?

— Oh, je ne vois pas pourquoi je ne pourrais pas vous en parler. J'ai eu Geordie au téléphone, hier soir.

Paula laissa échapper un cri, puis pressa une main sur sa bouche. Westy se redressa vivement et faillit renverser sa tasse. Il la rattrapa de justesse.

— Seigneur ! Est-ce qu'il va bien ? Où est-il ?

— Il n'a pas pu me le dire. Nous avons été coupés au bout d'une minute à peine. Mais c'était bien lui. D'après la police, ce pourrait être une supercherie, mais non. C'était bien Geordie.

Paula se tourna vers son mari qui lui ouvrit les bras. Ils s'étreignirent brièvement.

— Dieu merci, murmura-t-elle. Je n'osais pas espérer…

— Ça me paraît bizarre, commenta Westy. Pourquoi le ravisseur l'a laissé téléphoner ?

— Les enquêteurs se posent la même question.

— Ils ont identifié le numéro ?

Caitlin expliqua qu'il s'agissait d'un mobile à carte. Paula opina, la technologie moderne lui était familière. Westy, en revanche, eut l'air désorienté.

— Apparemment, ils devraient réussir à localiser le magasin qui a vendu ce téléphone, ajouta Caitlin. Cela les mènera peut-être à Geordie.

— Ah, tant mieux, dit Westy. C'est déjà quelque chose.

— Merci, Caitlin, renchérit Paula. Cela nous donne de l'espoir.

S'approchant de l'évier, elle mouilla une lavette et nettoya prestement la table où le thé de Westy s'était répandu. Caitlin frotta ses paumes moites sur son pantalon et prit une grande inspiration.

— Ce n'est pas l'unique raison de ma visite, attaqua-t-elle.

Paula, qui remplissait de nouveau la bouilloire, lui lança un regard distrait.

— Il y a autre chose que je dois vous dire. Puis-je m'asseoir ?

— Oui, bien sûr, répondit Paula. Je refais du thé. En voulez-vous ? Ou une boisson froide, peut-être ?

— Non, rien, dit Caitlin qui s'assit, de crainte que ses jambes tremblantes ne se dérobent sous elle.

Paula et Westy échangèrent un coup d'œil, puis observèrent patiemment leur visiteuse. Caitlin plaqua les mains sur ses yeux, avant de les joindre sur ses cuisses. Le chat gris à poil long des Bergen s'approcha en chaloupant et se frotta contre le pantalon de Caitlin. Elle le contempla un moment, regrettant sa décision. Dis que tu as changé d'avis. Lève-toi et va-t'en. Mais Noah, tôt ou tard, leur raconterait tout. Elle était d'ailleurs surprise qu'il ne l'ait pas déjà fait. Allez, crache ce que tu as sur le cœur.

— Avant tout, je tiens à vous dire que vous avez été infiniment gentils, depuis que Noah et moi sommes... ensemble. Vous ne m'avez jamais donné l'impression que vous m'en vouliez.

— Emily aurait souhaité que Noah et Geordie aient quelqu'un auprès d'eux, déclara Westy. Nous le savions.

— Merci, balbutia Caitlin. Cela me rend les choses d'autant plus difficiles. Votre gentillesse. Votre compréhension.

— Qu'est-ce que cela rend difficile ? demanda Paula, le front plissé.

Caitlin s'emplit les poumons d'air. Elle était consciente qu'il y aurait un avant et un après cet instant. Après, les parents d'Emily ne la regarderaient plus de la même manière. Plus jamais ils ne lui témoigneraient la même amabilité, le même respect. Cependant elle n'avait pas le choix. Il fallait se jeter à l'eau. Elle poussa un soupir.

— Vous vous souvenez... Noah et moi, nous nous sommes rencontrés le jour où vous avez planté ces arbres en mémoire d'Emily dans le parc de l'hôpital.

— C'est ce jour-là que vous vous êtes connus ? répliqua Paula. Ça n'a jamais été clair pour moi.

— Oui, c'est ce jour-là. J'assistais à cette cérémonie pour une raison précise.

Tous deux l'observaient avec attention, silencieux.

— J'étais là car j'avais l'intention de vous dire quelque chose. Mais je... je n'en ai pas eu le courage.

Les yeux de Paula reflétèrent soudain de l'appréhension.

— Nous dire quoi ? interrogea Westy.

— Oh, que c'est difficile, souffla Caitlin.

Ils la regardaient fixement, ils attendaient.

— Voyez-vous, je savais ce qui était arrivé… à Emily. Son accident.

— Tout le monde le savait, objecta Paula. La presse en avait fait ses choux gras.

— Non, ce n'est pas ça.

— Quoi, alors ? s'impatienta Westy.

— Le conducteur qui a renversé Emily avec sa voiture, un pick-up en réalité… c'était mon frère.

Le silence s'abattit sur la pièce. Puis la voix de Westy s'éleva :

— Votre frère.

— James, mon jeune frère. Il avait seize ans. Il conduisait sans permis. Il a paniqué. Et il a pris la fuite.

Elle observa les parents d'Emily. L'horreur sur leurs visages. Comme s'ils revoyaient l'accident.

— Il me l'a avoué, dit Caitlin. Il a reconnu avoir tué Emily. Pas immédiatement. D'abord, il m'a juste dit qu'il avait eu un accident. Mais finalement, il m'a tout avoué.

— Où est-il, ce gamin, à présent ? gronda Westy, et Caitlin eut la nette impression que cet homme si doux était prêt à se lancer sur-le-champ à la poursuite du coupable – cela, du moins, ne serait pas nécessaire.

— S'agit-il de votre frère qui est décédé ? interrogea Paula.

— Oui. James. Il est mort d'une overdose médicamenteuse quelques jours après le drame. Je ne crois pas qu'il aurait pu vivre avec ses remords. Et je lui avais dit

164

que nous irions à la police, qu'il devrait assumer les conséquences de son acte.

Elle baissa les yeux sur ses mains jointes. Elle ne supportait pas de regarder les Bergen.

— J'aurais dû vous en informer depuis longtemps. J'aurais dû en parler à Noah. Mais… je me suis tue. Et maintenant que c'est dit, Noah ne veut plus me voir. Il est furieux contre moi. Comme vous, certainement. Mais je tenais à vous le dire en personne. Trop tard, évidemment. Je fais aujourd'hui ce qu'il aurait fallu faire depuis longtemps. Je le dirai aussi à Dan. Je vous dois au moins ça, à tous.

— Et beaucoup plus que ça, articula Westy, ulcéré.

Paula lui posa la main sur le bras.

— Arrête.

— Si je pouvais changer les choses, croyez-moi…

— Personne ne peut rien y changer, coupa Paula. Je… mon mari et moi avons besoin d'être seuls. Si cela ne vous ennuie pas de partir, Caitlin…

Celle-ci se redressa, très raide.

— Naturellement. Je suis… tellement navrée.

Une porte claqua, Travis entra, traînant les pieds.

— J'ai fini de ramasser les feuilles, annonça-t-il, lorgnant la boîte en carton à laquelle on n'avait pas touché. C'est le gâteau ?

— Pas maintenant, lui dit Caitlin.

— Pourquoi ?

Paula et Westy ne paraissaient ni le voir ni l'entendre. Ils étaient cramponnés l'un à l'autre, tournant le dos à Caitlin et Travis.

— Je te ramène chez toi ? proposa Caitlin. Si M. et Mme Bergen sont d'accord.

— Ce serait préférable, répondit sèchement Paula. Vu les circonstances.

Travis jeta un regard noir au gâteau, puis à ses chaussures.

— C'était prévu qu'on me paye.

— Je te paierai, dit Caitlin. Allons, viens.

14

Dès qu'ils furent dans la voiture, Caitlin prit cinq dollars dans son portefeuille et les tendit à Travis.

— Voilà pour les feuilles.

— T'as les mains qui tremblent.

— Je suis bouleversée, Travis, OK ?

Haussant les épaules, il se hâta d'empocher ses cinq dollars. Puis il colla son visage contre la vitre.

— Je les déteste, leurs feuilles débiles.

— Ne sois pas si agressif, Travis, dit Caitlin en démarrant. Râteler quelques feuilles, ça ne t'a pas tué.

— Quelques ? protesta-t-il.

Il poussa un soupir, secoua la tête.

— Qu'est-ce t'en sais, d'abord ?

— Je sais que les Bergen sont très gentils avec toi. Tu pourrais faire un petit effort pour leur rendre la pareille.

— Non, bougonna-t-il. Je déteste venir ici.

— Pourquoi ?

— C'est casse-pieds.

— Ah...

— Ils sont vieux et puis ils puent.

Caitlin compta jusqu'à dix.

— Vois-tu, Travis, ces jours-ci nous avons tous beaucoup de soucis. D'abord et avant tout, Geordie n'est toujours pas là. Alors tu la boucles. On n'a pas envie d'entendre à quel point c'est dur de ratisser quelques feuilles mortes.

Travis marmonna quelque chose à voix basse.

— Pardon ?

— Rien, répondit-il, maussade.

Caitlin, exaspérée, alluma la radio.

— Non, pas cette musique, décréta-t-il. C'est débile.

— Quel dommage, riposta Caitlin qui monta le son.

Et ils firent le trajet jusqu'au domicile de Naomi en écoutant de la musique classique.

Naomi, Travis et Martha vivaient dans un secteur de Hartwell dont de nombreux habitants avaient été durement touchés par la crise économique. À l'angle de la rue de Naomi se trouvait naguère une petite boutique de traiteur. L'enseigne était encore accrochée à l'avant-toit, de traviole, mais on avait barricadé les vitrines avec des planches, ce qui donnait à la rue un air sinistre. On voyait çà et là des panneaux « À vendre », deux ou trois maisons avaient été vidées, saisies par les huissiers.

Travis sauta hors de la voiture dès que Caitlin stoppa dans l'allée. Elle avait envie de faire demi-tour, mais ç'aurait été irresponsable. Elle n'apercevait pas la Volvo de Naomi, et devait s'assurer que Martha était bien là, que Travis ne serait pas livré à lui-même. Impossible de courir ce risque.

Elle suivit Travis jusqu'à la porte. La maison de Naomi était à peu près de la même taille que celle des parents de Caitlin. Sur la façade, les clins en fibrociment étaient lézardés, la peinture écaillée ; l'ensemble donnait une impression de négligé. Le jardin était mal entretenu, les carreaux des fenêtres semblaient ne pas avoir été lavés depuis des années.

Travis se précipita à l'intérieur, claquant la porte-moustiquaire au nez de Caitlin. Elle entendit Champion aboyer hystériquement à la vue de son maître. Caitlin faillit rattraper Travis par le col et exiger des excuses. Au lieu de quoi elle abdiqua. Elle pénétra dans le salon obscur. Une télé braillait dans une autre pièce.

— Martha ? Naomi ?

À cet instant, elle entendit Martha vociférer :

— Travis, c'est toi ? Qu'est-ce que tu fabriques ?

Travis grommela une réponse, après quoi retentit un grand bruit de verre brisé. Une autre porte claqua.

— Travis ! s'exclama Martha.

Elle se tenait sur le seuil de la cuisine, tournée dans la direction du réfrigérateur.

— Travis ! répéta-t-elle.

Mais il n'était plus là. Le contenu d'une bouteille cassée formait une flaque qui s'élargissait sur le carrelage d'une propreté douteuse. Caitlin ne voulut pas faire peur à la mère de Noah en surgissant derrière elle sans l'avertir.

— Martha, c'est moi, Caitlin. J'ai ramené Travis de chez les Bergen. Paula était allée le chercher à l'école.

— Oui, je sais, elle m'a téléphoné.

— Ne bougez pas, Martha. Il y a du verre partout, vous risquez de vous couper.

— Ce Travis, ronchonna Martha. Où est-ce qu'il est passé ? Il a cassé cette bouteille et il a tout laissé en plan.

— Il a dû ressortir. Attendez, je vais voir.

Avec précaution, elle s'approcha de la porte, pourvue d'une imposte, donnant sur le jardin de derrière. Travis était assis sur un muret en pierre qui s'éboulait. Il se gavait de cookies et, de temps en temps, en offrait un à Champion, immobile près de lui, langue pendante. Caitlin ouvrit la porte.

— Travis, tu n'as pas ramassé ce que tu avais cassé.

— Non, c'est pas moi. C'est mamie. Elle fait toujours tout tomber.

— Travis…

Il mentait, elle le savait mais n'avait aucune envie de parlementer avec lui.

— Tu peux rester dehors, à condition de ne pas quitter le jardin. Tu m'entends ?

Il lui décocha un regard noir, sans répondre. Elle referma la porte.

— Il est assis dehors, il mange des cookies avec Champion.

— Il se goinfre en permanence de cochonneries. Et ensuite il se plaint parce que les autres le traitent de grosse patate.

— Je vais nettoyer ça.

— Il y a une pelle et une serpillière dans le cellier. Je suis désolée. Quand je lui ai crié dessus, il a dû sursauter, et la bouteille lui a glissé des mains.

Cela ne justifiait pas, selon Caitlin, que Travis laisse du verre brisé partout et s'éclipse avec son goûter, cependant ce n'était pas à elle de le gronder. Si sa grand-mère ne se fâchait pas…

Elle alla dans le cellier où elle dénicha effectivement la serpillière qu'elle trempa dans l'eau. Puis elle nettoya le liquide poisseux.

— Qu'est-ce qu'il a cassé ? demanda Martha.

— Du Kool-Aid, je crois, ou du punch, quelque chose dans ce genre. C'est rouge.

À tâtons, Martha agrippa le dossier d'une chaise, tira le siège et s'y installa.

— Je suis désolée, vraiment. Je ne vous aide pas beaucoup, Caitlin.

— Ce n'est pas grave.

— Il n'est pas facile, ce gamin. Il fait sans arrêt des bêtises.

— Les garçons sont souvent comme ça, rétorqua Caitlin d'un ton neutre.

— Oh, vous êtes trop gentille. Depuis quelque temps, c'est une vraie terreur. Vous savez, il était si mignon quand il était petit. Exactement comme Geordie. Vous avez eu des nouvelles ? Je suis tellement inquiète. Je n'en dors plus.

Caitlin rinça la serpillière, l'essora.

— En fait, oui, il y a du nouveau. Geordie m'a appelée hier soir.

— Oh ! Comment ça ? Il vous a téléphoné ?

— Oui, il m'a appelée sur mon portable. Une minute, à peine. C'était fini avant que j'aie compris ce qui se passait. Mais c'était bien Geordie.

171

— Oh, mon Dieu. C'est merveilleux. Ça signifie que la personne qui l'a enlevé ne lui a pas… fait du mal.

— Il n'a pas dit ça, pas exactement, mais il paraissait en bonne santé.

— Quelle formidable nouvelle ! s'exclama Martha dont le visage s'éclaira. Travis se tracasse beaucoup, c'est une partie de son problème. Il n'en parle pas, mais je sais qu'il s'inquiète pour Geordie.

Caitlin avait des doutes, toutefois elle ne les exprima pas directement.

— C'est pour cette raison, d'après vous, qu'il se comporte de cette manière ? À cause de Geordie ?

Elle avait épongé tout le liquide et, à présent, ramassait les débris de verre.

— Oh, pas juste à cause de Geordie. Il est comme ça depuis un bout de temps. Et ma fille le couve trop, ce qui n'arrange rien.

— Hmm…

Naomi était surtout excessivement indulgente, songea Caitlin. Elle ne semblait pas remarquer les mauvaises manières de Travis, en tout cas elle ne le punissait jamais.

— Par exemple, poursuivit Martha, après la mort de Rod, elle a tenu Travis à l'écart des autres gamins. Si elle le surprenait en train de jouer au gendarme et au voleur, ou à la guerre – comme font les garçons –, elle devenait folle. Son mari avait été tué, pas question que Travis s'amuse à faire semblant de tirer des coups de feu. Résultat, il s'est retrouvé seul la plupart du temps. Et moi, pendant cette période, j'ai commencé à perdre la vue. Du coup je ne pouvais pas les aider, lui ou Naomi.

Caitlin n'avait jamais eu de conversation personnelle avec Martha. Elle ne voulait surtout pas y mettre
un terme en expliquant sa brouille avec Noah. Ça
attendrait. Naomi et Martha en seraient informées bien
assez tôt.

— C'est difficile, je m'en doute.

— Ça l'est, je vous le garantis. Là-dessus, Emily est
morte. Ç'a été pour Travis, je pense, la goutte d'eau qui
a fait déborder le vase. Après la mort d'Emily, il a
coulé à pic. Et maintenant Geordie qui disparaît.

— Ça fait beaucoup, murmura Caitlin.

— C'est déjà épouvantable pour nous, les adultes,
de ne pas savoir où est Geordie, ce qui lui est arrivé.
Mais s'il ne revient pas…

— Ne dites pas ça ! s'exclama Caitlin. Il reviendra.

— Oui, bien sûr, vous avez raison. Excusez-moi. Il
faut que je sois positive. Surtout pour Travis.

La voix de Martha s'érailla. Elle pinça les lèvres.

— Ils sont plus que de simples cousins. Ils sont
comme des frères.

Des frères ? songea Caitlin. Elle avait toujours le
sentiment que Travis détestait Geordie et le jalousait.
Mais comment reprocher à Martha de présenter la relation entre ses deux petits-fils sous le meilleur jour possible ? D'ailleurs, peut-être qu'au fond de lui Travis
s'inquiétait vraiment pour Geordie. Que son cousin ait
disparu ainsi l'effrayait probablement. Malgré ses airs
de gros dur, il n'était encore qu'un enfant.

Caitlin jeta les bouts de verre dans un épais sac en
plastique qu'elle déposa dans une imposante poubelle
de recyclage.

— Il n'arrivera rien à Geordie, déclara Caitlin. N'oubliez pas ça. Geordie nous reviendra. Il le faut.

Martha opina.

— J'espère que vous ne vous trompez pas. De tout mon cœur, je l'espère.

15

Immobile devant la maison qu'elle avait partagée avec Noah et Geordie durant deux années, Caitlin hésitait. Sans doute avait-elle le droit d'ouvrir cette porte et d'entrer, mais elle préféra frapper. Elle n'eut pas à attendre longtemps.

Noah ouvrit. Il était pâle, mal rasé, fripé. Les cernes sous ses yeux avaient l'air de traces de charbon. Il la regarda d'un air sinistre, sans prononcer un mot.

— Noah, dit-elle, comprenant qu'il ne parlerait pas le premier. On a des nouvelles ?

Il secoua la tête. Il avait le regard vitreux.

— J'espérais... murmura-t-elle.

— Apparemment, soupira-t-il, les flics de Chicago cherchent la boutique. Mais dans une ville de cette taille, ce ne sont pas les magasins qui manquent.

— Ils ne renoncent pas, c'est déjà ça.

Il la scruta longuement, puis :

— Tu veux entrer ?

— Juste une minute.

Il s'écarta pour la laisser passer. Le salon était en désordre, la maison tout entière sentait le renfermé. Sur le canapé gisaient un oreiller et une couverture roulée en boule. Noah remarqua l'expression étonnée de Caitlin.

— Disons que je campe dans cette pièce. De toute façon, je ne dors pas beaucoup. Assieds-toi, ajouta-t-il, désignant un fauteuil.

Elle se posa tout au bord du siège. Noah se laissa tomber sur le divan, fourragea dans ses cheveux bouclés, sales.

— Alors ? fit-il.

Caitlin n'était pas là pour échanger avec lui des banalités. Elle le connaissait assez pour savoir qu'il ne le supporterait pas.

— Bien sûr, je suis venue… aux nouvelles. Mais aussi, j'aimerais que tu me donnes l'adresse de Dan.

— Le frère d'Emily ?

Elle hocha la tête.

— Je suis déjà allée chez les Bergen. À ce propos, je te remercie de ne pas leur avoir dit, pour mon frère. Je tenais à le faire moi-même.

— Ouais. Et moi, je ne voulais pas te gâcher ce plaisir.

Caitlin fronça les sourcils, furieuse, cependant elle ne mordit pas à l'hameçon.

— Excuse-moi, dit-il aussitôt.

De nouveau, elle hocha la tête.

— Comment ils ont pris ça ? questionna-t-il.

— Mal, comme tu peux l'imaginer. Maintenant il faut que je parle à Dan.

— Sans doute qu'ils lui ont tout raconté.

— Peu importe. Je lui dois ça.

Noah, des deux mains, se frotta la figure.

— Bon, je vais te chercher les coordonnées de Dan.

Il alla dans la cuisine, tandis qu'elle restait au salon, regardant autour d'elle. C'est donc ici qu'il dort. Elle songea à leur chambre, où elle avait vécu les moments les plus heureux de sa vie, blottie dans les bras de Noah, avec Geordie endormi dans la pièce voisine. Elle ne pouvait s'empêcher de se sentir presque… satisfaite qu'il ne veuille pas passer la nuit dans leur chambre, maintenant qu'elle avait quitté la maison. Il se couchait sur le canapé, sous les yeux scrutateurs de tous ceux qu'il aimait.

Car le salon regorgeait de photos encadrées, notamment celles de l'été dernier, sur la plage. Geordie était un fanatique de la plage. N'importe laquelle, au bord de n'importe quelle mer ou océan. Elle le taquinait à ce sujet, lui disait qu'il était sans doute à moitié poisson. Il pouvait passer toute une journée au soleil et dans l'eau. Ce jour-là, sur cette plage, il avait demandé à quelqu'un, allongé sur sa serviette non loin d'eux, de les photographier tous les trois après la baignade. Ils étaient bronzés, hilares, les cheveux mouillés. Regarder cette photo lui fendit le cœur, mais en même temps elle fut reconnaissante à Noah de ne pas l'avoir enlevée ou cachée dans un coin.

Saisissant la photo, elle contempla la frimousse de Geordie, son torse frêle, son sourire où manquaient des dents de lait. Je donnerais tout pour te retrouver, chaton. Et elle n'exagérait pas. Tout ce qu'elle possédait, avec joie.

Entendant Noah qui approchait, elle reposa le cadre. Elle ne souhaitait pas qu'il la surprenne avec cette photo dans les mains. Il risquerait de penser qu'elle tentait de le manipuler. Or son opinion lui importait, inutile de feindre le contraire.

Noah la rejoignit et lui tendit un bout de papier.

— Voilà, dit-il.

Elle le prit sans effleurer les doigts de son mari. Il s'éclaircit la gorge.

— Noah, j'aimerais…

Elle s'interrompit, se reprit :

— J'espère que tu pourras te reposer un peu.

— Ouais, quelle bonne idée.

Lorsqu'elle arriva à Philadelphie, les enfants qui sortaient de l'école criaient et chahutaient dans les rues ombragées de Society Hill. Beaucoup de ces têtes blondes étaient accompagnées de jeunes femmes africaines, hispaniques ou originaires du Moyen-Orient, toutes vêtues sans trop de soin. Longeant les demeures cossues, en brique, datant de l'époque coloniale, elles bavardaient dans des langues étrangères ou en anglais, avec un accent à couper au couteau, tandis que les enfants caracolaient autour d'elles dans leurs uniformes d'écoliers.

Caitlin roulait lentement. Elle ne connaissait pas ce quartier et se méfiait des gamins exubérants qui se pourchassaient sur les trottoirs. En réalité, elle n'avait rendu visite à Dan, chez lui, qu'une seule fois, et de nuit qui plus est. Il lui fallait donc vérifier les numéros en cuivre, au-dessus des portes, le long de Spruce Street. Elle localisa enfin le domicile de Dan et s'arrêta un instant devant la bâtisse. En brique rouge à l'instar de ses voisines, avec des volets noirs et des pensées d'hiver dans des jardinières : la quintessence de la tradition et de l'élégance propres à Philadelphie.

OK, pensa-t-elle, on y est. Elle sillonna les environs à la recherche d'une place de stationnement. À quelques centaines de mètres, elle stoppa de nouveau pour évaluer ses chances de se glisser dans un espace prévu pour une petite voiture. Non, elle ne réussirait pas à caser son véhicule là-dedans. Elle refit donc le tour du pâté de maisons. Par chance, elle dénicha une place à l'angle de la rue, presque en face de chez Dan, et s'y gara sans avoir à manœuvrer. Elle resta dans sa voiture un moment, à contempler la belle façade.

En voyant cette demeure, nul ne pouvait douter du succès de Dan – dans le domaine du sport, de surcroît, ce qui rendait sa réussite doublement enviable aux yeux de ses congénères. Au lycée, il avait brillé en athlétisme et en espagnol ; ensuite, alors qu'il suivait un cursus de journalisme, il avait décidé d'analyser les raisons pour lesquelles le base-ball professionnel comptait autant de superstars hispaniques. Il avait obtenu une bourse pour un voyage d'étude, un été entier à Porto Rico où il logeait chez une famille et consacrait ses loisirs au surf – un coup de maître dont Noah ne manquait jamais de parler avec admiration, comme représentant le rêve de n'importe quel garçon. La thèse de Dan, centrée sur un dénommé Ricardo Ortiz, un jeune joueur de sandlot [1], avait eu pour résultat qu'Ortiz avait

---

1. Jeu pratiqué par les adolescents, calqué sur les règles du base-ball, mais qui se joue sur un terrain de fortune.

signé un contrat avec les Padres de San Diego et entamé une éblouissante carrière. Ortiz était à présent entraîneur chez les Cubs, et Dan toujours considéré dans le milieu sportif comme une espèce de gourou.

Il n'était peut-être pas chez lui, songea-t-elle soudain. Son emploi du temps, entre la radio et son blog, était notoirement surchargé et dépendait des obligations de diverses équipes de Philadelphie. Mais Caitlin était prête à attendre. Il lui avait fallu rassembler toute sa volonté pour venir ici, maintenant qu'elle était là, elle comptait bien aller jusqu'au bout. Peut-être que, comme ses parents, Dan refuserait la discussion, mais au moins elle l'aurait dit. Elle avait besoin d'avouer sa faute – avoir caché le crime de James. Peut-être finirait-on par la comprendre, elle l'espérait.

Elle sortit de la voiture et se dirigea vers la maison de Dan. À cet instant, un véhicule la dépassa. Le conducteur fonça vers la place, un peu plus loin, à laquelle elle avait renoncé, la jugeant trop petite.

Elle reconnut immédiatement cette voiture. Plus d'hésitation, pensa-t-elle, l'heure était venue de faire face. Pendant que Dan manœuvrait, Caitlin s'approcha, sur le trottoir.

Il coupa le moteur, s'extirpa de l'automobile et verrouilla les portières.

— Dan…

Il sursauta, la regarda. C'était un homme séduisant, à la carrure d'athlète. En principe, il saluait Caitlin avec un clin d'œil et une chaleureuse amabilité. Mais aujourd'hui, à sa vue, un nuage noir sembla masquer ses traits taillés à la hache.

— Qu'est-ce que tu veux ?

Il sait déjà.

— Il faut que je te parle de quelque chose.

Dan jeta sur son épaule droite un sac qui coûtait visiblement cher.

— Je ne crois pas que nous ayons quoi que ce soit à nous dire.

Caitlin hocha la tête.

— Tu as eu tes parents au téléphone.

— Ils m'ont appelé au boulot.

— Je m'en doutais, murmura-t-elle, contemplant ses pieds. Mais je suis quand même venue. Je tenais à te dire de vive voix à quel point je suis désolée.

— Que tu sois désolée ne me ramènera pas ma sœur, répliqua-t-il froidement.

— Je comprends ce que tu ressens. Vraiment. Je peux seulement ajouter que mon frère avait… des tas de problèmes.

— Non, rectifia Dan, pointant l'index vers elle. Ton frère était un criminel. Essaie de saisir la nuance.

La férocité de sa réaction la surprit.

— Il s'est suicidé, Dan. Cela prouve, me semble-t-il, qu'il se sentait atrocement coupable de ce qui est arrivé à Emily.

— Tu sais quoi, Caitlin ? Tu te racontes des histoires. Tout le monde a une excuse. J'en ai soupé, des excuses.

— C'était un gamin. Seize ans. Il a fait une chose terrible, oui, mais…

— Je ne veux pas en entendre davantage. J'en ai jusque-là de tout ça, s'écria Dan, levant une main à hauteur de son front. Il avait ses raisons, le pauvre, snif ! snif ! Fous le camp. Du balai. Je ne veux pas te parler. Je ne veux pas te voir. Dégage.

Tout en vociférant, il mit le pied sur la chaussée. Une voiture qui arrivait freina brutalement pour l'éviter. Dan ne lui jeta même pas un coup d'œil. Il traversa la rue, marchant à grands pas vers sa demeure.

Caitlin resta immobile, trop sidérée pour réagir. Elle connaissait Dan, elle le considérait comme le plus chaleureux, le plus calme des hommes. Elle s'attendait à ce qu'il soit... chamboulé. Mais cette rage, non, elle ne l'avait pas prévue. Elle songea à son mariage avec Haley, se demanda si cette violence avait été la cause de l'échec du couple. Mais bien sûr, se corrigea-t-elle, sa colère était légitime. Elle avait mal agi, et ne pouvait pas lui reprocher quoi que ce soit.

Elle s'appuya contre la voiture de Dan, contre le capot luisant, regarda à travers le pare-brise et esquissa un petit sourire en voyant les gants de boxe miniature qui pendaient au rétroviseur. Elle pensa à Geordie qui adorait ces gants. Chaque fois que son oncle lui rendait visite, Geordie grimpait allègrement sur le siège avant. Les gants avaient pile la bonne taille pour les pattes de Bandit. Se servant de son dalmatien en peluche comme d'un double, Geordie tapait les gants pour qu'ils tournoient et décochent des coups dans le vide.

Dan ne lui avait même pas posé de questions sur Geordie, songea-t-elle. Il ne l'avait même pas mentionné. Peut-être, comme tous les autres, estimait-il que son statut de belle-mère ne justifiait pas qu'elle éprouve de l'amour et de la peur.

Qu'il pense ce qu'il voulait. Geordie, lui, savait. Il aurait pu appeler quelqu'un d'autre, mais c'était à elle qu'il avait téléphoné. Elle regarda de nouveau les petits gants de boxe, souhaitant désespérément voir Geordie, ses yeux brillants derrière les lunettes, Bandit serré sur son cœur.

Soudain, elle fronça les sourcils. Au-delà des gants, du tableau de bord, au-delà du volant métallique et du levier de vitesse entre les sièges, elle distinguait quelque chose qui n'était pas à sa place dans la voiture de Dan. Elle ferma les paupières, les rouvrit. Non… Tu penses si fort à Geordie que ton imagination te joue des tours, se dit-elle.

L'intérieur de la voiture était sombre. Ce devait être un effet d'optique. Elle regarda de nouveau, plus attentivement. Coincé entre le siège passager et le levier de vitesse, un bouton noir en guise de nez. Un bout de museau en peluche. Une oreille pendante qui avait besoin d'être recousue.

Bandit.

16

Le cœur battant à se rompre, Caitlin colla son visage et ses mains contre le pare-brise. Il faisait noir à l'intérieur de cette voiture, elle n'était sûre de rien. Elle tapa contre la vitre, du plat de la main, comme pour secouer le petit chien inanimé, en faire un chiot jappant à tue-tête. Mais elle n'était pas Gepetto. Les yeux, deux boutons, ne remarquaient pas son affolement.

Caitlin enfouit sa figure dans ses mains et s'efforça de réfléchir. Comment se pouvait-il que ce soit Bandit ? Comment Bandit s'était-il retrouvé dans la voiture de Dan Bergen ? Elle rembobina le film de ses souvenirs. Geordie avait-il emporté Bandit à l'école, dans son sac à dos, le jour de sa disparition ? Il n'était pas censé l'emmener en classe, mais il avait peut-être caché le doudou dans son sac. Il l'avait déjà fait. Elle avait vu Bandit pour la dernière fois… le jour de la fête d'anniversaire. Elle avait demandé à Geordie de le lui laisser pour qu'elle recouse l'oreille. Elle ne se rappelait pas, après ça, si elle avait vu le joujou sur son bureau ou pas. Dans l'agitation du départ, elle avait complètement oublié Bandit. En revanche, elle était certaine de ne pas avoir recousu l'oreille. Et puis Geordie avait disparu. Elle n'avait plus du tout pensé au chien en peluche.

Arrête, s'ordonna-t-elle. Ce n'est peut-être même pas Bandit. Tu ne distingues pas bien ce qui est là, dans ce véhicule. Un instant, elle eut la tentation de se précipiter chez Dan, de frapper à sa porte et d'exiger qu'il lui explique ce que la peluche de Geordie fabriquait dans sa voiture.

Alors elle se remémora le motif de sa visite. Elle était venue avouer son coupable secret. Dan ne tolérerait pas qu'elle demande quoi que ce soit. Il alerterait sans doute la police, qui l'embarquerait.

D'ailleurs, même si c'était bien Bandit, qu'est-ce que cela signifiait, selon elle ? Que Dan avait enlevé Geordie ? C'était un oncle affectueux, il pouvait voir Geordie quand il en avait envie. Pourquoi Dan leur infligerait-il à tous cette souffrance ? Dans quel but ? D'ailleurs, il venait juste de rentrer de son travail. Personne ne l'accompagnait. Quoique célibataire, il n'aurait pas l'inconscience de laisser seul un enfant de six ans. Et même si Geordie était seul, ne chercherait-il pas un téléphone pour les appeler ? Il avait appelé une fois. Qu'est-ce qui l'en empêcherait ?

Non... non. Elle devenait folle, à force d'angoisse, d'attente, de peur.

Cependant elle pivota vers le pare-brise, colla de nouveau son visage contre la vitre pour scruter l'intérieur du véhicule. Il fallait en avoir le cœur net. Juste ça, savoir. Elle essaya d'ouvrir les portières, sans grand espoir. On était en ville. Les gens fermaient leur voiture à clé.

Elle recula, s'appuya contre le perron d'une maison voisine, pensive. Naguère, on racontait que les voleurs se servaient de cintres pour crocheter une portière. Mais là, il s'agissait d'une Lexus dernier cri. Un portemanteau ne suffirait pas pour l'ouvrir. D'ailleurs, si un flic la surprenait, il commencerait par l'arrêter avant de la questionner.

Les flics, se dit-elle. Elle n'avait qu'à demander à un policier de l'aider. Prétendre que cette voiture lui appartenait, qu'elle avait claqué la portière, que son sac à main était resté à l'intérieur. Franchement, elle imaginait mal la scène. Un flic de Philadelphie crochetant une automobile flambant neuve, juste pour lui faire plaisir, non, ça ne marcherait pas.

Elle revint se camper près de la voiture, s'acharnant sur la poignée, frustrée. Dans son dos, elle entendit une porte grincer. Un jeune homme en tenue de jogging en élasthanne dévala les marches et entreprit de faire des étirements, agrippé à la rampe. Il jeta un regard à Caitlin.

— Fermée dehors ? interrogea-t-il gentiment.

Elle hocha la tête.

— Ça craint, grimaça-t-il, compatissant.

— Oui, soupira-t-elle. J'ai laissé les clés dedans.

— Vous êtes à l'AAA [1] ?

— Je... bredouilla-t-elle, surprise. Oui, en effet.

— Appelez-les. Ils viendront vous ouvrir cette portière.

---

1. Association américaine des automobilistes.

— Oh, je ne crois pas, non. Elle n'est même pas à moi, cette voiture.

— Vraiment ?

— Je... elle est à mon beau-frère. Je la lui ai empruntée.

— Ils s'en fichent, à mon avis. Du moment que vous êtes membre de l'association...

Il se courba en deux pour toucher ses orteils, à plusieurs reprises. Après quoi il se pencha en arrière, puis se redressa et secoua les jambes, l'une après l'autre.

— Vous croyez ? demanda Caitlin.

— Je n'en suis pas certain, mais vous pouvez toujours essayer.

Elle prit son mobile dans son sac.

— Je vais suivre votre conseil. Merci.

— Bonne chance !

Agitant la main, il s'élança au trot dans la rue mouchetée de soleil, contourna une jeune Hispanique qui arrivait en sens inverse, tenant par la main un garçonnet coiffé d'une casquette de baseball à l'effigie des Phillies.

Caitlin appela les renseignements et demanda à être mise en relation avec l'AAA, priant pour garder son calme et expliquer posément son problème. Le type qu'elle eut en ligne, un garagiste du coin, était l'incarnation de l'indifférence. Il lui demanda son nom, son numéro de carte, l'endroit où elle se trouvait. Il lui déclara qu'il lui envoyait quelqu'un, qui serait là dans un quart d'heure.

Il fut là en moins de dix minutes. Il gara son camion de dépannage en double file, et sauta à terre. Un costaud déplumé et barbu. Caitlin n'eut pas à jouer la comédie pour paraître désemparée. Le type lui donna des papiers à signer et voulut voir son permis de conduire. Il ne lui demanda même pas si elle était la propriétaire du véhicule. Les autres automobilistes, dans Spruce Street, avaient du mal à passer, ils klaxonnaient et Caitlin sentit que cet homme n'avait qu'une envie : s'en aller au plus vite. À l'aide d'un petit outil de rien du tout, il déverrouilla la portière.

— Oh, merci, dit Caitlin. Vous me sauvez la vie.

Avant qu'il arrive, elle avait fourré dans sa poche les clés de sa propre voiture. Elle se pencha à l'intérieur et tâtonna sur le plancher, soulevant les tapis de sol. Le garagiste l'observait tout en gardant un œil sur la circulation. Elle pénétra à moitié dans l'habitacle, explora le dossier du siège passager. Elle saisit le joujou, le cala sous son bras. Enfin, avec une exclamation de soulagement, elle brandit ses clés.

— Ouf ! s'exclama-t-elle, lui agitant les clés sous le nez. Et j'ai récupéré le doudou de ma fille, ajouta-t-elle, montrant la peluche sous son bras. Je suppose qu'elle l'avait laissé là. Toi, elle sera bien contente de te voir, ajouta-t-elle, comme si elle parlait à Bandit.

Elle tendit un billet de vingt dollars au garagiste.

— Merci infiniment. Je vous dois une fière chandelle.

— Pas de lézard.

Il regrimpa dans sa cabine, surveilla le trafic dans ses rétroviseurs et, dès qu'il le put, démarra.

Caitlin referma les portières de la voiture et recula, pointant ses clés vers le véhicule comme pour le verrouiller. Pour la forme, bien sûr. La Lexus de Dan était ouverte, attendant le premier voleur qui passerait. À vrai dire, Caitlin ne s'en souciait guère. Serrant Bandit sous son bras, elle fit mine de s'éloigner. Les battements de son cœur l'assourdissaient.

Quand elle eut regagné sa voiture, elle ouvrit la portière et s'assit au volant. Mais au lieu de mettre le contact, elle approcha le chien en peluche de son nez et en huma l'odeur familière. Geordie.

Et maintenant ? Elle n'avait guère de solutions. Appeler la police, exiger qu'ils fouillent de fond en comble la maison de Dan, à la recherche de Geordie ? Un plan ridicule. Elle n'avait aucun argument valable à offrir aux flics, hormis un animal en peluche récupéré en pénétrant par effraction dans le véhicule de Dan. Elle ne pouvait même pas prétendre que Geordie n'était jamais entré dans cette voiture avec Bandit.

En toute logique, il s'était peut-être faufilé dans la Lexus à un moment quelconque de sa fête d'anniversaire. Dan n'avait certainement pas verrouillé sa voiture qu'il avait garée ce jour-là dans l'allée. Et Geordie avait peut-être grimpé sur le siège, Bandit sous le bras, pour jouer avec les gants de boxe. Après quoi il avait rejoint les autres en abandonnant son doudou. À la réflexion, cette explication était infiniment plus plausible que celle d'un Dan kidnappant son neveu.

Elle prit son mobile dans son sac, résolue à contacter Noah pour lui demander quand il avait vu Bandit dans la maison pour la dernière fois. Mais imaginer la réaction de son mari la découragea. Il exigerait une explication, serait furieux d'apprendre qu'elle était allée présenter ses excuses à Dan et essayait à présent de lui mettre sur le dos la disparition de Geordie. Non, tu n'appelles pas Noah.

Étreignant Bandit, elle observa la pimpante demeure de l'autre côté de la rue. Elle se força à penser du mal de Dan. Impossible. Il était un oncle... dévoué. C'était le mot juste. Jamais il n'oubliait un anniversaire, ou le début des vacances, et il se montrait affectueux envers Geordie. Pourtant Haley disait que Dan n'aimait pas les enfants et ne souhaitait pas en avoir. Cela avait été entre eux, durant leur union, une pomme de discorde.

Caitlin essayait de se représenter Dan comme une sorte de monstre dissimulant une faille béante, obscure, mais cette image ne s'imprimait pas dans son esprit, malgré ses efforts.

Bon... Il ne lui restait plus qu'à s'en aller. Efface, rentre chez toi, se répétait-elle. Geordie a oublié Bandit dans la voiture de Dan pendant la fête. C'est l'unique hypothèse sensée. Allez, va-t'en.

De nouveau, elle tourna les yeux vers la demeure. Non, elle ne pouvait pas. Que ce soit absurde ou pas, elle ne pouvait pas partir. Pas sans avoir demandé à Dan de s'expliquer. S'il existait ne fût-ce que l'ombre d'une chance que Geordie soit dans cette maison, elle devait la saisir. Elle hésita encore un moment – qu'est-ce que Dan penserait d'elle, que raconterait-il à Noah ?

Elle secoua la tête.

Elle se fichait de ce que Dan pensait d'elle. Ou Noah. Ou qui que ce soit. Au bout du compte, cela n'avait pas d'importance. Geordie seul comptait, rien d'autre.

Elle ressortit de sa voiture, serrant toujours Bandit contre elle, verrouilla les portières et, prudemment, traversa la rue pour se diriger vers le domicile de Dan. Elle hésita encore, une fraction de seconde, puis frappa résolument à la porte.

17

Des lunettes de lecture sur le nez, une bouteille de bière dans la main, Dan la considéra d'un air incrédule.

— Tu es encore là ? Qu'est-ce que tu veux ?

— Entrer.

— Je suis occupé. Je bosse.

— Je m'en moque. Il faut que je te parle.

— Caitlin, on n'a plus rien à se dire. Je t'ai déjà tout dit. Tu nous as tous trahis. Il paraît que Noah t'a foutue dehors ? Excellente initiative.

— Il s'agit de Geordie.

Dan pâlit.

— Eh bien quoi ?

— Laisse-moi entrer.

Dan détourna les yeux, parut réfléchir. Finalement, il ouvrit la porte plus largement.

— Bon, d'accord.

Caitlin le suivit dans le vestibule, puis le salon, une pièce au décor très masculin – mobilier en cuir, chrome et verre – dont la sobriété était cependant contreba-lancée par des piles de magazines, de journaux, des assiettes et des tasses sales traînant çà et là. Une atmosphère de tristesse imprégnait les lieux.

Caitlin chercha d'un coup d'œil un siège où s'asseoir. Dan secoua la tête.

— Hé, je ne t'ai pas invitée à faire comme chez toi. Alors, Geordie ?

Caitlin extirpa Bandit de son sac, le tenant par le cou.

— Il était dans ta voiture.

— Qu'est-ce que... bafouilla-t-il, les yeux écarquillés. Qu'est-ce que tu as...

— C'est le doudou de Geordie. Je l'ai trouvé coincé entre le levier de vitesse et le siège passager de ta voiture.

— Et comment tu l'as eu ? Qu'est-ce que tu fichais dans ma bagnole ? Tu as... Si tu l'as abîmée...

Elle remarqua que des gouttelettes de sueur perlaient à la racine de ses cheveux. Il faisait chaud chez lui, mais pas au point de transpirer. Elle le trouva très pâle tout à coup. Parce qu'il s'inquiétait pour sa précieuse Lexus ?

— Peu importe comment je l'ai récupéré. Je veux savoir ce que faisait cette peluche dans ta voiture.

— Je n'en sais rien ! s'exclama-t-il. Comment je le saurais ? Peut-être que... je sais pas, moi.

Le voir si angoissé rendit à Caitlin tout son calme.

— Geordie est-il avec toi ?

— Avec moi ? rétorqua-t-il, posant brutalement sa bouteille de bière sur le bureau informatique en verre. Espèce de garce, qu'est-ce que tu... Tu es cinglée. Fiche le camp de chez moi.

— Réponds-moi. Il est ici ?

— De quoi tu m'accuses ?

— Je veux que tu me dises comment Bandit a atterri dans ta voiture.

— Je n'ai rien à te dire.

— Si. Je suis la… mère de Geordie.

— Oh, le culot. Écoute-moi bien : ma sœur était la mère de Geordie. Du moins jusqu'à ce que ton frère l'écrase sur la route.

Caitlin ferma un instant les yeux et soupira.

— Dan, tu ne réussiras pas à me rendre plus malheureuse que je ne le suis déjà en ce qui concerne la mort d'Emily. C'était justement l'objet de ma visite aujourd'hui. Tenter de t'expliquer… Mais j'ai vu Bandit dans ta voiture. Et maintenant, c'est toi qui me dois une explication.

— J'aimerais être sûr de bien comprendre : tu t'es introduite dans ma voiture, et à présent tu m'accuses de…

— Assez ! coupa-t-elle. J'en ai assez de cette colère vertueuse. Contente-toi de me dire la vérité. Tu ne te soucies donc pas de Geordie ?

Dan la dévisagea fixement.

— Si.

— Il est ici ? Quelque part dans cette maison ?

— Non. Absolument pas.

— Je peux le vérifier ?

— Je commence à croire que le stress te joue de mauvais tours. Ça va bien, dans ta tête ?

— Cet animal en peluche était dans ta voiture, riposta-t-elle, brandissant le joujou dépenaillé. Comment est-ce possible ?

— Je l'ignore, Caitlin. Peut-être… le jour de son anniversaire, la dernière fois que j'ai vu Geordie. Peut-être qu'il a joué dans la voiture. Il l'adore. Il adore les petits gants de boxe.

Les épaules de Caitlin se voûtèrent.

— Peut-être qu'il est monté dans ma voiture pour s'amuser… il a oublié sa peluche. Je suis désolé, je ne vois pas comment, sinon…

— Comment se fait-il que tu ne l'aies pas remarqué ?

Dan montra d'un geste le désordre régnant dans son salon.

— Je ne sais pas. Je ne m'assieds pas sur le siège passager. D'ailleurs, chez moi, tout n'est pas très bien rangé.

— Je peux jeter un coup d'œil ?

— Quoi ?

— Ta maison, je peux faire un tour ?

— Ça suffit, maintenant. Non, tu ne peux pas te balader dans ma maison.

— Pourquoi ?

— Parce que je veux que tu t'en ailles. C'est complètement dingue. Pourquoi aurais-je enlevé Geordie ? Comment peux-tu penser…

Caitlin le contourna et se précipita vers l'escalier, criant :

— Geordie, tu es là ? Réponds. C'est maman !

La demeure était silencieuse. Elle monta quelques marches, levant la tête vers le palier du premier.

— N'aie pas peur, Geordie. Réponds-moi !

Toujours le silence.

— Geordie !

— Tu peux hurler à t'en faire péter les cordes vocales, articula Dan d'un ton glacial. Personne ne te répondra, ajouta-t-il en rouvrant la porte.

Vaincue, Caitlin redescendit et sortit sur le perron. Elle sentait sur elle le regard de Dan. Elle se retourna. Il l'étudiait avec, au fond des yeux, une expression qu'elle ne parvint pas à déchiffrer.

— Quoi ? demanda-t-elle.

— Tu l'aimes vraiment, ce gamin.

Elle fut soudain au bord des larmes.

— On croirait que ça te surprend, dit-elle, le menton tremblant.

— On ne peut jamais savoir.

— Tu saurais si tu étais plus attentif, rétorqua-t-elle, furieuse.

— Fais gaffe, Caitlin – il pointa sur elle un index menaçant –, estime-toi heureuse que je n'aie pas averti la police. Et si tu as abîmé ma voiture…

— Je t'aimais bien. Je pensais que tu étais un chic type.

— Déguerpis, ordonna-t-il, et il lui claqua la porte au nez.

Caitlin appela Haley avant de quitter Philadelphie, et Haley la rejoignit dans un bistrot de Hartwell. Elles mangèrent un hamburger, burent un verre de vin, puis gagnèrent ensemble l'appartement au-dessus de la boulangerie. Haley avait eu l'excellente idée d'acheter tout le bâtiment, à un bon prix, lorsqu'elle avait décidé d'ouvrir son commerce. Noah l'avait aidée à négocier l'affaire. À présent, elle habitait les premier et second étages, la boulangerie occupait le rez-de-chaussée et ne risquait pas de pâtir de la hausse des loyers.

— J'ai peut-être mauvais fond, dit Haley quand elles furent dans l'appartement, mais je ne comprends pas. Après tout, ce n'est pas toi qui conduisais. Si tu avais été au volant, d'accord…

— Mais ce n'était pas le cas.

— Exactement. Par conséquent, tu étais dans une position atroce. Ils peuvent quand même l'imaginer. Je suis certaine que Noah te reviendra.

— J'espère que tu as raison.

Caitlin accepta un deuxième verre de vin. Haley choisit une des bouteilles qui trônaient sur le comptoir de la cuisine, se servit également un verre, puis guida son amie jusqu'au confortable salon surplombant Main Street. Les réverbères étaient allumés, leur lumière vacillait au gré du frémissement des arbres. La plupart des boutiques de la rue étaient fermées, hormis quelques pubs et restaurants, la tranquillité enveloppait les alentours.

— Et ta visite à Dan… donne-moi des détails. La nouvelle copine aux chaussures Jimmy Choo était là ?

Caitlin fit non de la tête. Volontairement, elle ne s'était pas appesantie sur son entretien avec Dan. A posteriori, elle se sentait vaguement honteuse d'avoir quasiment accusé Dan de n'être pas étranger à la disparition de Geordie. Cela lui paraissait à présent insensé. Et elle savait que Haley n'apprécierait pas du tout.

— Non, il était seul. Pourquoi ? Tu penses qu'avec celle-là, c'est sérieux ?

Les sourcils froncés, Haley fit tourner le vin dans son verre.

— Pas vraiment. Dan préfère éviter les relations sérieuses, disons les choses comme ça.

— Il t'a quand même épousée, non ?

Haley haussa les épaules.

— On sortait ensemble depuis le lycée. Quand on est jeunes, il est facile de… se fourvoyer.

— Tu plaisantes ? Tous les hommes devaient te convoiter. Il a été bien bête de te laisser filer.

— Merci, dit Haley avec un sourire, mais… je pense que nous avons tous les deux compris que c'était une erreur.

— Ah oui ?

Caitlin avait toujours supposé, à voir l'affection que Haley continuait à éprouver pour Dan, que c'était lui qui avait décidé de mettre un terme à leur union.

— Il refusait mordicus d'avoir des enfants. Or je suis peut-être une optimiste incorrigible, mais je ne désespère pas d'en faire un.

— Et tu le feras.

— Je l'espère vraiment.

Elles restèrent un instant silencieuses. Caitlin songea de nouveau à Bandit dans la voiture de Dan.

— Pourquoi il ne veut pas d'enfants ?

— À cause de ce bon vieil ego masculin. Il rêvait de ce qu'il a aujourd'hui : le sport, la liberté. Il mène une vie assez… idyllique pour un homme. Il n'y a pas de place là-dedans pour des gamins. Ni pour une épouse.

— Sans doute.

Haley tourna la tête vers la fenêtre, la lueur d'un réverbère nimba son doux profil.

— Ce n'est pas seulement ça. Quelquefois c'était difficile de… l'approcher, tout simplement. Il est très détaché. La plupart des femmes qu'il rencontre ne font que passer dans son existence. En réalité, le soir de la fête de Geordie, il a renvoyé la fille aux Jimmy Choo à Philadelphie, en bus.

— Tu rigoles ? Il était vraiment malade ? J'ai cru qu'il faisait semblant pour pouvoir s'éclipser.

— Oh non, il était malade comme un chien. Il a passé la nuit ici. Dans la chambre d'amis. Il est venu sonner à ma porte, dans un état tellement lamentable que je n'ai pas eu le cœur de le chasser. J'ai même envisagé à un moment de l'emmener aux urgences. Il avait une migraine atroce et il a vomi tout ce qu'il avait dans le corps. Le lendemain, il était pâle, il tenait à peine debout, mais ça allait mieux. J'ai essayé de le convaincre de rester, mais il avait du travail et il est reparti.

À cette nouvelle, Caitlin eut une bouffée d'angoisse.

— Donc il était à Hartwell le jour où Geordie a été kidnappé…

— Non, pas vraiment. Il est reparti à Philadelphie dès qu'il a réussi à s'extraire du lit.

— Est-ce qu'il portait une casquette à l'effigie des Eagles ? demanda Caitlin, repensant à la description donnée par la jeune assistante d'éducation.

— Pardon ?

— Il portait une casquette ?

— Peut-être, je ne me souviens pas. Pourquoi cette question ?

— Pour rien, répondit Caitlin dont l'estomac se tordait pourtant. Je ne sais plus où j'en suis. Bon Dieu, l'idée de retourner dans la maison de mes parents me glace. Dès que je franchis la porte, tous les malheurs qui se sont produits là-bas m'accablent. Et sans Noah pour me soutenir, je n'arrête pas de penser à Geordie. À ce qu'il est advenu de lui. Je me demande sans arrêt où il peut être…

— Tu n'as qu'à t'installer ici.

— Tu es une véritable amie, tu sais. Personne ne m'adresse plus la parole.

— Noah surmontera tout ça. Sois patiente. Il t'aime sincèrement.

— Il aimait Emily.

— Effectivement.

Caitlin regretta d'avoir abordé ce sujet. Noah avait aimé Emily, elle ne l'ignorait pas, mais il lui semblait qu'à présent il attendait le retour de Geordie en compagnie du fantôme de sa première épouse. Probablement se sentait-il plus proche d'elle, la mère de Geordie que le frère de Caitlin avait laissée mourir sur la route.

— Oh, pourquoi a-t-il fallu que ce soit Emily ?

Haley la regarda avec tristesse.

— Oui, c'est terrible…

18

Sam Mathis s'assit à la table de la cuisine, tandis que Caitlin apportait du café et les muffins que Haley lui avait donnés la veille. Elle en offrit un à Sam, qui refusa d'un geste.

— J'ai déjà mangé.

— Ça ne vous ennuie pas si je…

Comme il secouait la tête, elle remplit son mug et prit un muffin qu'elle posa devant elle, sur une serviette, et entreprit de picorer.

— Bon… Si j'en juge par votre mine, les nouvelles ne sont pas bonnes. Je sais qu'il ne s'agit pas de Geordie, vous me l'auriez dit.

— Exact. Nous avons localisé l'homme que le type de la télé a vu dans la rue. Ces gens habitent le quartier. Son gosse était malade, il venait le chercher.

Caitlin poussa un soupir.

— Désolé.

Elle lut dans les yeux de l'inspecteur du découragement.

— Vous faites le maximum, je le sais bien.

— C'est gentil de le dire.

— Si je pensais que vous agonir d'insultes ramènerait Geordie, je vous traiterais de tous les noms d'oiseaux, croyez-moi.

Sam salua la boutade d'un petit sourire. Caitlin hésita, puis :

— Hier, je suis allée voir Dan, l'oncle de Geordie, à Philadelphie. Je voulais lui présenter mes excuses au sujet d'Emily. Et pendant que j'étais là-bas, j'ai découvert dans sa voiture le doudou de Geordie, un dalmatien en peluche baptisé Bandit.

Aussitôt, Sam Mathis se redressa sur son siège.

— Vous êtes sûre que c'était le jouet de Geordie ?

— Certaine.

— Vous avez interrogé l'oncle ?

— J'ai fait pire que ça, soupira-t-elle. Je... je me suis introduite dans sa voiture et j'ai pris la peluche.

— Comment vous vous êtes débrouillée ?

— Je préférerais ne pas répondre, bredouilla-t-elle en évitant son regard. Je dirai simplement que la voiture n'a pas été endommagée. Bref, j'ai montré Bandit à Dan. Il m'a paru surtout furieux que je sois entrée dans son bolide.

— Et comment justifie-t-il le fait que ce jouet soit en sa possession ?

— Eh bien, au début il a juste été ahuri. Ensuite, il a abouti à la même conclusion que moi. Le jour de sa fête d'anniversaire, Geordie s'est sans doute amusé dans la voiture et y a oublié Bandit.

— Ça s'est passé comme ça, d'après vous ?

— Probablement, marmonna-t-elle.

— Est-il possible que Geordie ait eu son animal en peluche au moment du kidnapping ? Peut-être dans son sac à dos ?

— Nous lui interdisons de l'emmener à l'école. Bandit était pour Geordie… une espèce de cocon protecteur qui attirait sur lui l'attention des petits caïds… Geordie savait qu'il valait mieux ne pas se balader avec Bandit, mais il ne nous obéissait pas toujours.

— Néanmoins, si votre mémoire ne vous trompe pas, vous avez vu cette peluche pour la dernière fois le jour de l'anniversaire.

Caitlin acquiesça.

— Nous avons évidemment interrogé l'oncle de Geordie, enchaîna Mathis. Je n'ai trouvé aucun motif de pousser plus loin l'interrogatoire. Savez-vous autre chose qui nous aurait échappé ? Y a-t-il un motif de suspecter Dan Bergen ? S'est-il conduit de manière… inappropriée avec son neveu ? Avez-vous noté quoi que ce soit qui vous ait alertée ?

— Non. Franchement, non. Je crois que j'ai perdu les pédales en apercevant Bandit. J'ai exigé d'entrer chez Dan. Quand il a tenté de me mettre dehors, j'ai commencé à hurler, à appeler Geordie. De toutes mes forces. Ça n'a rien donné.

— Il vaudrait quand même mieux, je crois, que je retourne le voir. Par précaution. J'irai aujourd'hui.

— Dan sera furieux contre moi. Déjà qu'il me déteste…

— À cause de… l'accident d'Emily ?

— Oui. Mais allez-y, je me moque de ce qu'il pense. Il me haïra toujours. Ils me haïront tous. À cause d'Emily.

— En fait, l'accident d'Emily est la raison de ma visite.

Caitlin le considéra avec circonspection.

— Je vous écoute.

— Le pick-up de votre père.

Elle attendit la suite, en silence.

— On l'a examiné très minutieusement. Il y a des traces de sang, trop détériorées cependant pour nous fournir de l'ADN. Le véhicule a été trop longtemps exposé aux intempéries…

— Il n'était pas exposé aux intempéries, protesta-t-elle. Il est resté dans le garage.

— Un garage n'est pas un environnement absolument protégé. Nous avons trouvé des traces laissées par des écureuils, des ratons laveurs, des oiseaux. Et beaucoup de rouille.

— Alors, vos conclusions ?

— Eh bien, nous avons comparé les éléments prélevés sur le pick-up de votre père avec ceux découverts par le légiste sur le corps d'Emily…

— Et alors ? insista Caitlin.

— Nous savons que les traces de peinture sur Emily et sur le véhicule qui l'a renversée sont similaires. Nous essayons de voir si elles correspondent exactement.

— Comment ça, « le véhicule qui l'a renversée » ? Je vous ai dit qui l'a renversée. Mon frère.

— Je ne conteste pas vos déclarations au sujet de votre frère… ni votre perception des faits… Vous n'avez aucune raison d'inventer une histoire pareille, qui vous a profondément affectée et a mis en péril votre mariage. C'est une évidence.

Caitlin le dévisageait fixement, muette.

— Seulement… il y a un truc bizarre avec ce pick-up.

Là, Caitlin secoua la tête – elle ne comprenait pas.

— Finalement, dit-il, je prendrais bien du café. Une demi-tasse.

Elle eut envie de l'attraper par les épaules et de le secouer, de lui refuser ne fût-ce qu'une goutte de café avant qu'il ne lui ait tout expliqué, mais elle se força à garder son calme. Elle se leva donc, lui servit son café et lui proposa même du lait et du sucre. Puis elle se rassit.

— Alors, ce pick-up… attaqua-t-elle.

Sam souffla sur le café, but une gorgée. Il plissa le front, comme s'il se creusait les méninges tout en parlant.

— Je l'ai remarqué le jour où vous m'avez montré le véhicule dans le garage. Les gars du labo ont noté la même chose. Les dégâts sont situés au milieu du pare-chocs avant qui est enfoncé parce qu'il a heurté quelqu'un ou quelque chose.

— Une minute, une minute… coupa Caitlin. Comment cela, « quelque chose » ? À vous entendre, il y aurait un doute. C'est bien une personne que ce pick-up a renversée. Je vous le répète, il n'y a aucun doute. Quand j'ai eu connaissance de l'accident par le journal télévisé et que j'en ai parlé à James, il a avoué. Il m'a décrit la femme. C'était Emily. Seigneur, il était hanté par le souvenir de son regard. Croyez-moi, il ne s'est pas suicidé parce qu'il avait percuté un cerf.

— Oui, probablement.

— Et il m'a dit où, exactement, avait eu lieu l'accident. Je ne me trompe pas, inspecteur.

— Je comprends, je vous assure. Seulement voilà, les éléments concrets contredisent cette version. Emily a laissé Geordie endormi dans son siège-auto et s'est dirigée vers la boîte à lettres pour prendre le courrier. Elle a été heurtée là, près de la boîte à lettres, au bord de la route. C'est un fait. La boîte à lettres était encore ouverte, le courrier éparpillé partout. Cela signifie que le chauffard a obliqué vers le bord de la chaussée, soit parce qu'à ce moment-là sa lucidité était altérée, soit parce qu'il avait perdu le contrôle de son véhicule. D'après l'endroit où le corps est tombé, on a dû le percuter avec le côté droit du pare-chocs. C'est là le point d'impact. Le côté droit du pare-chocs. C'est cette partie-là du pick-up de votre père qui devrait être endommagée s'il s'agit bien du véhicule qui a renversé Emily. Pas le milieu du pare-chocs. Le côté droit. Le côté passager.

Caitlin s'accouda sur la table, les deux mains plaquées sur sa bouche. Était-il possible qu'elle se soit trompée ? Avait-elle précipité son frère vers la mort pour un crime qu'il n'avait pas commis ? Elle y réfléchit un instant, puis repoussa cette idée. Non. Il lui avait tout avoué. Elle ne lui avait pas soufflé les mots. Il avait renversé une femme. Il avait pris la fuite, la laissant mourir sur la route. Au diable les arguments de Sam Mathis au sujet du pick-up. Il n'y avait qu'une vérité.

— En tout cas, dit Mathis en se levant, c'est une bonne nouvelle. Dans l'immédiat, aucune charge ne sera retenue contre vous. Les éléments concrets n'étayent pas votre version des faits.

Caitlin fronça les sourcils.

— Je n'en suis pas convaincue.

— Tant pis.

Quand l'inspecteur fut parti, elle ressassa ce qu'il lui avait dit. Puis elle s'obligea à se lever et longer le couloir jusqu'à la chambre de son frère. Depuis sa mort, elle n'avait pas rangé cette pièce. Elle n'en avait pas eu le courage. Cette chambre en pagaille, aux allures de caverne, était l'antre de James. Un trou noir dans la maison, qu'elle évitait à tout prix.

Elle s'assit sur le lit, contempla le bric-à-brac qui jonchait le sol, les posters de gothic fantasy qui représentaient tous des créatures armées de rasoirs, vêtues de noir et ensanglantées.

Professionnellement, elle avait affaire à des jeunes gens, mais ceux qu'elle côtoyait à la fac semblaient nimbés de lumière. Beaucoup avaient grandi dans des milieux défavorisés, pourtant ils étaient sérieux, pleins d'espoir, et ils travaillaient dur. Ils avaient la vision d'un avenir radieux ; Caitlin contribuait à ce que leur rêve devienne réalité, c'était son métier.

James ne leur avait jamais ressemblé. Aussi loin que remontaient les souvenirs de Caitlin, il avait toujours évolué dans un univers de ténèbres. Elle en était navrée pour leurs parents, qui faisaient de leur mieux pour élever un enfant qu'ils ne comprenaient pas. « Mais pourquoi il est comme ça ? lui avait demandé un jour son père, exaspéré. Toi qui as suivi tous ces cours de psychologie, dis-moi : pourquoi il se comporte comme ça ? »

Caitlin prétendait n'en avoir aucune idée. Elle savait cependant que la grossesse de sa mère avait été inattendue et mal accueillie. Ses parents n'avaient jamais envisagé de devoir s'occuper d'un adolescent alors qu'ils aborderaient la soixantaine. Elle savait aussi que jamais, pour rien au monde, ils ne l'auraient dit à James. Ils le chérissaient autant que leur fille. Mais le sentiment de n'avoir pas été désiré s'était peut-être insinué dans la psyché de James. Ces sentiments-là peuvent s'exprimer de tant de manières.

Oh, mon pauvre James, soupira-t-elle. À présent, je ne supporterais pas de découvrir que tu as avoué un crime dont tu n'étais pas l'auteur.

D'une main molle, elle commença à fouiller dans ses affaires. Ses devoirs de lycéen, rangés dans des classeurs. Contrairement à Caitlin, il n'avait jamais été bon élève ; les commentaires acerbes des professeurs, les mauvaises notes soulignées en rouge sur les copies évoquaient la torture que l'école était devenue pour lui. Caitlin ouvrit le tiroir de sa table de chevet et là, sur une pile d'enveloppes décachetées, vit une photo de Karla. « Je t'aime », avait-elle écrit sur son portrait, déclaration illustrée du dessin de sa bouche, un baiser en forme de cœur. Caitlin saisit les lettres, toutes expédiées du centre de redressement où Karla purgeait sa peine. Elle en parcourut certaines, en diagonale. Le contenu en était d'une banalité sidérante. Comme la correspondance de la plupart des gens, se reprit-elle. Mais pour James, à l'évidence, elles avaient eu beaucoup d'importance. Il les avait conservées, ainsi que le portrait de la jeune fille.

D'ailleurs, songea Caitlin, il avait parlé de l'accident à son amie. Elle se rappelait à présent que, dans les propos de Karla, un détail l'avait frappée, lui avait paru bizarre. Mais quoi ? Impossible de s'en souvenir précisément. Tant de choses étaient arrivées ce jour-là.

Et si elle téléphonait à Karla pour en reparler avec elle ? Cela ne serait peut-être pas inutile. Elle avait l'impression d'être un vampire, à remuer ainsi les vêtements qui jonchaient le sol, mais elle n'avait pas pris les coordonnées de Karla. Ce fameux jour, elle espérait ne jamais la revoir.

Le mobile de James était toujours dans la poche de son jean. Caitlin l'en extirpa. La batterie était à plat, bien sûr. Elle devrait la recharger pour trouver le numéro de téléphone de Karla. Elle brancha le chargeur sur le bureau de James et, soulagée, constata que l'icône de la batterie clignotait.

— Caitlin ?

Elle sursauta, poussa un cri. Un bruit de pas résonnait dans la maison. Lorsque Noah apparut sur le seuil de la chambre de James, elle pressa une main sur son cœur.

— Désolé. Je ne voulais pas te faire peur.

Caitlin n'allait pas nier qu'il l'avait effectivement effrayée. Elle ne laisserait pas non plus Noah entrer dans cette chambre. James était son petit frère. Elle éprouvait le besoin impérieux de préserver son intimité.

Elle sortit de la pièce dont elle referma la porte.

— Je n'aurais sans doute pas dû venir ici, dit Noah.

— Ce n'est pas grave. Il y a du nouveau ?

Comme ils avaient l'air gauche, face à face dans cet étroit couloir. Noah passa la main dans ses cheveux mal peignés, qu'il n'avait pas lavés. Son visage s'était creusé durant la dernière semaine.

— Sam Mathis m'a dit que tu avais trouvé Bandit dans la voiture de Dan. Il s'apprêtait à interroger de nouveau Dan.

— Eh bien, je suis allée lui présenter mes excuses au sujet de… d'Emily, et…

— Ça me turlupine. Je veux dire que… Dan ne ferait jamais une chose pareille. C'est impensable. Mais pourquoi Bandit…

Il fixait sur elle des yeux reflétant une telle détresse qu'elle en eut le cœur déchiré. Il se représentait, elle le savait bien, Geordie serrant jalousement Bandit sous son bras, sans se soucier que les grands se moquent de lui.

— Viens, dit-elle.

Elle eut envie de lui prendre la main, mais s'abstint. Elle se contenta de l'inviter d'un geste à la suivre dans le couloir, jusqu'à la chambre d'amis. Elle alluma la lampe de chevet. Puis elle recula et montra du doigt l'animal en peluche sur l'oreiller.

Noah s'approcha du lit et prit Bandit entre ses mains.

— Comment tu l'as récupéré dans la voiture de Dan ?

Caitlin hésita puis lui relata son appel aux AAA.

— Tu as l'étoffe d'une délinquante.

Était-ce délibérément insultant ? Non, sans doute pas.

— J'ai recousu son oreille, hier soir.

210

Il opina, s'essuya les yeux.

— Il allait la perdre.

— Il n'en était pas question. Je l'avais promis à Geordie. Je voulais que ce soit fait quand il rentrerait à la maison.

— C'est comme si la terre l'avait englouti.

Le regard de Noah, intelligent et perspicace, était voilé de larmes, empli d'une terreur enfantine. Et c'était vers elle qu'il se tournait, en quête de réconfort. Elle se sentit soudain très calme.

— Il reviendra. Nous devons continuer à y croire.

— J'ai eu tort de t'accuser. Je sais pertinemment que jamais tu ne lui ferais le moindre mal.

Caitlin eut la sensation d'être brusquement libérée du poids qui lui écrasait la poitrine.

— Non, jamais.

19

— Tu devrais peut-être ramener Bandit à la maison. Il faut qu'il soit là pour le retour de son petit maître…

Elle lui tendit l'animal en peluche, même si cela l'attristait de s'en séparer. Noah était entouré des affaires de Geordie, source de consolation et de chagrin à la fois. Elle n'avait que Bandit.

— Non, garde-le. Pour l'instant.

— C'est trop dur de traverser tout ça seule, balbutia-t-elle.

Noah acquiesça d'un air absent, comme s'il ne comprenait pas ce qu'elle disait, et regagna sa voiture. Elle le regarda sortir de l'allée, s'éloigner. Songer à la journée qui l'attendait la découragea. Elle envisagea de téléphoner à l'université pour prévenir qu'elle reprenait le travail, pour ne pas avoir à endurer ces heures interminables, vides, mais elle se ravisa. Elle n'aurait pas la force de s'habiller, de répondre aux questions des gens, d'être attentive à leurs problèmes, alors que son cœur criait : « Mon enfant a disparu. » Elle n'était pas prête.

Cherchant quelque chose à faire, autre que le ménage, elle repensa au mobile de James. Sans doute était-il rechargé, maintenant. Elle retourna dans la chambre de son frère et consulta le journal des appels. Le numéro du centre de redressement y figurait, effectivement, mais pas celui du domicile de Karla. Elle éplucha tout le journal d'appels, malheureusement une cinquantaine seulement étaient sauvegardés.

Elle s'efforça de réfléchir. Quel était le patronyme de Karla ? Elle déchiffra l'adresse de l'expéditeur au dos des enveloppes, hélas Karla n'avait noté que ses initiales. Caitlin revoyait clairement sa maison. Elle y avait conduit James, lors d'une de ses visites, avant que ses parents ne s'installent dans le New Jersey. La famille de la jeune fille habitait une petite maison délabrée, sur un terrain hérissé de mauvaises herbes, en dehors de Coatesville. Elle retrouverait l'endroit sans difficulté. En revanche, rien à faire : elle ne se souvenait pas de leur nom.

Elle jeta un coup d'œil au réveil. Deux heures de route. Elle ne serait pas de retour avant la nuit. Et alors ? songea-t-elle avec désespoir. Tu n'as personne qui t'attend. Plus de foyer. Et Karla détenait peut-être une information importante.

Elle hésita encore un moment, puis se décida. Elle reposa Bandit sur l'oreiller.

— Je reviens, lui murmura-t-elle.

Coatesville était naguère surnommée « la Pittsburgh de l'Est », du temps où l'industrie était florissante. À l'instar de la sidérurgie américaine, la ville avait décliné et vécu des années noires. Les défenseurs du patrimoine s'étaient démenés pour redonner vie aux entreprises en faillite et aux bâtiments condamnés, mais il régnait dans cette ville une atmosphère de lassitude, comme si tous ces efforts, c'était trop exiger.

Le père de Caitlin avait fait toute sa carrière au service des travaux publics. À l'heure de la retraite, malgré une vie entière dans cette ville, il n'avait pas souhaité y demeurer. Son épouse et lui n'étaient pas très sociables ; quant à Caitlin, bien qu'attachée à la région où elle avait grandi, elle ne se sentait pas particulièrement liée à ses habitants. Ses parents étaient des solitaires, ni l'un ni l'autre n'avaient véritablement de famille.

Des milliers de souvenirs l'assaillaient tandis qu'elle traversait les faubourgs, cependant elle essaya de ne pas s'abîmer dans la nostalgie. Elle était ici dans un but précis.

Après s'être trompée à plusieurs reprises, elle repéra la route menant chez Karla, qui sinuait au milieu de bois mal entretenus.

Elle reconnut aussitôt la maison, une sorte de bungalow bas, aux murs recouverts de faux bardeaux d'un beige sale et troués de plusieurs petites fenêtres. Il y avait sur le côté des fûts en plastique, et dans le jardin une corde à linge sur laquelle séchaient des vêtements. Un toboggan orange et bleu ainsi qu'une table de pique-nique occupaient une butte près de l'endroit où l'on étendait la lessive. Des pots, en plastique, de chrysanthèmes fanés ornaient la dalle de ciment devant la porte.

Des enfants jouaient dans les bois. Caitlin entendit leurs cris en sortant de sa voiture. Celle de Karla, qu'elle conduisait lorsqu'elle leur avait rendu visite, était garée dans l'allée en terre battue. Caitlin poussa un soupir de soulagement. Un si long trajet pour apprendre que Karla s'était installée ailleurs, c'eût été le bouquet.

Elle frappa à la porte. Un rideau-filet masquait la vitre, mais elle perçut un mouvement à l'intérieur. La porte s'ouvrit sur une Karla étonnée, pieds nus, affublée d'un caleçon rose et d'un T-shirt noir trop grand, son énorme croix toujours pendue à son cou.

— Caitlin ! s'exclama-t-elle. Ça alors, j'en reviens pas. Qu'est-ce qui t'amène par ici ?

— Je suis venue te voir, Karla.

— Génial. Attends une minute. Je surveille les mômes pendant que ma mère bosse. Il faut que je les rappelle à l'ordre.

— D'accord.

Karla sortit sur la dalle en ciment et, d'une voix de poissonnière :

— Cliffie, Brianna, Ardella, on répond !

Dans les bois, les piaillements se turent un instant, puis un garçon brailla :

— Quoi ?

— Je vous vois pas. Revenez dans le jardin, que je vous aie à l'œil.

— Mais pourquoi ? lança le garçon d'un ton de défi.

— Maman m'a demandé de vous surveiller ! Alors, maintenant, vous revenez dans le jardin.

Il y eut un froissement de feuillage, puis un gamin maigrichon, haut comme trois pommes, en pantalon et sweat baggy, s'approcha d'un pas chaloupé. Deux petites filles qui portaient des vestes rose et violet gambadaient derrière lui. Il pointa les deux pouces vers son étroite poitrine.

— J'suis là. Tu me vois ?

— Ouais, dit Karla. Reste à un endroit où je peux t'avoir dans ma ligne de tir.

— C'est qui, ça ? demanda-t-il, montrant Caitlin du menton.

— La sœur de James. Tu te souviens de James ?

— Ton copain camé ?

— Fais pas attention à lui, dit Karla à Caitlin. Toi, tu t'éloignes pas, ordonna-t-elle à son frère en rouvrant la porte de la maison. Entre, Caitlin.

Celle-ci fut très surprise par l'intérieur du bungalow. Tout y était parfaitement net et rangé, plutôt défraîchi dans l'ensemble, mais confortable. Dans le salon, le canapé d'angle taupe qui se confondait quasiment avec les faux lambris faisait face à un gigantesque écran plat. Les protège-accoudoirs étaient confectionnés au crochet, des gravures religieuses ornaient les murs. Sur la table en formica de la cuisine, une bible était ouverte, ainsi que des manuels scolaires.

— J'étais en train de bûcher, s'excusa Karla. Je t'offre quelque chose ? Un soda ?

— Oui, volontiers, répondit Caitlin qui s'assit à la table. Sur quoi travailles-tu ?

— Mes cours bibliques, bien sûr. Et puis, la semaine prochaine, je passe le diplôme d'accès aux études universitaires.

Karla sortit du réfrigérateur une bouteille de soda Wink et remplit une tasse en plastique qu'elle tendit à Caitlin.

— Merci. Tu es prête pour l'examen ?

— Je crois.

— Tu as bien raison de le passer.

— Ensuite je vais essayer d'entrer à la fac, confia Karla.

— Vraiment ?

La jeune fille jeta un regard circulaire et se pencha vers Caitlin.

— Je veux pas finir ici. Ou en taule.

— C'est formidable. Tu as des projets d'avenir.

Haussant les épaules, Karla esquissa un petit sourire.

— J'ai vu un paquet de mochetés dans ma vie. Alors, oui, j'essaye.

— Tant mieux.

Caitlin songeait qu'elle avait été beaucoup trop sévère à l'égard de Karla. Les gens changent, parfois.

— Au fait, qu'est-ce que tu voulais me demander ?

Caitlin hésita.

— Je dois t'avouer que… j'ai réfléchi à l'accident de James.

— Je m'en doutais, dit Karla d'un ton imperceptiblement dépité. Tu veux savoir quoi ?

— Eh bien… je m'interroge énormément. Ce que tu m'as raconté, l'autre jour… Je pensais savoir ce qui s'était passé, mais à présent je n'en suis plus certaine. Que t'a-t-il dit à propos de ce jour-là ? Tu t'en souviens ?

— Oh oui, je ne pourrais pas l'oublier. Il m'a dit que cette femme s'était servie de lui pour se tuer.

Caitlin sursauta.

— Quoi ?

— C'est ce qu'il a dit, affirma Karla. Qu'elle s'était précipitée devant la bagnole. Il n'a pas eu la possibilité de s'arrêter.

Caitlin se remémora les remarques de Sam Mathis sur l'emplacement des dégâts visibles sur le pick-up.

— Tu es sûre de ça ?

— Certaine. J'ai la lettre qu'il m'a écrite.

Caitlin sentit un violent frisson la parcourir.

— Tu l'as ?

— Ouais. Tu veux que j'aille la chercher ?

— Cela ne t'ennuie pas ?

— Non.

Karla se leva et regarda par la fenêtre de la cuisine. Puis elle ouvrit la porte et vociféra :

— Cliffie !

— On est là, répondit le garçon d'une voix hargneuse.

— Heureusement, commenta Karla qui claqua la porte. Je reviens, dit-elle à Caitlin.

Elle disparut dans le sombre couloir au-delà du salon. Caitlin était perplexe. James ne lui avait jamais parlé d'une femme qui se serait jetée sous les roues du pick-up. Était-ce vrai ? Ou bien avait-il menti à Karla pour...

À cet instant, la jeune fille revint avec la lettre, encore dans son enveloppe. Elle la remit à Caitlin qui reconnut l'écriture de James, des pattes de mouche. La lettre avait été expédiée au centre de redressement.

Caitlin, avant de déplier la lettre, leva les yeux vers Karla.

— Je peux ?

— Évidemment. Sinon, je serais pas allée te la chercher.

Caitlin parcourut la missive et se rendit compte qu'elle avait dans les mains la lettre d'adieu de James. « Ma sœur ne me croira jamais, écrivait-il. Elle m'a abandonné, comme mes parents. J'avais pris deux ou trois cachets ce jour-là, mais je n'étais pas défoncé quand j'ai heurté cette femme. Je roulais, tranquille, et tout à coup elle a déboulé de l'allée, juste devant mon pick-up. Elle m'a regardé bien en face. Jamais je n'oublierai ses yeux. C'est comme dans un film d'horreur. Je ne peux pas, moi, fermer les yeux sans la voir. Le bruit du pick-up qui la renverse, c'est la chose la plus horrible que j'aie entendue. Je n'arrête pas de l'entendre, ce bruit, et de voir sa figure à elle. J'ai su tout de suite que c'était fini pour moi. J'avais tué quelqu'un avec le pick-up et je n'avais plus le droit de conduire. Personne ne croirait jamais qu'elle s'était servie de moi pour se buter. Pourquoi une personne ferait ça ? Alors j'ai continué à rouler. J'aimerais tellement être avec toi. Je suis tout seul. Je n'en peux plus. Je t'aime, je suis désolé. James. »

Caitlin relut la lettre, puis, stupéfaite, dévisagea Karla.

— Quand je l'ai reçue, il était déjà parti, dit posément la jeune fille. Au centre, tout le courrier passe par la poste. On est privé d'ordinateur, ça fait partie de la punition. Et quand on a une lettre, on vous la donne pas immédiatement.

Caitlin remit avec précaution le feuillet dans l'enveloppe.

— Ça t'a appris ce que tu voulais savoir ?

Caitlin acquiesça.

— Oui, en un sens. Je suis gênée de te le demander, mais... pourrais-je la garder quelque temps ? Je te la rendrai.

— Prends-la. James faisait partie de ma vie d'avant. Je ne retournerai pas en arrière.

— C'est la sagesse même. Je n'ai pas les mots pour te dire à quel point je te suis reconnaissante.

— Si je peux t'aider, tant mieux. Je t'ai toujours admirée, figure-toi. Tes études, tout ça. Une fois que j'ai eu retrouvé le droit chemin, je pensais à toi quelquefois. Je me disais que j'aimerais te ressembler. Mais en étant une bonne chrétienne.

— En fait, ces derniers temps, j'ai beaucoup prié.

— Ton fils n'est pas revenu ?

Caitlin secoua la tête.

— Je prie aussi pour lui, dit Karla.

De nouveau elle se leva, se campa devant la fenêtre et, ayant capté le regard des enfants, dehors, les menaça du doigt.

Caitlin se leva à son tour.

— Il vaudrait mieux que je reparte. J'ai une longue route à faire.

Elle prit une carte de visite dans son sac.

— Quand tu seras décidée, pour l'université, contacte-moi. Je suis chargée du recrutement d'étudiants issus de milieux défavorisés. Je peux peut-être t'aider.

— Ce serait génial. Merci, dit Karla avec un sourire lumineux.

Elle fronça soudain les sourcils.

— C'est une fac chrétienne ?

— Nous avons des chrétiens dans nos rangs.

— Je vais y réfléchir.

20

Même si c'était sa ville natale, une fois qu'elle eut quitté la maison de Karla, Caitlin n'eut aucune envie de s'attarder à Coatesville. Tout en roulant dans les rues familières, en direction de l'autoroute, elle n'égrenait pas ses souvenirs de sa vie dans ce décor. Elle n'éprouvait qu'une sensation de malaise, parce qu'elle était loin de Hartwell, loin du lieu où Geordie avait disparu. Une réaction viscérale, irrationnelle. Elle voulait être là où Geordie pourrait la trouver s'il revenait.

Le seul fait de loger dans la maison de ses parents lui donnait le sentiment de s'éloigner de lui. Il ne saurait pas comment la rejoindre. Il s'attendrait à la voir dans la maison où ils avaient vécu ensemble. Bien sûr, il ne prendrait pas l'initiative de la chercher, ce n'était qu'un petit garçon. Mais l'idée qu'il puisse rentrer sans qu'elle soit là pour l'accueillir l'emplissait d'une panique qui lui coupait la respiration.

Elle s'arrêta pour prendre de l'essence, juste avant l'autoroute, et en profita pour téléphoner à Noah. Elle tomba sur sa boîte vocale, hésita, mais laissa un message.

— Bonjour, Noah, a-t-on des nouvelles de Geordie ? Je suis à Coatesville, mais je rentre… chez moi. Est-ce que Sam Mathis t'a contacté ? Est-il allé voir Dan ? Je… je te rappellerai plus tard.

Noah ne souhaitait sans doute pas qu'elle lui téléphone, mais tant pis. Elle appellerait quand même, pour se tenir au courant, c'était plus fort qu'elle. La seule façon pour elle d'empêcher l'angoisse de la submerger. « Ton fils n'est pas revenu ? » lui avait demandé Karla. Oui, Geordie était son petit garçon et non, hélas, il n'était toujours pas de retour.

Le réservoir plein, Caitlin prit l'autoroute et roula, trop vite, vers Hartwell. Elle ne cessait, du coin de l'œil, de surveiller son mobile, espérant que Noah la rappelle. Mais non. Pourtant le dégoût qu'elle avait pu lui inspirer semblait s'atténuer. Peut-être parce qu'il était trop épuisé et désemparé pour alimenter sa colère contre sa femme. Cela ne signifiait pas qu'il désirait renouer. Elle ne pouvait pas le contraindre à lui pardonner.

Comment réagirait-il si elle lui montrait ce que James avait écrit au sujet d'Emily ?

Le récit de Karla et la lettre de James paraissaient aller dans le même sens que les conclusions de la police scientifique après examen du pick-up. Si Emily s'était effectivement précipitée au-devant du véhicule, elle avait percuté le milieu du pare-chocs et de la calandre. Cependant cela n'avait aucun sens. Caitlin ne se souvenait que trop des commentaires des journalistes sur l'accident. À l'époque, elle en avait mémorisé les moindres détails.

Emily avait laissé Geordie endormi dans son siège-auto. Même si elle était résolue à en finir, Emily n'aurait pas laissé seul son enfant attaché dans son siège, sans personne pour veiller sur lui. Incapable de sortir de là. On ne se suicide pas de façon aussi impulsive. C'était inconcevable pour Caitlin, elle qui était la mère de Geordie depuis maintenant quelques années. Quoi qu'il advienne, une maman reste une maman. Pour Caitlin en tout cas, cela excluait la possibilité du suicide. Alors pourquoi Emily s'était-elle jetée devant le pick-up ? Quelle force l'avait poussée à se mettre ainsi en péril ?

Caitlin n'avait personne à qui poser la question. Elle ne pouvait même pas prononcer le nom d'Emily devant Noah ou les Bergen.

Soudain, une pensée lui vint qui manqua la faire s'évanouir au volant. Comme Sam Mathis l'avait dit, le malheur s'acharnait sur Noah, à un point invraisemblable. S'agissait-il seulement d'une incroyable coïncidence ? Ou bien n'était-ce pas dû au hasard ? La mort d'Emily avait-elle un rapport avec la disparition de Geordie, quelques années plus tard ? Cherchait-on à détruire Noah et sa famille ? Et si l'on avait un ennemi aussi pervers, aussi implacable, en était-on seulement conscient ?

Occupée à ruminer ces hypothèses effarantes, Caitlin perdit la notion du temps et ne vit pas passer le trajet de retour, dont elle s'était pourtant fait une montagne. Voilà qu'elle sortait déjà de l'autoroute et mettait le cap au sud à travers la campagne boisée. Dans la banlieue de Hartwell, elle remarqua des panneaux indiquant la direction du centre de recyclage du comté. Elle songea à Naomi dans sa librairie gratuite. Si quelqu'un était en mesure de se rappeler ce qui se passait dans la vie de Noah à cette époque-là, c'était bien sa sœur.

Sans plus réfléchir, Caitlin bifurqua au croisement, franchit le portail grillagé et longea le chemin sinueux et cahoteux menant aux bâtiments de collecte des déchets. Il y avait une guérite à l'entrée et, au-delà, un terrain bordé de gigantesques conteneurs destinés aux objets métalliques, au papier et aux déchets végétaux. Près de l'un d'eux s'amoncelaient des appareils jetés au rebut, des climatiseurs et même des meubles. Non loin, on apercevait une petite caravane grise et pimpante. Caitlin stoppa devant la guérite et l'homme qui se tenait à l'intérieur, une armoire à glace en salopette de toile crasseuse, au regard doux et aux cheveux frisés sous un bonnet en tricot.

— Vous avez un badge ?

Caitlin secoua la tête.

— Ah, sans badge, vous pouvez rien apporter à la déchetterie.

— Oh, je n'ai rien à jeter. Je voulais seulement visiter la librairie.

Son interlocuteur montra du doigt la vieille caravane Airstream. Caitlin avisa l'antique Volvo de Naomi stationnée devant.

— Là-bas, dit-il. Ça ferme bientôt.

— Je me dépêche.

Elle se gara près de la Volvo et sortait de sa propre voiture lorsque Champion, brusquement, apparut sur la banquette arrière, se jetant contre la vitre barbouillée et aboyant à tue-tête. Caitlin recula d'un bond.

— Du calme, Champion ! ordonna-t-elle, puis elle monta les marches et ouvrit la porte de la caravane.

Dans cet espace confiné, l'odeur de moisi était presque suffocante. Des rayonnages recouvraient les parois, constellés d'écriteaux sur lesquels on avait noté, à la main, à quel genre littéraire appartenaient les livres qui s'y alignaient et dont les auteurs étaient classés par ordre alphabétique. Au fond de la caravane, Naomi, en combinaison de travail, prenait des bouquins un par un dans un bac en plastique, en examinait les jaquettes et les dos, et les rangeait à la place qui leur revenait. Travis, avachi sur une chaise pliante, s'acharnait sur une console de jeux. Il leva le nez à l'entrée de Caitlin et la regarda avec hostilité.

— Qu'est-ce tu fais là ?

— Bonjour, Travis. Je viens voir ta maman.

Naomi se retourna.

— Caitlin. Il y a du nouveau ?

— Non, pas vraiment. Je voulais simplement te parler.

Naomi s'essuya les mains sur sa combinaison et s'avança dans le canyon que délimitaient les rayonnages.

— Cette librairie est superbe, commenta Caitlin. Tu as accompli un sacré boulot.

— Elle adore les bouquins, dit Travis, à la fois fier et renfrogné.

— Coupable, votre honneur, plaisanta Naomi. Je ne supportais pas de voir tous ces livres transformés en compost. J'ai eu l'idée de leur donner une deuxième

226

chance. Au début, il n'y avait qu'une ou deux étagères. Et maintenant, tu vois.

— Tu as beaucoup de visites ?

— Oh oui… Le week-end, je donne entre cent et cent cinquante livres.

— Ouah…

— Tu veux jeter un œil ?

— Pas aujourd'hui, mais je reviendrai. Quand je serai plus disponible.

— On a quelques très bons titres, dit Naomi, couvant du regard les ouvrages mités soigneusement disposés sur les rayonnages. Bon, alors, qu'est-ce qui se passe ? J'ai eu Noah ce matin, il m'a dit que la situation n'avait pas évolué.

— Hélas non. Je désirais juste te demander quelque chose. À propos de la mère de Geordie. Emily.

— Emily ? Quoi donc ? Ah, au fait, je suis au courant de ce qu'a fait ton frère.

Surprise, Caitlin piqua un fard.

— Je suis navrée, Naomi. J'aurais dû l'avouer dès le début. Tu as sans doute une bien piètre opinion de moi.

Naomi haussa les épaules.

— C'est un peu bizarre, oui. Mais comme j'ai dit à Noah, j'aurais fait la même chose que toi. Tu as été loyale envers ton frère. À quoi ça aurait servi de parler, puisqu'il était mort ? Ça n'aurait pas ressuscité Emily.

— Merci, répondit Caitlin, étonnée. C'est vraiment généreux de ta part.

— Aucun de nous n'est parfait, soupira Naomi.

— Non, en effet.

— Alors, qu'est-ce que tu veux savoir sur Emily ?

— Oh, je... eh bien, depuis que cette histoire avec mon frère est sortie au grand jour, j'ai beaucoup réfléchi à l'accident. À l'époque de cet... accident, Emily se comportait-elle autrement que d'habitude ?

— Autrement... c'est-à-dire ?

— Je ne sais pas... Est-ce qu'elle paraissait déprimée ou angoissée ?

Du bout de l'index, Naomi gratta ses cheveux bouclés.

— Non, elle n'avait pas de soucis. Noah et elle étaient heureux. Ils avaient Geordie. Leur jolie maison. Elle n'avait pas de raison d'être déprimée.

— Elle et toi, vous étiez proches ?

— Non. Enfin, on s'entendait plutôt bien. Elle a été gentille pour nous après la mort de Rod. Toujours prête à aider. L'esprit de famille, tu vois. Ce qui montre que, quelquefois, on ne connaît pas vraiment les gens. Au lycée, je ne pouvais pas l'encadrer. On fréquentait le même établissement, mais on n'était pas copines, loin de là. Elle faisait partie des filles qui avaient la cote. Bien habillée. Elle n'a jamais été obligée de bosser, ajouta Naomi, lugubre.

— Et Noah ? Avait-il... des ennemis ? Des clients qui avaient une dent contre lui ? Quelqu'un qui aurait pu lui vouloir du mal ?

— Non, pourquoi cette question ? Les flics m'ont déjà demandé tout ça.

Caitlin hésita, puis estima que s'en tenir à la vérité serait préférable.

— Figure-toi que, d'après la police, les dégâts sur le pick-up de mon père ne coïncident pas avec ce qui serait théoriquement arrivé à Emily.

— Je ne te suis pas.

— Eh bien, les traces sur la carrosserie et le récit que mon frère a fait des événements suggèrent qu'Emily se serait jetée devant le véhicule. Elle n'aurait pas été renversée sur le bas-côté de la route.

— Pourquoi elle aurait fait ça ?

— Je l'ignore. Mon frère pensait qu'elle voulait se suicider.

— Emily, se suicider ? C'est ridicule. Non, tout lui souriait. C'est pour ça que sa mort a été un tel choc. Quand Noah m'a téléphoné… je n'oublierai jamais. Il sanglotait. Je le comprenais à peine. Il a dit qu'elle avait été renversée par une voiture, qu'elle était morte. On était tous… atterrés.

— J'imagine.

— On avait perdu Rod en Irak. Et comme si ça ne suffisait pas… Emily. C'était trop, il nous semblait que notre famille était maudite. Ma mère était hystérique. Moi aussi. Tout le monde sauf toi, hein, Travis ? Mon petit homme. Il n'a même pas cillé quand on a su pour sa tante. Il n'a même pas eu l'air surpris. Je lui répétais qu'il avait le droit de pleurer, mais il me répondait qu'il n'en avait pas envie, que ça allait.

Naomi se tourna vers son fils.

— Tu t'en souviens ? Quand on appris pour la maman de Geordie ? On était en train de dîner. Jamais je n'oublierai ça. J'en ai parlé tout de suite, j'ai essayé de lui annoncer la nouvelle avec ménagement, mais Travis m'a regardée et il s'est contenté de me dire : « Je peux reprendre des macaronis ? » Tu t'en souviens ?

— Non, articula sèchement Travis.

Naomi soupira.

— Son instituteur disait qu'il risquait d'être trauma-tisé et que je devrais envisager de l'emmener chez un psychologue. Mais Travis répétait qu'il allait très bien.

— Pourquoi tu racontes ça ? ronchonna-t-il.

Il jeta sa Game Boy qui rebondit contre un rayon-nage de livres de cuisine et atterrit sur le sol. Cet accès de colère ne perturba pas Naomi.

— Quelle que soit son attitude, je sais bien qu'il a eu de la peine. On ne parle pas de ça pour t'embêter, Travis. Au fait, enchaîna-t-elle s'adressant à Caitlin, qu'est-ce que tu espères découvrir ?

— Je cherche seulement à comprendre ce qui s'est passé. À comprendre si la disparition de Geordie est, d'une manière ou d'une autre, liée à la mort d'Emily.

— Je ne vois pas quel rapport il pourrait y avoir.

— Dans l'immédiat, moi non plus, mais…

— Alors on la ferme, murmura Travis.

Choquée par ce langage, Caitlin regarda tour à tour le garçon et sa mère, attendant que celle-ci le gronde. Naomi fit comme si elle n'avait rien entendu.

— J'aimerais être en mesure de t'aider. Mais, ajouta-t-elle en consultant sa montre, il est temps pour nous de lever l'ancre. Tu es prêt, Travis ?

Celui-ci se décolla de la chaise pliante, sans un coup d'œil vers Caitlin, s'approcha et ramassa la console de jeux qu'il avait envoyée valser.

— Qu'est-ce qu'il y a pour dîner ?

— Je suggère un tex-mex.

— Ouais, j'adore !

— Tu veux te joindre à nous, Caitlin ?

— Non, elle veut pas, décréta Travis.

— Merci quand même, dit Caitlin qui ouvrit la porte et commença à descendre les marches. Une autre fois peut-être.

— Tu reviendras choisir un bouquin, répliqua joyeusement Naomi.

— Merci.

Elle tourna la tête vers Travis, mais il tripotait de nouveau sa Game Boy, et elle eut la nette impression qu'il prenait soin de ne pas croiser son regard.

21

Caitlin consulta son téléphone, pour s'assurer que Noah n'avait pas tenté de la joindre pendant qu'elle était dans la caravane-librairie. Elle avait eu en revanche un appel de Sam Mathis. Elle composa aussitôt son numéro.

— Bonjour, c'est moi, Caitlin.

— Où êtes-vous ? Il faut que vous apportiez la peluche de Geordie au commissariat.

— Bandit ? Pourquoi ?

— Nous devons l'envoyer au labo. Vous êtes loin ?

— Pas trop. Cela a un rapport avec votre entretien avec Dan ?

Sam Mathis ne répondit pas immédiatement.

— Nous discuterons quand vous serez là.

— Vous ne pouvez pas me le dire tout de suite ?

Mais il avait déjà coupé la communication. Le sang bourdonnant à ses tempes, Caitlin reprit le chemin truffé d'ornières de la déchetterie, roulant le plus vite possible. Puis, sur l'autoroute, elle s'efforça de se concentrer sur la conduite, de ne pas échafauder mille théories. Elle fit un saut à la maison de ses parents pour récupérer Bandit et fila au commissariat dans le centre-ville.

Elle se gara devant le bâtiment, monta quatre à quatre les marches de grès, tentant de deviner ce qui se tramait à la mine des policiers qui allaient et venaient. Son imagination battait la campagne. Lorsque l'officier de garde lui demanda ce qui l'amenait, elle répondit que l'inspecteur Mathis l'attendait et s'éloigna d'un pas pressé, sans y être autorisée.

Le bureau du commissaire Burke était fermé, la lumière éteinte. Elle se précipita vers le bureau de Sam Mathis. À son grand soulagement, la porte était ouverte.

— Me voilà ! dit-elle en pénétrant dans la pièce.

Sam Mathis la considéra d'un air grave et lui fit signe de s'asseoir en face de lui.

— Donnez-moi ça, ordonna-t-il, tendant la main vers la peluche.

À contrecœur, elle remit le jouet à l'inspecteur qui le fourra dans un grand sachet en plastique qu'il scella. Il inscrivit quelque chose sur l'étiquette, puis passa un coup de fil. Un instant après, un policier en uniforme apparut sur le seuil.

— Portez ça au labo, commanda Mathis. Dites au Dr Murphy que c'est le jouet dont je lui ai parlé.

L'autre opina du bonnet et embarqua Bandit. Caitlin le regarda disparaître dans le couloir, puis se retourna vers Sam Mathis.

— Qu'est-ce qui se passe ?

— Je n'en suis pas encore sûr. Racontez-moi ce qui est arrivé hier, quand vous étiez au domicile de Dan. N'omettez aucun détail.

— Pourquoi ?

— Racontez-moi.

Caitlin ne tergiversa pas. En commençant par son arrivée à Society Hill, elle relata tout ce qui s'était passé, exactement comme cela s'était passé. Après une brève hésitation, elle évoqua même son appel aux AAA, et la façon dont elle avait berné leur représentant, lequel avait volé à son secours pour déverrouiller la voiture de Dan.

Sam Mathis l'écouta avec la plus extrême attention.

— Vous avez dit qu'il vous avait laissée entrer dans la maison, et que vous aviez appelé Geordie. Vous êtes absolument certaine qu'il n'a pas répondu ? Vous n'avez noté aucun signe de sa présence au domicile de Dan ?

— Évidemment que j'en suis certaine. Sinon je ne serais pas repartie… Qu'est-ce qu'il y a ?

— Aujourd'hui, j'ai rendu visite à Dan Bergen.

— Oui, murmura Caitlin, subitement effrayée.

— Il n'était pas là. Il n'y avait personne dans la maison.

— Vous êtes entré ?

— Je n'ai pas pu. J'allais là-bas pour interroger ce monsieur. Je n'avais pas de commission rogatoire. Contrairement à vous, je suis contraint de respecter la loi et les droits du citoyen.

Ce n'était pas tout à fait une plaisanterie, mais Caitlin sentit que ce n'était pas non plus un reproche.

— J'ai frappé à la porte, longtemps. Pas de réponse. Du coup, je suis allé à la station de radio où il travaille.

— Et alors ?

— Il n'y était pas non plus. Il ne s'y est pas présenté aujourd'hui.

Les espoirs que nourrissait Caitlin s'envolèrent.

— Hmm… mais pourquoi m'avoir demandé de venir de toute urgence ?

— Pendant que j'étais à la station de radio, j'ai vérifié l'emploi du temps de l'oncle Dan. Mardi, les Phillies affrontaient les White Sox.

— Ah oui ? Je ne…

— Les White Sox de Chicago. Qui jouaient à domicile.

Les yeux de Caitlin s'écarquillèrent.

— Dan…

— … était là-bas. À Chicago, pour le match.

Elle le regarda fixement.

— J'ai scanné sa photo et je l'ai envoyée aux collègues qui nous donnent un coup de main là-bas. Ils vont refaire la tournée des boutiques du secteur où on a acheté le téléphone à carte.

— Oh, mon Dieu.

Sam la dévisagea en silence.

— Mais alors, où est Geordie ? murmura-t-elle.

— Je l'ignore. J'espère avoir très vite une réponse concernant l'achat du téléphone.

— Et l'avion ? Geordie était avec lui dans l'avion ? Vous avez vérifié ?

— C'est la première chose que j'ai faite. Il a voyagé seul. Dès que j'aurai confirmation de Chicago, je lancerai un avis de recherche et j'obtiendrai une commission rogatoire pour pénétrer dans sa maison.

— Mais… et si Geordie est là-bas, tout seul ? Et s'il…

Elle ferma les yeux, refusant de se représenter son enfant livré à lui-même, souffrant peut-être…

— S'il est là-bas, on l'en sortira. Je m'arrangerai pour qu'on ait sur place du personnel médical.

— Noah est au courant ?

— Je lui ai parlé.

— J'ai essayé de le joindre. Il ne me rappelle pas. Et les Bergen ?

— J'ai envoyé deux de mes gars chez les parents de Dan, au cas où ils sauraient où se trouve leur fils. Avec eux, nous sommes obligés d'y aller doucement. Ils ont déjà beaucoup enduré. Nous n'avons pas réussi à arrêter le meurtrier de leur fille. Je ne veux pas accuser leur fils avant d'avoir des certitudes. Mais j'ai un mauvais pressentiment.

— L'oncle Dan ? balbutia Caitlin qui essayait d'imaginer l'inimaginable. Mais pourquoi ?

— Vous avez dit que jamais vous ne l'aviez surpris se comportant avec le petit de façon inappropriée.

— Jamais ! affirma-t-elle avec conviction. Pas une seule fois. Il a de l'affection pour Geordie, mais il n'a jamais exprimé l'envie de passer du temps seul avec lui… ou quelque chose dans ce genre. Or il aurait pu. Sans difficulté. J'ai parfois pensé que Noah aimerait que Dan fasse un petit effort. Par exemple, qu'il propose d'emmener Geordie et Travis au stade, mais Dan s'en est bien gardé. Les gamins, ce n'est pas son truc. Il préfère les jolies femmes. Et à ce propos, pourquoi brusquement il…

— Et son ex-femme ?

— Haley ? Elle ne sait rien, j'en jurerais. Quoique…

— Oui ?

Caitlin sentit son sang se glacer en comprenant que l'information qu'elle détenait se révélerait peut-être cruciale.

— Elle m'a dit que Dan se trouvait à Hartwell le matin du kidnapping. Pendant la fête d'anniversaire, il a été malade, et il a dormi chez Haley. Il n'était pas en état de conduire. Il ne faisait pas semblant, elle m'a dit qu'il avait vomi toute la nuit. Il est reparti le matin.

— Il me faut cette commission rogatoire, grommela Sam Mathis, comme s'il parlait tout seul.

— Si Geordie était avec Dan… murmura Caitlin, le cerveau en ébulliton. Il ne ferait pas de mal à Geordie. Ça, j'en suis sûre.

— J'aimerais pouvoir partager votre conviction.

Elle secoua résolument la tête.

— Pas son neveu. Pas un petit garçon. Il s'agit peut-être d'un épouvantable malentendu.

Mathis la regarda, les sourcils en accent circonflexe.

— Hier, vous vous êtes démenée pour ouvrir sa voiture. Dans sa maison, vous vous êtes époumonée dans l'espoir que Geordie vous réponde.

— Je sais, bredouilla-t-elle, piteuse. Mais Dan aime cet enfant, je le répète. Geordie est tout ce qu'il lui reste de sa sœur.

— Caitlin… enlever un môme, le cacher, le séparer de ses parents… c'est un acte désespéré. Il n'y a pas de retour en arrière possible quand on a commis un crime pareil. On est condamné à vivre en prison jusqu'à la fin de ses jours. Or Geordie est à la fois la victime et l'unique témoin.

— Ne dites pas ça ! protesta-t-elle. Personne ne pourrait être aussi diabolique.

— Je ne vous apprends rien, les êtres humains sont capables du pire, dit Mathis qui se leva et se dirigea vers le couloir. Je vais essayer d'activer un peu le mouvement. Vous voulez bien m'excuser ?

Hébétée, Caitlin acquiesça. Elle saisit son mobile et, de nouveau, composa le numéro de Noah. Une fois encore, elle tomba sur sa boîte vocale. Mais où était-il ?

Chancelante, elle se redressa et sortit du bureau. Un policier, dans le couloir, la frôla au passage et lui décocha un regard sévère, comme pour lui signifier qu'elle gênait.

Tu gênes, ma vieille. Laisse-les travailler. Pour l'instant, tu ne peux rien faire d'autre. Elle songea à Geordie, son visage, ses doux yeux derrière les lunettes, son sourire édenté. Qui serait capable de lui faire du mal ?

Elle chassa cette question de son esprit. Il le fallait. Elle n'avait pas la force d'y réfléchir.

22

Les magasins de Hartwell Avenue s'apprêtaient à fermer, tandis que les bars et les restaurants s'animaient et allumaient leurs enseignes clignotantes. Caitlin se dirigeait vers la boulangerie. Elle éprouvait le besoin de parler à Haley, de l'entendre lui dire que Dan était absolument incapable de faire du mal à un enfant.

Lorsqu'elle parvint à destination, à travers la vitrine elle vit Haley, assise à l'une des petites tables à dessus de marbre, qui discutait avec deux hommes en veston et cravate. Un de ces hommes prenait des notes sur un carnet. Caitlin le reconnut immédiatement. C'était un inspecteur qui travaillait auprès de Sam Mathis depuis le début de ce cauchemar.

Elle les observa, immobile sur le trottoir. Haley leva les yeux et tressaillit en l'apercevant. Caitlin la salua d'un geste de la main, mais Haley n'eut pas son chaleureux sourire habituel. Elle darda sur Caitlin un regard froid avant de reporter son attention sur les policiers.

Caitlin se détourna et regagna sa voiture.

Et maintenant ? se demanda-t-elle. Elle reprit le chemin de la maison de ses parents, se gara dans l'allée et resta là quelques minutes, au volant. La perspective de rentrer dans cette baraque lui inspirait une répulsion physique. Elle tenta encore une fois de joindre Noah, sur le fixe et le mobile, en vain. Soit il préférait ne pas répondre, soit il était absent.

Elle avait une envie folle de le voir, d'être avec lui, de discuter de ce qu'avait dit Sam Mathis à propos de Dan. Lors de leur dernier entretien, il avait été presque gentil. Il s'était même excusé de l'avoir injustement accusée. Il souhaiterait sans doute parler avec elle des derniers rebondissements de l'affaire.

Alors elle décida d'aller l'attendre à la maison. À son retour, quand il la trouverait là, que ferait-il ? Au pire, il l'enverrait au diable. Être ainsi rejetée ne serait pas une tragédie. Après cette semaine cauchemardesque, qu'est-ce qui pouvait encore la blesser davantage ? D'ailleurs, tout valait mieux que de rester là. Elle recula dans l'allée, soulagée, et mit le cap sur la maison qui, jusqu'à une date récente, était le foyer dont elle avait toujours rêvé.

Elle s'était habituée à voir au moins une voiture de police à proximité, mais à son arrivée, tout était désert, la demeure plongée dans l'obscurité. Elle eut aussitôt le sentiment qu'elle avait bien fait de pousser jusqu'ici. Et si Geordie revenait et trouvait la maison dans cet état, froide et sombre ? Comme si tout le monde s'en fichait. Elle allumerait les lampes pour illuminer les alentours. Elle mettrait des brioches au four pour embaumer les pièces. Au cas où.

Elle sortit de la voiture et demeura un instant immobile près de la portière. Une brume crépusculaire se posait sur les arbres, s'enroulait autour de leurs branches basses. Caitlin enfonça les mains dans ses poches et tourna les yeux vers la route, dissimulée par les bois touffus. Elle hésita, puis descendit en faisant attention à ne pas glisser sur les gravillons, la pente était assez raide. C'était d'ailleurs une des raisons pour lesquelles ils avaient préféré gravillonner cette allée. Si elle était dallée, un ballon rebondirait jusqu'à la route. Avec un petit garçon qui aimait jouer au ballon, il fallait songer à ces choses-là.

Au bout du chemin, elle contempla la boîte à lettres, songea à Emily, lors de ce jour fatidique. Selon les policiers, elle avait laissé Geordie dans la voiture et était redescendue jusqu'ici. Elle s'était avancée vers la boîte à lettres – ce que fit Caitlin, qui l'ouvrit. Noah n'avait apparemment pas vérifié le courrier depuis plusieurs jours. L'éclat des phares d'une automobile qui approchait l'enveloppa, la voiture passa à vive allure. Elle sentit le déplacement d'air. Dans cette lumière grise de fin d'après-midi, un conducteur pouvait très bien ne pas apercevoir quelqu'un placé là, près de la boîte à lettres.

En revanche, pensa-t-elle en regardant autour d'elle, il était impossible de se tenir ici, à cet endroit précis, sans se rendre compte que les véhicules risquaient de vous frôler. Impossible de ne pas remarquer la lueur des phares et, si elle était trop menaçante, de ne pas plonger dans les buissons, hors d'atteinte. Il fallait être complètement inconscient pour ne pas se méfier lorsqu'on se trouvait à côté de cette boîte à lettres.

James disait qu'Emily s'était jetée devant le pick-up. Serrant le courrier contre sa poitrine, Caitlin essaya d'imaginer la scène. L'allée étant pentue, si pour une raison ou une autre elle l'avait descendue en courant, elle aurait eu du mal à s'arrêter. Mais pourquoi Emily aurait-elle couru ? James prétendait que c'était une tentative de suicide. Emily n'aurait pas choisi cette façon de se tuer, Caitlin en était sûre. Elle n'aurait pas laissé son bébé attaché dans son siège-auto. Alors pourquoi ? Caitlin scruta l'allée, essayant de se représenter Emily dévalant la pente. Si vite qu'elle déboulait sur la route, face à un pick-up roulant à bonne allure.

Jamais elle n'aurait fait ça, à moins de… fuir quelque chose. Ou quelqu'un. À moins d'être poursuivie.

Caitlin frissonna à cette idée. Non, tu inventes, se corrigea-t-elle. Car cela n'explique pas le courrier éparpillé un peu partout.

Elle ferma la boîte à lettres et, à pas lents, retourna vers la maison. Elle monta les marches du perron, prit sa clé et s'apprêta à l'introduire dans la serrure. Une pensée l'arrêta. Et si Noah avait fait changer la serrure ? La fureur aurait pu l'y pousser.

Mais la porte s'ouvrit, et Caitlin se sentit le cœur plus léger. Elle alluma la lumière du perron, puis les lampes, et posa le courrier sur la table de la cuisine. Elle ôta son manteau et, quand elle l'eut accroché à la patère, ramassa les reliefs de repas dans des boîtes de traiteur et les tasses de café qui traînaient un peu partout. Elle plia la couverture dans laquelle Noah s'enveloppait pour dormir sur le sofa. Elle jeta les fleurs fanées dans les vases qu'elle lava. Elle jeta un coup d'œil dans le réfrigérateur, y découvrit une boîte de chaussons au fromage et épinards. Elle préchauffa le four, disposa les chaussons sur une feuille de papier alu qu'elle mit sur la grille. Bientôt un appétissant fumet flotta dans l'air. Voilà qui était mieux, songea-t-elle. Si Geordie revenait, il ne rentrerait pas dans une maison qui ressemblait au repaire d'un vagabond. Il retrouverait son foyer, avec sa mère qui le guettait par la fenêtre, sa mère qui l'attendait.

Il ne manquait que son père.

Mais Noah n'arrivait pas. Elle patienta longtemps. Puis elle retira le dîner du four, avant qu'il ne soit carbonisé. Comme elle avait faim, elle s'attabla. Elle mangea un des chaussons, les yeux rivés sur la fenêtre, en se remémorant le temps où le crépuscule était le moment de la journée qu'elle préférait.

Il se faisait tard, Caitlin était toujours là et commençait à se sentir mal à l'aise. Et si Noah était sorti avec quelqu'un ? Une femme ? Cela semblait impossible, vu les circonstances. Depuis la disparition de Geordie, il paraissait tout juste capable de tenir debout, mais à présent elle n'était plus sûre de rien. Et s'il débarquait avec une femme, convaincu de ne trouver personne à la maison ? Plusieurs fois elle faillit s'en aller, se ravisa. Et si la police ramenait Geordie ? Il fallait qu'elle soit là pour l'accueillir. Elle ne bougea donc pas.

Elle regarda un peu la télé dans le bureau, pelotonnée dans le fauteuil, le plaid drapé sur elle. Elle n'avait pas conscience d'être si lasse, pourtant elle s'endormit.

Quand elle se réveilla, en sursaut, la télé marchait toujours, une espèce de camelot vantait des assurances automobile. Caitlin éteignit le poste et renversa la tête contre le dossier du fauteuil.

Un silence absolu régnait maintenant dans la pièce. Caitlin entendait le moindre craquement dans la maison, dehors le vent avait forci, il malmenait les arbres dont les branches griffaient les vitres. Elle adorait écouter le vent, quand Noah et Geordie étaient là, qu'un bon feu crépitait dans la cheminée. Elle se sentait bien au chaud, à l'abri. Ce soir, seule sous ce toit où elle n'était plus chez elle, elle était assaillie par l'angoisse et les interrogations. Le cocon douillet était bien loin. Les bourrasques, la moindre branche frôlant la fenêtre lui mettaient les nerfs à vif. Ce n'est rien, se disait-elle. Juste le vent qui souffle. Bientôt la pluie, peut-être. Mais elle se représentait Geordie, seul sous l'orage, et cette image l'empêchait de respirer.

Soudain, dehors, elle perçut un son qui la pétrifia. Elle se dit que son imagination lui jouait des tours. Ou le vent. Mais cela recommença. Ténu, confus. Mais humain, indéniablement. Presque inaudible. Un gémissement.

Elle demeura un instant figée, incapable d'ébaucher un mouvement. Qui est-ce ? pensa-t-elle. Son cœur battait à se rompre. Elle avait peur de bouger, peur de rester là. Cela venait de dehors, près de la fenêtre. Sur le côté de la maison.

Debout, s'ordonna-t-elle. Lève-toi de ce fauteuil.

Elle devait sortir, aller voir. Elle n'avait pas le choix. Que faire d'autre ? Appeler la police, dire qu'il y avait un drôle de bruit dans le jardin ? Elle n'était même pas censée se trouver ici, et les policiers ne l'ignoraient pas. Ils n'ignoraient pas que son mari l'avait chassée. Elle n'avait pas le droit d'être ici. Lève-toi, bon sang.

Ses jambes refusaient d'obéir aux ordres de son cerveau. Elle n'entendait plus le bruit, et se dit que c'était vraiment le fruit de son imagination. Une illusion.

Puis une autre idée, terrifiante, lui vint à l'esprit. Noah avait été injoignable toute la journée. Et s'il avait eu un malaise ou un accident quelconque dans le jardin ? Si c'était Noah, là-dehors ? Lève-toi et sors de cette pièce.

Galvanisée par la pensée qu'il s'agissait peut-être de son mari, qu'il avait peut-être besoin de son aide, elle réussit à surmonter sa paralysie.

Elle se précipita au premier, enfila une veste de Noah – elle était transie – et essaya de réfléchir à ce dont elle aurait éventuellement besoin. Son mobile, qu'elle glissa dans la poche de la veste. Une lampe torche – il faisait si sombre. Où rangeait-elle les lampes électriques, en cas de coupure de courant ? Sa cervelle refusa d'abord de coopérer. Elle cherchait ici et là, quand brusquement elle se souvint. La buanderie. Elle se précipita dans le local attenant à la cuisine – oui, les lampes électriques étaient bien là, sur l'étagère au-dessus du lave-linge. Il y en avait deux, à côté de la boîte à outils. Elle s'empara de la plus grosse. Et si tu prenais un outil ? Fouillant dans la boîte, elle choisit le marteau le plus lourd. Très bien. On y va.

La porte de devant ou celle de derrière ? Le bureau, d'où elle avait entendu le bruit, était situé près du vestibule. Non… il lui paraissait moins dangereux de sortir par-derrière. Respirant à fond, elle ouvrit la porte et fit un pas dans l'obscurité.

La lune presque pleine était masquée par de noirs nuages galopant à travers le ciel. Néanmoins, sa lueur et les lumières de la maison permettaient à Caitlin de distinguer les silhouettes des arbres dans le jardin et les étranges ombres nocturnes qui dansaient dans le vent. Longeant le mur, elle atteignit l'angle.

Elle apercevait le jardin de devant, quoique le terrain bordant le mur latéral soit bien plus ténébreux que celui de derrière. Rien ne clochait, apparemment.

Elle s'avança prudemment dans l'allée que formaient une rangée d'arbres sur sa gauche et une haie échevelée le long de la maison. Elle aurait préféré ne pas allumer la torche, mais il faisait trop noir pour apercevoir quelque chose ou quelqu'un dissimulé par les buissons ou les arbres.

De ses doigts tremblants, elle alluma la lampe dont le pinceau lumineux valsa follement sur la végétation. Rien. Et voilà, c'est ton imagination, songea-t-elle, dépitée et rassurée à la fois.

Mais le souvenir de ce faible gémissement était trop net pour qu'elle le néglige. Elle continua à avancer, braquant la lampe d'un côté et de l'autre. Elle était presque à la hauteur de la fenêtre du bureau. Il s'en échappait de la lumière qui traçait une sorte de dessin sur la pelouse. Elle allait piétiner ce dessin lorsque, juste derrière elle, s'éleva un gémissement humain.

Caitlin fit un bond, son cœur s'emballa. Elle pivota, pointant la torche, telle une arme, dans la direction du son.

— Il y a quelqu'un ? s'écria-t-elle.

Le faisceau lumineux tressauta, se posa sur l'endroit d'où provenait le geignement. D'abord Caitlin ne vit pas grand-chose. Puis, à mesure que son œil accommodait, elle distingua, étendu au pied de la haie, le visage dans le feuillage, un corps. Un homme gisant sur le sol.

— Oh, mon Dieu !

Elle avait envie de s'enfuir à toute allure mais, rassemblant son courage, elle s'approcha.

— Noah ? balbutia-t-elle, redoutant ce qu'elle allait découvrir.

Elle écarta les branches, se pencha.

Il avait les paupières closes, les cheveux pleins de sang qui avait dégouliné en filets noirs sur la figure. Le corps était inerte, gris, même dans la lueur de la torche. Caitlin n'avait pas envie d'en voir davantage, cependant elle éclaira le visage.

Elle poussa un hurlement, recula.

La lumière de la torche tangua sur la maison, tandis que Caitlin extirpait maladroitement son mobile de sa poche. Elle afficha le numéro désormais familier et attendit la sonnerie, une éternité lui sembla-t-il. Elle se sentait au bord de l'évanouissement, des larmes, sa vessie menaçait de lâcher. Elle serrait le téléphone dans sa main tremblante, moite. Sam Mathis décrocha à la deuxième sonnerie.

— Caitlin ?

— Sam, je suis à la maison. Chez Noah. Venez tout de suite. Avec une ambulance. Vite.

— Une ambulance ? Vous avez un problème ?

— Non, ce n'est pas moi.

Elle baissa le regard sur le corps étendu par terre.

— C'est Dan.

23

Les voitures de patrouille et l'ambulance envahissaient l'allée, leurs gyrophares zébrant la nuit d'éclairs rouges. Les radios grésillaient et les policiers munis de torches électriques fouillaient méticuleusement le périmètre. Caitlin, assise sur les marches du perron, frissonnait malgré la couverture qu'une policière lui avait drapée sur les épaules.

Elle vit les urgentistes transporter un corps sur un brancard, le pousser à l'arrière de l'ambulance. Elle entendit le claquement du lourd hayon, puis le hurlement de la sirène comme le véhicule s'éloignait.

Sam Mathis vint s'asseoir à son côté.

— Il survivra ?

Il haussa les épaules.

— Je sais pas. Les toubibs se sont occupés de lui.

Elle opina, serra plus étroitement la couverture autour d'elle.

— Qu'est-ce qui lui est arrivé ?

— Je ne sais pas. On dirait que quelqu'un l'a frappé, assez fort pour lui fracturer le crâne.

Caitlin tressaillit.

— Vous n'avez rien entendu ? demanda-t-il, incrédule. Pas de bruit de lutte ? Pas de cris ?

— Non, rien jusqu'à ce gémissement dont je vous ai parlé. C'était à peine audible – j'aurais été ailleurs que dans le bureau, je n'aurais pas entendu. Et même dans le bureau, il a fallu que j'éteigne la télé pour y prêter attention.

— Vous étiez là depuis combien de temps ?

— Plusieurs heures. Il ne faisait pas encore nuit à mon arrivée. Ce devait être aux environs de dix-sept heures.

— Il était couché là depuis longtemps. En plus de ses blessures, il souffre d'hypothermie. Ses vêtements étaient mouillés – l'humidité de la terre, et le sang.

— Je ne l'ai pas vu. Je ne me doutais pas que...

Mathis hocha la tête, scruta son visage.

— Qu'est-ce que vous fabriquiez ici ? Je croyais que vous logiez dans la maison de vos parents.

— Effectivement. Je... je ne sais pas trop, j'attendais que Noah rentre. Je voulais que la maison soit prête pour le retour de Geordie. Ça paraît dingue, j'en ai conscience, mais je pensais que cela nous donnerait plus de chances de le retrouver. D'ailleurs, je ne voulais pas retourner dans la maison de mes parents. Être là-bas, c'est l'horreur.

À cet instant, une voiture s'arrêta dans l'allée. Sam Mathis fronça les sourcils.

— Ce n'est pas un de mes hommes.

Caitlin plissa les paupières, observant la voiture. Elle poussa une exclamation lorsque le conducteur en sortit.

— C'est Noah, souffla-t-elle.

Celui-ci se dirigeait vers eux, il pénétra dans l'arc lumineux que les appliques du perron projetaient sur la pelouse.

— Qu'est-ce qui se passe ? demanda-t-il d'une voix où se mêlaient l'espoir et la panique. C'est Geordie ?

Caitlin bondit sur ses pieds, se débarrassa de la couverture et courut vers lui.

— Qu'est-ce qui t'est arrivé ? interrogea-t-elle.

— Ça va, ce n'est rien. Pourquoi les policiers sont là ? Geordie est revenu ?

— Non, répondit Sam Mathis. Nous ne savons rien de plus à propos de Geordie. Pourquoi vous avez la figure dans cet état ?

Noah tâta d'un doigt précautionneux les bleus et les égratignures qu'il avait au visage.

— Oh, pour rien. Aucune importance.

— C'est à moi d'en juger, si vous permettez.

— J'ai eu une… altercation, puisque vous voulez tout savoir.

— Avec qui ? questionna Sam Mathis.

— Mon beau-frère, Dan.

— Noah, bredouilla Caitlin, tais-toi. N'avoue rien.

— Pourquoi ? Que veux-tu dire ? On… on s'est battus. Il a appelé les flics ? Quelle chochotte. C'est pour cette raison que tu es là ?

— Dan est grièvement blessé, lui dit-elle. C'est lui qui était dans l'ambulance. J'ai découvert Dan à moitié mort sur le côté de la maison.

— Assez ! aboya Sam Mathis. Pas un mot de plus.

— Dan ? s'exclama Noah. Tu l'as découvert ici ?

— Là où vous l'aviez abandonné, articula Sam Mathis d'un ton acerbe. Il ne passera peut-être pas la nuit.

— Vous rigolez ? Je n'ai pas fait de mal à Dan. J'en avais envie, d'accord, mais je ne lui ai rien fait. En réalité, c'est moi qui ai trinqué. Il m'a assommé.

— À quel moment est-il venu ici ? demanda Sam Mathis.

— Il n'est pas venu ici. Je l'ai rencontré au cimetière.

— Au cimetière ?

— Quand vous m'avez annoncé que vous soupçonniez Dan, je lui ai téléphoné. Je voulais des réponses. Il m'a dit qu'il était en route pour Hartwell, il m'a donné rendez-vous devant la tombe d'Emily. Alors j'y suis allé. Lorsque je suis arrivé au cimetière, Dan était déjà là. Il fleurissait la tombe. Et ça, ça m'a foutu en rogne.

— Je n'aurais jamais dû vous parler de Dan, rétorqua Sam Mathis, furieux. Je ne me doutais pas que vous joueriez les justiciers. À ma place.

— Mais ce n'est pas vrai ! protesta Noah.

— N'en dis pas davantage, lui conseilla Caitlin.

— Enfin, Caitlin, je n'ai rien à cacher. C'est mon fils qui a disparu, je voulais des réponses. Mais j'ai eu beau le bombarder de questions, il ne m'a rien dit. Il répétait qu'il ne pouvait pas parler, qu'il m'expliquerait en temps utile. En temps utile ! Je crève d'angoisse au sujet de Geordie. Alors on s'est disputés et j'ai pété les plombs. Je lui ai flanqué un coup de poing. Après quoi il m'a mis KO.

251

— Et où êtes-vous allé après cette bagarre avec votre beau-frère ? demanda Sam Mathis.

— J'étais KO, je le répète. Quand j'ai repris mes esprits, je me suis aperçu qu'il m'avait fauché mon téléphone et trafiqué ma voiture. Impossible de démarrer. J'ai dû repartir à pied. Du côté du cimetière, là-bas, ce n'est pas très… passant. Personne ne s'est arrêté ni n'a proposé de m'emmener. Je dois avoir une sale tête.

— Si je ne m'abuse, vous êtes pourtant rentré au volant de votre véhicule.

— Un type en moto a fini par me demander si j'avais besoin d'aide. Je lui ai expliqué que j'étais en panne, il a dit qu'il pourrait peut-être m'arranger ça. Je suis monté derrière lui, et on est retournés au cimetière. Il a examiné le moteur de la voiture. Il s'y connaît en mécanique, n'empêche qu'il lui a fallu un moment pour repérer le problème. J'avais envie de lui emprunter son téléphone pour appeler un garage, mais non, il était décidé à me sortir de là, de gré ou de force. Et moi, je ne voulais pas être impoli alors qu'il se démenait pour moi. Donc je suis resté là à poireauter, pendant qu'il contrôlait tout, pièce par pièce. En réalité, ce n'était pas grave. Seulement voilà, je suis nul en mécanique.

— C'est vrai, confirma Caitlin.

— Il faut que je parle à cet homme afin qu'il corrobore votre histoire.

— Ce n'est pas une histoire ! s'indigna Noah.

— Je dois quand même lui parler.

— Ce sera difficile, il n'était que de passage dans la région. Il se rendait à Washington, à un rassemblement de motards, des vétérans.

252

— Vous pouvez le décrire ? Et son nom, vous le connaissez ?

— Jim… je ne connais pas son patronyme. Il est assez âgé, sans doute un vétéran du Vietnam. Il a une barbe grise, une queue de cheval et une bonne bedaine.

— Le biker de base, autrement dit. Il venait d'où ?

— Oh, je… attendez que je réfléchisse. De Providence, il me semble. Il roulait sur les petites routes parce qu'il préfère ça aux autoroutes.

Sam Mathis poussa un soupir.

— Vous allez devoir nous suivre au commissariat jusqu'à ce que nous soyons en mesure de vérifier vos déclarations. Vous nous suivez volontairement, ou je dois vous mettre en état d'arrestation ?

— Vous l'arrêteriez ? s'écria Caitlin

— Je suis tout prêt à coopérer, dit Noah, mais je vous préviens : le temps presse. Dan Bergen sait où est mon fils.

— Eh bien, à cause de quelqu'un qui a fait justice soi-même, il ne pourra peut-être jamais nous dire quoi que ce soit, rétorqua sévèrement Sam Mathis.

Noah se tourna vers Caitlin.

— Appelle David Alvarez. Demande-lui de me rejoindre au poste de police. Tu veux bien ?

— Naturellement.

— Ne t'inquiète pas. On tirera ça au clair.

Caitlin acquiesça, tandis que Sam Mathis agrippait Noah par le bras et l'entraînait vers un véhicule.

David Alvarez, l'un des associés du cabinet juridique, qui était aussi leur avocat, était un homme robuste, aux cheveux gris, aux yeux noirs et perçants.

La cravate de travers, un cartable à la main, il était déjà au commissariat lorsque Caitlin y arriva. Il lui certifia que tout allait s'arranger, puis accompagna Noah dans la salle d'interrogatoire, avec Sam Mathis et un autre inspecteur.

Caitlin s'assit à l'extérieur de la pièce pour attendre. Elle téléphona à Naomi, lui expliqua la situation. Naomi, avant que Caitlin ait achevé son récit, annonça qu'elle venait immédiatement. Caitlin alla s'acheter un soda au distributeur et reprit sa place. Quelques minutes après, elle entendit du brouhaha dans le hall du poste de police. Naomi, Martha et Travis débarquèrent. Travis était en chaussons, une veste jetée sur son pyjama, mais il tenait Champion en laisse, or le policier de garde refusait de le laisser entrer avec son chien.

Martha, en principe discrète et accommodante, en tremblait d'indignation.

— Je veux parler au commissaire Burke ! clamat-elle. Immédiatement !

— Calme-toi, maman, murmurait Naomi.

— Je vais lui dire ce que je pense, moi !

— À votre aise, madame, riposta le policier de service. Mais ce chien n'est pas autorisé à pénétrer dans les locaux. Alors vous le faites sortir d'ici immédiatement.

— Viens, maman. Il faut sortir.

— Je ne bougerai pas ! s'obstinait Martha, fixant le vide – elle s'appuyait au bras de sa fille, petite femme dodue et frémissante. Mon fils a perdu sa femme, et la police de cette ville n'a rien fait. Ensuite mon petit-fils a disparu. Toujours rien. Et maintenant vous essayez de mettre cette... histoire grotesque sur le dos de Noah !

— Maman, du calme, insista Naomi. N'envenimons pas les choses.

Caitlin eut soudain une peine immense pour Naomi, qui paraissait incapable de supporter une dose supplémentaire de stress. Champion s'était mis à aboyer, ce qui n'arrangeait rien.

— Naomi, proposa Caitlin, je peux sortir avec Travis et Champion, pendant que, toutes les deux, vous verrez le commissaire. On va aller au 7-11 acheter un soda.

— Là-bas non plus, on le laissera pas entrer, s'énerva Naomi. Travis, je t'avais dit de laisser ce chien à la maison.

Travis fit la moue et détourna les yeux.

— Ne t'inquiète pas, dit Caitlin, je trouverai bien une solution. Je reste dans les parages, de toute manière. Je veux être là quand Noah aura terminé.

Naomi jeta un regard à sa mère, qui fulminait et n'avait manifestement pas l'intention de lever le siège.

— Tu ferais ça ? Ce serait sympa.

— Viens, Travis, dit Caitlin. Et emmène Champion.

— Je suis obligé ? demanda le garçon à sa mère.

— Oui. C'est ta faute, tu trimballes ce chien partout.

Travis plissa le front mais obéit, pendant que le garde appelait le commissaire Burke et lui demandait s'il avait un petit moment à consacrer à Martha Eckert et sa fille.

Caitlin franchit le seuil, en compagnie de Travis et son chien.

— On gèle, grommela-t-il.

— Oui, il fait froid, répliqua-t-elle. J'ai une idée : si tu attendais dans ma voiture ? Je suis garée juste là.

Travis soupira, mais il n'avait à l'évidence aucune envie de faire le pied de grue dehors, en cette nuit venteuse de septembre. Il suivit donc Caitlin jusqu'à la voiture. Elle ouvrit la portière côté passager, mais Travis renâcla.

— Je veux monter derrière avec Champion.

— D'accord.

Champion sauta dans la voiture, Travis se glissa sur la banquette arrière. Caitlin referma la portière, puis contourna le véhicule pour s'asseoir au volant.

— J'ai faim, se plaignit Travis.

— Tu as dîné ?

— Y a des siècles. On va au McDo.

Caitlin faillit objecter qu'il n'avait sans doute pas besoin d'un deuxième repas, puis songea qu'ils pouvaient acheter quelque chose au drive du McDo le plus proche, ce qui leur épargnerait les problèmes de chien. Cela lui permettrait d'engager la conversation pendant que Travis se goinfrerait.

— D'accord.

— Cool.

Ils roulèrent en silence jusqu'au fast-food. Champion fut, pendant le trajet, un modèle de sagesse. Caitlin stoppa à l'emplacement où les clients passaient leur commande.

— Qu'est-ce que tu veux ? demanda-t-elle à Travis.

— Trois cheeseburgers, une grande portion de frites et un milk-shake au chocolat.

— C'est beaucoup trop. Un burger, une petite portion de frites, et un Coca, déclara-t-elle dans le micro.

— Il me faut un burger pour Champion ! protesta Travis.

Elle doutait fort que le chien ait droit à la moindre miette, cependant, à contrecœur, elle rectifia sa commande.

— Avancez jusqu'à la fenêtre, ordonna une voix désincarnée.

Elle paya, se gara tout près et tendit le sac à Travis qui s'y attaqua aussitôt dans un grand froissement de papier.

— Pourquoi t'as rien pris, toi ? demanda-t-il la bouche pleine.

— Je n'ai pas faim. Je suis trop inquiète pour ton oncle.

— Qu'est-ce qu'il a fait, tonton Noah ?

— La police pense qu'il a blessé Dan, l'oncle de Geordie.

— Et c'est vrai ?

— Je... je ne crois pas. Tu connais bien l'oncle Dan ?

— C'est celui qui a une belle bagnole. Celui qui va à tous les matchs.

— C'est lui, effectivement.

— Geordie se vante toujours que son oncle Dan va l'emmener aux matchs, mais il se fourre le doigt dans l'œil. Je lui ai dit, à Geordie, personne veut d'un môme de maternelle dans un grand stade.

Caitlin jeta un coup d'œil au rétroviseur et constata, surprise, que Travis partageait consciencieusement un hamburger avec Champion.

— Champion apprécie le burger ?

Travis tressaillit, l'air coupable, et soutint le regard de Caitlin dans le rétroviseur.

— Je t'avais dit qu'il le mangerait, se défendit-il.

— Oui, en effet. C'est très bien.

— Pourquoi tu nous regardes comme ça ?

— Pour rien. Je voulais juste te poser une question.

— Laquelle ? rétorqua-t-il, suspicieux.

— Travis, est-ce que Geordie t'a dit quelque chose de particulier à propos de son oncle Dan ?

— Non.

— Tu en es sûr ? Réfléchis, Travis. Parfois les adultes imposent aux enfants de leur faire des choses... qu'on n'a pas le droit de faire. Des choses dont ces enfants ont honte. Qu'ils ne racontent pas à leurs parents. Ils gardent le secret.

Travis cessa de mastiquer et resta un instant silencieux. Puis il froissa le sac en papier et l'écrasa d'un coup de poing, dans un bruit de détonation.

Caitlin se retourna sur son siège, dévisagea gravement le garçon. Il contemplait Champion, la mine sombre, glissait les doigts dans la fourrure du chien.

— Tu sais quelque chose ?

— Non, répondit Travis en lui décochant un regard noir.

— Travis, si tu sais quoi que ce soit, même une chose très grave, tu dois me le dire maintenant. C'est une question de vie ou de mort. Il ne peut plus y avoir de secrets, à présent. Tu me comprends ?

— Je dis rien, tu peux pas m'obliger, s'insurgea-t-il.

— Tu sais quelque chose. Qu'est-ce que tu sais ?

— Ramène-moi. Je veux rentrer, s'entêta-t-il.

— Travis, ce n'est pas possible, pas si tu sais quelque chose. Tu dois me le dire tout de suite. Je ne plaisante pas.

— Non ! s'écria-t-il soudain. Laisse-moi tranquille !

Elle hésita, tenaillée par l'envie de le secouer pour l'obliger à cracher la vérité.

— D'accord. Calme-toi.

Travis agrippa farouchement par le cou Champion qui émit un geignement implorant.

— Calme-toi, répéta Caitlin. On va rentrer.

— Tout de suite ! brailla-t-il.

Caitlin faillit bien lui donner une gifle. Elle avait la certitude qu'il savait quelque chose à propos de Geordie et qu'il ne le dirait pas, même si la vie de son cousin était en jeu. Malheureusement, elle ne pouvait pas le contraindre à parler, malgré sa fureur. Elle devait d'abord maîtriser ses nerfs. Elle inspira profondément.

— Bon… donne-moi ce sac, que je le jette dans la poubelle, là-bas. Ne t'affole pas. Il n'y a pas de quoi t'affoler, d'accord ?

Travis tendit le sac par-dessus le dossier du siège avant, avec réticence. Caitlin s'en saisit.

— Je vais jeter ça et, ensuite, je te ramène à ta maman. D'accord ?

Il ne répondit pas, la suivant d'un œil soupçonneux.

Elle ouvrit la portière et sortit, éprouvant le besoin de s'accorder une minute de réflexion. À l'évidence, il existait bien un secret, et Travis le connaissait. Que savait-il au juste ? Et quel rapport avec Dan et Geordie ? Était-il possible que Dan ait rencontré Geordie en cachette ?

Non… Elle savait toujours où était Geordie. Enfin, elle pensait le savoir.

Elle eut la nausée à l'idée que Geordie ait pu être victime de quelque abominable perversion adulte, sans qu'elle s'en doute. Elle devait découvrir ce que cachait Travis, coûte que coûte. À la réflexion, il avait aussi réagi bizarrement quand elle avait discuté d'Emily avec Naomi. Comme s'il lui en voulait d'évoquer la mort de sa tante.

Pour l'heure, il était probablement trop bouleversé pour lui parler. Et si elle demandait à Naomi de l'encourager à se délester de son secret ?

Elle balança le sac en papier dans la poubelle et regagna la voiture.

— Je suis désolée de t'avoir énervé, Travis, dit-elle en s'asseyant au volant. Je n'en avais pas l'intention. Mais je suis moi-même dans tous mes états, c'est une situation terrible pour tout le monde.

Elle tourna la tête pour le regarder. Mais il n'y avait plus personne sur la banquette arrière. Travis et Champion avaient disparu.

24

— Oh, mon Dieu. Travis ! s'écria-t-elle, jaillissant de la voiture pour scruter le parking bien éclairé – mais désert.

Elle se précipita dans la rue. Dans l'obscurité, elle n'aperçut ni le garçon ni le chien. Où pouvait-il être allé ? L'avait-on jeté dans une voiture, kidnappé ? Elle ne parvenait plus à respirer.

Elle rebroussa chemin, courut jusqu'à la fenêtre du drive. L'employée, une adolescente à l'air morose, affublée d'une visière, parut vaguement surprise de la voir surgir ainsi.

— Vous avez aperçu un jeune garçon qui sortait de cette voiture, là-bas ? Avec un chien ?

— Vous avez pas le droit d'avancer à pied jusqu'à cette fenêtre. Vous devez être au volant.

— Je vous pose une question ! C'est très important.

— J'ai rien vu du tout, répondit la fille d'un ton exaspéré.

Caitlin courut jusqu'à la vitrine du fast-food, située à l'angle, traversa à toute allure le parking pour jeter un coup d'œil à l'autre rue.

— Travis ! appela-t-elle.

Pas de réponse.

Se cachait-il ? Elle avait les mains tremblantes, son cœur cognait. Arrête, se dit-elle, ressaisis-toi. Il a peut-être eu envie d'une glace ou d'autre chose, il est entré dans le restaurant. Vérifie, ça ne prendra qu'une minute. S'il n'est pas là, il faudra alerter la police.

Elle fila vers la porte à double battant, l'ouvrit à la volée et se rua dans la salle. La panique se lisait sur son visage. En approchant du comptoir, elle découvrit soudain le visage de Geordie sur une affichette scotchée sur la caisse. Elle s'immobilisa, assommée à la vue de son enfant disparu.

Un homme d'âge mûr en chemise rayée s'avança. Il portait un badge sur lequel on pouvait lire qu'il était le manager du fast-food.

— Vous ne vous sentez pas bien, madame ? demanda-t-il avec gentillesse.

— Je ne… je ne le trouve pas. Un garçon, dix ans environ, avec son chien. On mangeait dans la voiture. Je suis allée jeter le sac à la poubelle. Il est parti. Vous n'avez pas vu un garçon et un chien ?

Le patron lança un regard à ses employés, derrière le comptoir. Tous secouèrent la tête.

— Malheureusement non. C'était il y a…

— … quelques minutes. Pas plus de quelques minutes.

— Je suis navré.

— Moi, je l'ai vu ! clama d'une voix forte et hargneuse un vieux monsieur coiffé d'une casquette de golfeur.

Il branlait le chef d'un air revêche. Il entreprit de s'asseoir avec la vieille dame qui l'accompagnait.

— Ce n'est pas du tout hygiénique, si vous voulez mon avis. Un chien dans les toilettes des hommes !

Caitlin poussa une exclamation, indiciblement soulagée.

— Merci, mon Dieu. Oh, merci.

Sur quoi elle s'élança vers les toilettes.

— Hé, attendez ! dit le manager. Vous ne pouvez pas...

Elle ne lui accorda pas le temps d'achever sa phrase. Elle poussa la porte et entra comme un boulet de canon. Il n'y avait personne aux urinoirs, ce dont elle se félicita. Se penchant, elle repéra aussitôt, dans l'une des cabines, un arrière-train canin et des chaussons en mouton retourné, sous un pantalon de pyjama.

— Travis ! s'écria-t-elle.

Le manager la rejoignit. Avant qu'il ne la sermonne, elle pointa le doigt vers la cabine.

— Ils sont là.

Champion émit un aboiement poli.

— Fiston, il te faut sortir de là, déclara le patron. Les chiens ne sont pas autorisés dans les toilettes.

— Non, répondit Travis.

— Ta maman a eu très peur. Allez, sors de là tout de suite.

— C'est pas ma mère ! glapit Travis.

Caitlin piqua un fard sous le regard inquisiteur du patron.

— Il a raison. Je suis sa tante.

— Pourquoi vous avez dit que vous étiez sa mère ? interrogea-t-il, soupçonneux.

— Je… je n'ai pas dit ça.

— Vous savez que, récemment, il y a eu un kidnapping dans cette ville. Je ne vais pas laisser ce gamin s'en aller avec n'importe qui.

— Bien sûr. J'aurais dû m'expliquer plus clairement. Je suis désolée.

— Cette dame dit qu'elle est ta tante, c'est vrai ? demanda-t-il à Travis.

— M'obligez pas à partir avec elle.

— Travis, arrête.

Le manager sortit son mobile de sa poche.

— Personne ne te forcera à quoi que ce soit, fiston.

Il commença à composer un numéro.

— Que faites-vous ? questionna Caitlin.

— Pourriez-vous, s'il vous plaît, quitter ces lieux, madame ? Je vais demander à la police de venir chercher cet enfant et de régler cette affaire.

— Et Travis ?

— Il est très bien là où il est, pour l'instant. Jusqu'à l'arrivée de la police, je reste près de lui.

Caitlin n'avait pas le choix, elle dut s'incliner. Elle alla s'asseoir à une table pour deux près de la vitrine. Elle composa le numéro de Naomi.

— Qu'est-ce qui se passe, Caitlin ? s'écria sa belle-sœur. Un policier vient de m'avertir que Travis est enfermé dans les toilettes du McDonald's.

— J'en conclus que tu es toujours au commissariat.

— On s'en allait, justement. Noah devra passer la nuit ici.

— Oh non…

— Et Travis ? Réponds-moi, s'impatienta Naomi.

— Il va bien. Ce n'est pas grave. Il est avec Champion dans les toilettes, et ils n'en sortiront pas tant que tu ne seras pas là.

— Tu devais t'occuper de lui. Merci beaucoup, Caitlin, ironisa Naomi. J'avais vraiment besoin de ça.

Elle raccrocha avant que Caitlin ait pu lui présenter des excuses. À cet instant, une voiture de patrouille, gyrophare allumé, se gara sur le parking du fast-food.

Caitlin s'accouda sur la table en formica et enfouit sa figure dans ses mains. Les policiers entrèrent dans la salle et se dirigèrent vers les toilettes. Pendant qu'ils essayaient vraisemblablement de raisonner Travis, la vieille Volvo de Naomi apparut, exécuta un virage à droite et s'arrêta net. Laissant Martha à l'intérieur, Naomi bondit hors du véhicule et se rua dans le restaurant. Elle repéra immédiatement Caitlin.

— Où est-il ?

— Toujours dans les toilettes des hommes.

Naomi tourna les yeux vers la porte. On entendait des voix, les aboiements de Champion.

— Oh, bon sang de bonsoir, grogna Naomi. Pourquoi tu l'as laissé entrer là-dedans avec le chien ? Il fallait garder le chien à l'ex…

— Je ne l'ai pas laissé entrer. Nous étions dans la voiture. Travis a filé en douce avec Champion pendant que je jetais le sac en papier à la poubelle.

— Mais où tu avais la tête ? Il ne faut pas le quitter des yeux ! s'exclama Naomi. Ce qui est arrivé à Geordie ne t'a donc rien appris ?

Ces mots furent comme un coup de cravache, cependant Caitlin eut la sagesse de ne pas réagir.

— Naomi… pourquoi Noah reste-t-il au commissariat ? David Alvarez n'a rien pu faire ?

— Tu n'as qu'à lui téléphoner, ronchonna Naomi.

— Maman !

Naomi se tourna vers Travis qui émergeait des toilettes, flanqué des policiers et du directeur. Champion menait le cortège, tirant sur sa laisse.

— Qu'est-ce que tu fabriquais là-dedans avec Champion ? demanda Naomi.

Travis stoppa net en apercevant Caitlin.

— Je me cachais à cause d'elle.

— Mais pourquoi ? s'énerva Naomi.

— Pour qu'elle me fasse pas du mal. M'oblige pas à lui parler. S'il te plaît.

Naomi considéra Caitlin d'un air sévère.

— Qu'est-ce que tu lui as dit pour qu'il soit bouleversé à ce point ?

— Rien, je te le jure. Je lui ai demandé s'il savait quelque chose à propos de Geordie…

— Qu'est-ce qu'il pourrait savoir ? Ce n'est qu'un petit garçon. Allez, Travis, tu viens avec moi.

Naomi s'adressa alors aux policiers et au manager. Aussi dignement que possible, elle battit sa coulpe pour leur avoir fait perdre leur temps.

— Oh, c'est pas grave. Mais à partir de maintenant, plus de toutou dans un restaurant, mon grand, dit, jovial, un des policiers à Travis. Vous ne seriez pas la femme de Rod Pelletier ? ajouta-t-il, dévisageant Naomi.

— Si, c'est moi, dit-elle fièrement, réconfortée qu'il l'ait reconnue. Merci infiniment.

— De rien. Je vous conseille de ramener cet enfant à la maison. Il est tard.

Naomi poussa Travis vers la porte sans faire à sa belle-sœur l'aumône d'un regard. Caitlin demeura assise à la petite table en formica jusqu'à ce que ses genoux cessent de trembler. Puis, tandis que les jeunes employés chuchotaient dans son dos, elle sortit et regagna sa voiture.

Avant de démarrer, elle appela l'associé de Noah. La fatigue éraillait la voix de David Alvarez.

— Oui, il est en garde à vue. Pour tentative d'homicide. On a découvert du sang dans sa voiture. Le sang de Dan.

— C'est absurde. Bien sûr qu'il y a du sang dans la voiture. Ils se sont battus. Mais jamais Noah ne tenterait de le tuer. Ni lui ni personne. Ce n'est pas dans sa nature.

— Il a probablement cru que Dan avait kidnappé son fils. Cela rendrait n'importe qui violent. Écoutez, Caitlin, jusqu'ici la police n'a pas réussi à localiser le type qui, selon Noah, l'a aidé à réparer sa voiture. Son alibi, si vous préférez. J'espère qu'ils retrouveront ce témoin avant la fin de la garde à vue demain matin, à sept heures. Ce qui permettra de tirer les choses au clair. Essayez de ne pas trop vous tracasser. Reposez-vous. Je m'occupe de lui.

Caitlin remercia l'avocat et raccrocha. Elle était vidée par les émotions de la journée, mais il n'était pas question de baisser les bras. D'ailleurs, elle serait incapable de dormir.

Elle ne serait pas la bienvenue, mais tant pis. De toute façon, elle ne se sentait plus nulle part la bienvenue. Elle mit le contact, sortit du parking et prit la direction de l'hôpital.

25

Caitlin connaissait l'hôpital comme sa poche. Elle y était si souvent allée voir ses parents à la fin de leur vie. Bien que le parking soit vide, les visiteurs étant depuis longtemps partis, elle se souvenait que le service de soins intensifs ne fermait jamais vraiment ses portes. Elle franchit le seuil et adopta l'allure d'une femme qui savait où elle allait. Les visites aux patients de ce service étaient obligatoirement brèves, cependant il y avait toujours des amis et des proches qui ne se résignaient pas à lever le camp.

Chaque fois qu'elle rencontrait un membre du personnel médical, Caitlin le saluait d'un petit sourire fragile et continuait tout droit. Elle trouva, à cette heure tardive, la salle d'attente quasiment déserte. Dans un coin, un homme et une femme corpulents sommeillaient, blottis l'un contre l'autre. Des parents qui avaient un enfant malade, songea-t-elle. Balayant la pièce d'un coup d'œil, elle croisa le regard glacial de Haley qui feuilletait un magazine, installée dans un fauteuil près de la porte. À côté d'elle, couverte d'un manteau, Paula Bergen dormait sur un canapé en skaï.

— Qu'est-ce que tu fiches là ? chuchota Haley.

— Comment va Dan ?

— Il est vivant. Malgré ton mari.

— Il est conscient ?

— Qu'est-ce que tu veux, Caitlin ?

— Écoute, Noah n'a pas fait ça, impossible. C'est moi qui ai trouvé Dan. J'ai vu dans quel état il était. Noah est incapable d'infliger un pareil traitement à qui que ce soit.

— Ah, vraiment ? Eh bien, Dan n'a pas enlevé Geordie, je te le garantis. Pourtant toi et Noah paraissez convaincus qu'il est coupable, rétorqua Haley d'un ton écœuré.

— C'est la police qui a émis cette hypothèse à cause du mobile que…

Haley l'interrompit d'un geste.

— Je refuse de discuter de ça.

Caitlin regarda Paula, qui semblait éreintée, vidée, même dans son sommeil.

— Westy est avec lui, en ce moment ?

— Non, il est allé nous chercher du café. Mais tu as intérêt à partir avant son retour. Te voir ne le réjouira pas.

— D'accord, je m'en vais.

Caitlin quitta la salle d'attente et s'éloigna dans le couloir. Elle tomba sur une infirmière qui sortait des soins intensifs. Elle hésita, s'efforçant d'échafauder une histoire plausible, puis accosta la femme.

— Excusez-moi, murmura-t-elle.

L'infirmière lui sourit.

— Comment va mon frère ? Je ne l'ai pas encore vu, j'arrive de l'aéroport.

— Votre frère s'appelle…

— Dan Bergen.

— Ah oui… Son état est stationnaire. Souhaitez-vous le voir un petit moment ?

— Je peux ?

— Bien sûr. Mais pas plus de cinq minutes.

Caitlin hocha la tête.

— Je vous remercie.

— Par ici, dit l'infirmière.

Elle conduisit Caitlin au bout du couloir. Contrairement au reste de l'hôpital, où régnaient le silence et la pénombre, le service de soins intensifs était baigné d'une lumière crue et résonnait du bourdonnement des machines. Caitlin suivit l'infirmière jusqu'à un box fermé par un rideau. Dan y était couché, harnaché à un assortiment de pompes et de moniteurs.

— Cinq minutes, répéta l'infirmière.

Caitlin s'approcha du lit à barreaux et contempla Dan. On avait nettoyé les traînées de sang sur son visage, mais il avait le teint blafard et cireux d'un cadavre. Ses yeux paraissaient à demi ouverts. Caitlin lui prit la main, exerça une légère pression, dans l'espoir de le tirer de son inconscience. Elle s'assura que personne ne l'observait, puis se pencha pour lui parler à l'oreille. Il dégageait une odeur atroce – comme si son corps se putréfiait déjà.

— Dan, c'est moi, Caitlin. Où est Geordie ? Je t'en prie, dis-le-moi.

Elle vit bouger ses cils, mais il demeura muet, la respiration sifflante.

— Est-ce que tu l'as laissé seul quelque part ? J'ai tellement peur, balbutia-t-elle, s'adressant plus à elle-même qu'à Dan. Dis-moi où est Geordie. Serre ma main si tu m'entends.

Dan demeurait inerte sur son lit, sa main toute molle dans celle de Caitlin. Le découragement la gagnait quand, soudain, elle remarqua que ses lèvres, sèches et fendillées, remuaient.

— Quoi ? Qu'est-ce que tu dis ?

Les yeux de Dan étaient toujours à demi ouverts. Le bout de sa langue était visible, un frémissement crispait sa bouche. Elle en approcha son oreille.

— S… el… da… souffla-t-il.

— Soldat ?

— Qu'est-ce que vous fabriquez ici ?

Caitlin sursauta, se redressa. Westy, campé au pied du lit, la foudroyait de ses yeux très clairs, que la fatigue ourlait de rouge.

— Éloignez-vous de mon fils. Qu'est-ce que c'est que cet hôpital ? Je vous avais bien dit que ce n'était pas ma fille, ajouta-t-il, sans détacher son regard de Caitlin, à l'intention de l'infirmière qui l'avait autorisée à entrer. Ma fille est décédée.

— Je suis absolument navrée, déclara l'infirmière. Mademoiselle, il faut sortir. Immédiatement, ou j'appelle la sécurité.

— Pardonnez-moi. Je m'en vais.

Une sorte de gargouillement fusa des lèvres du blessé. Tous trois tournèrent la tête vers lui.

— Sortez-la d'ici, commanda Westy, avant de s'approcher pour prendre la main de Dan. Qu'est-ce

272

qu'il y a, mon grand ? demanda-t-il d'une voix implorante. Qu'est-ce que tu essaies de dire ?

Caitlin aurait tout donné pour rester là, patienter au cas où les paroles que Dan s'efforçait de prononcer renfermeraient une information utile. Mais il lui fallait s'éclipser. L'infirmière la fusillait des yeux, craignant sans doute que sa gentillesse ne lui coûte son emploi.

— Je suis désolée, lui dit Caitlin. Mon fils a disparu. J'ai pensé qu'il savait peut-être quelque chose.

— Allez-vous-en.

Vacillante, Caitlin rejoignit sa voiture et mit le contact. Elle n'était pas vraiment en état de conduire, s'évertuait à se concentrer sur la route, mais dans son esprit se bousculaient des images de Dan, sur ce lit d'hôpital, Dan qui tentait de lui dire quelque chose à propos de Geordie. Le lieu où se trouvait son enfant ? Était-ce bien cela qu'il avait essayé de lui dire ? Franchement, elle ne savait pas. Elle ignorait même s'il avait compris ce qu'elle lui demandait.

Et s'il avait abandonné Geordie chez lui, dans sa maison ? Si Geordie était prisonnier là-bas, dans le noir ? Ligoté ? Terrorisé ? Sans personne pour répondre quand il appelait au secours ? Elle devait le sauver. Elle devait retourner à Philadelphie, et sauver son fils coûte que coûte.

Elle avait une douleur dans la poitrine et tant de mal à respirer qu'elle craignit d'avoir une crise cardiaque. Elle faillit faire demi-tour pour filer aux urgences, cependant elle continua à rouler, s'efforçant de reprendre son souffle. Au bout de quelques minutes, elle dut s'avouer vaincue. Elle s'arrêta sur le bas-côté et ouvrit la portière pour respirer un peu d'air frais.

Ça ne marchait pas. Elle suffoquait littéralement. Elle aurait vraiment dû retourner à l'hôpital. Elle allait crever là d'une attaque sur le bord de la route, et Geordie n'aurait personne pour voler à sa rescousse. Tout à coup, son mobile sonna, ce qui fit tressauter encore son cœur qui battait la breloque. Elle répondit d'une petite voix chevrotante.

— Caitlin ?

Sam Mathis.

— Oui, quoi ? balbutia-t-elle.

— Que se passe-t-il ?

— Je ne peux plus respirer. Je crois que c'est le cœur.

— Plus probablement une crise d'angoisse. Il faut vous relaxer. Fermez les yeux, renversez la tête en arrière et essayez de penser à quelque chose d'apaisant. Des palmiers.

Caitlin était dans l'incapacité de penser à des palmiers. Elle ne songeait qu'à Geordie.

— Pourquoi vous m'appelez à cette heure-ci ?

Il était plus de minuit, comme l'indiquait la pendule du tableau de bord.

— Il m'a semblé que la nouvelle vous ferait plaisir. Mais vous êtes en état de parler ? Vous n'avez sans doute rien au cœur, n'empêche que ces crises d'angoisse peuvent être redoutables.

— Quelle nouvelle ? demanda-t-elle, s'étranglant à moitié.

— La police de Chicago a localisé le magasin où Dan avait acheté le mobile. On a montré la photo de

Dan à l'employé qui l'a reconnu, il est catégorique. Caitlin… vous êtes toujours là ?

Elle s'évertuait à emplir d'air ses poumons, des spasmes la secouaient tout entière.

— Oui, croassa-t-elle.

— Je viens de discuter avec les collègues de Philadelphie. Ils se rendent au domicile de Dan, à l'instant même. Ils fouilleront la maison de la cave au grenier. Si Geordie est là, ils le dénicheront. Même s'il n'y est pas, ils confisqueront l'ordinateur de Dan, ils éplucheront toutes ses communications. La réponse est quelque part là-bas. Nous avons également confirmation qu'il s'agit bien de l'ADN de Dan sur la peluche…

— Bandit, chuchota-t-elle.

— Ce n'est plus qu'une question de temps, maintenant. Ne vous bilez pas. Ils sont nombreux, à Philadelphie. Ils trouveront Geordie. Je vous rappellerai dès qu'on en saura plus.

L'étau qui comprimait la poitrine de Caitlin commençait à se desserrer, les larmes lui montèrent aux yeux. Les policiers pénétraient en force dans la maison. Ils allaient trouver Geordie très vite. Il le fallait.

— D'accord ? conclut Sam Mathis.

— Et Noah ?

— Eh bien, Noah va rester là pour l'instant. On vérifie son alibi. Même si Dan est le ravisseur de Geordie, ça ne donnait pas le droit à Noah de le battre à mort. Dites… vous êtes sûre que ça va ?

— Oui, ça va.

— Je vous recontacte très vite.

Caitlin opina. L'air affluait dans ses poumons, elle respirait de nouveau. Elle raccrocha puis regagna la maison de Noah. Elle y alluma toutes les lampes, déambula dans les pièces pour finalement se réfugier dans la chambre de Geordie et s'asseoir sur le tapis.

Elle avait toujours l'esprit en ébullition, mais son cœur avait repris son rythme normal. Elle essaya de réfléchir à tout ce qui s'était produit depuis le matin, mais une question, inlassablement, la taraudait : pourquoi Noah aurait-il frappé Dan aussi violemment ? Pourquoi aurait-il commis un tel acte avant de savoir où était Geordie ? Pourquoi ?

Stop. Arrête-toi. À quoi rime cette question ? Décide-toi : tu crois Noah ou tu ne le crois pas.

Alors ?

Elle s'obligea à raisonner logiquement. Si Noah était convaincu que Dan avait enlevé Geordie, pourquoi aurait-il tenté de le tuer ?

Une seule chose comptait, pour Noah comme pour elle : retrouver leur petit garçon. Pas de châtiment. Pas de vengeance. Seulement Geordie, de retour à la maison, sain et sauf.

Soudain, une sensation de paix l'enveloppa comme un voile soyeux : elle discernait la vérité. Quelqu'un avait effectivement cherché à tuer Dan, mais ce n'était pas Noah. Geordie avait disparu, or Dan savait peut-être où il était. Par conséquent, Noah ne pouvait pas être coupable. Il n'aurait jamais tenté de supprimer leur unique lien avec Geordie. Jamais de la vie.

Cette conclusion fut un si profond soulagement que le peu d'énergie qu'elle avait encore la quitta soudain. Elle sombra d'un coup dans le sommeil.

26

Le téléphone n'avait pas sonné – ce fut cette pensée qui se faufila dans ses rêves et la réveilla. Dès qu'elle ouvrit les paupières, la peur l'envahit. Elle saisit gauchement son mobile – pas de message, aucune nouvelle de Sam Mathis. Cela ne pouvait signifier qu'une chose : les policiers de Philadelphie n'avaient pas retrouvé Geordie.

Elle composa aussitôt le numéro de l'inspecteur, qui décrocha tout de suite. Caitlin entendit en arrière-plan des rugissements de moteurs.

— Sam… vous avez des nouvelles de vos collègues de Philadelphie ?

— Je suis en contact quasi permanent avec l'inspecteur chargé de l'enquête. Ils ont perquisitionné le domicile. Geordie n'y est pas. Apparemment, il n'y a pas mis les pieds.

— Oh, mon Dieu… gémit Caitlin avec désespoir. Mais où est-il ?

— Ils ont saisi l'ordinateur, les gars de la scientifique sont en train de lui ouvrir le ventre. Ils interrogent tous les collègues de Dan, ses amis. À propos, j'ai eu l'hôpital au bout du fil. Dan quitte les soins intensifs. Il n'a toujours pas repris conscience mais son état est stabilisé. On le met dans une chambre particulière.

— Sam, ce n'est pas Noah qui a tenté de le tuer, mais quelqu'un d'autre, j'en ai la certitude.

— Évidemment, vous accordez à Noah le bénéfice du doute…

— Non, écoutez-moi. J'y ai beaucoup réfléchi. S'il s'agissait de votre enfant, et qu'une seule personne sache où on l'a caché, vous tueriez cette personne ? Vous venger serait plus important que de retrouver votre gamin ?

Sam ne répliqua pas.

— J'ai raison, admettez-le.

— Oui, vous marquez un point. De toute façon, j'ai déjà désigné un policier pour monter la garde devant la porte de la chambre. À tout hasard.

Caitlin l'entendait à peine.

— Sam ? C'est quoi, ce boucan ?

— Je suis au rassemblement des motards, à Washington. J'essaie de mettre la main sur le fameux Jim. J'étais sur la route quand je vous ai téléphoné cette nuit.

— Eh bien… cela dépasse le cadre de vos obligations professionnelles, n'est-ce pas ?

— Peut-être. Mais bon…

— Merci, Sam. Je vous suis sincèrement reconnaissante.

— Vous devez être patiente, Caitlin. Les médias vont diffuser un communiqué où nous demandons à l'individu qui a bricolé la voiture de Noah de se présenter. Et moi, j'écume cette bande de Hell's Angels décatis et perclus de rhumatismes pour le dénicher, ce type. Si j'y arrive, nous pourrons confirmer la version de Noah. D'ici là, nous sommes obligés de le maintenir en garde à vue.

— Noah est innocent, insista-t-elle.

— À plus tard, Caitlin, dit Sam Mathis avant de raccrocher.

Caitlin s'aspergea la figure d'eau, mangea un yaourt, debout devant le réfrigérateur ouvert, puis se brossa les dents. Elle ne se donna pas la peine de changer de vêtements.

Sortant par la porte de derrière, elle contourna la maison, jusqu'à l'endroit où, la veille, elle avait découvert Dan à moitié mort dans les buissons. Elle contempla les branches cassées, l'herbe roussie, aplatie. Pourquoi avait-on tenté de le tuer ? Cette tentative de meurtre risquait-elle de se reproduire ? Elle prit son mobile, appuya sur une touche et attendit la tonalité, les yeux rivés sur les nuages sombres, porteurs d'orage, qui se formaient dans le ciel.

Haley répondit à la deuxième sonnerie.

— C'est moi, Caitlin. Ne me raccroche pas au nez.

— Qu'est-ce que tu veux ?

— Où es-tu ? À l'hôpital ?

— En quoi cela te concerne ?

— J'ai une bonne raison de te poser la question.

— Oui, je suis à l'hôpital.

— Comment va Dan ? Il est conscient ?

— Plus ou moins.

— J'ai appris qu'on l'avait installé dans une chambre particulière.

— Oui, son état s'est amélioré. Ça ne signifie pas que, si tu lui rends visite, tu seras bien accueillie.

— Écoute-moi, Haley. La vie de Dan est toujours en danger.

— Oh, Noah a été relâché ?

— Je suis sérieuse, Haley.

— Il y a un policier posté dans le couloir, si ça peut te rassurer.

— Je le sais. Mais je crains que cela ne suffise pas. Cela ne le protégera pas. Il faut que tu sois dans la chambre, que tu restes à son chevet. Ne laisse personne entrer en ton absence.

Haley demeura un instant silencieuse.

— Pourquoi tu me dis ça ?

— Mes motivations sont parfaitement égoïstes. Je crois que Dan est le seul qui puisse nous conduire jusqu'à Geordie. S'il te plaît, Haley. Tu suivras mon conseil ? Ne le quitte pas une seconde. Refuse de sortir de la chambre, quoi qu'on te dise.

— J'en avais l'intention, de toute manière.

— Merci. Je dois te laisser.

Puisqu'elle avait maintenant la certitude que Noah n'avait pas touché Dan, elle devait envisager les événements de la veille sous un autre angle. Noah était allé rejoindre Dan au cimetière. Dan avait-il amené Geordie avec lui ? L'avait-il caché quelque part ? Brusquement, une pensée lui vint à l'esprit, qui l'affola et la galvanisa à la fois. Geordie était-il toujours ici, à Hartwell ? Prisonnier de l'individu qui avait essayé d'assassiner Dan ?

De nouveau, elle se sentit oppressée. Les palmiers, pense aux palmiers. Ce n'était pas le moment de flancher. Elle devait être forte.

On reprend tout depuis le début. Et on commence par le cimetière.

Tout en roulant le long des allées paisibles et désertes, flanquées de tombes, Caitlin songeait à la voiture de Dan. Où était-elle, à présent ? Si Dan avait amené Geordie avec lui, l'avait-il laissé dans le véhicule pendant son entrevue avec Noah ? Elle connaissait assez Geordie pour savoir qu'il ne serait pas resté tranquillement assis à l'arrière. Il aurait fait des bêtises. À moins qu'il ne soit attaché ou drogué. Cette idée était si détestable qu'elle se força à la chasser de son esprit.

Elle savait où était la tombe d'Emily. Noah et elle y avaient amené Geordie à plusieurs reprises. Elle se gara et sortit. Maintenant qu'elle était là, elle se demandait ce qu'elle avait espéré y découvrir. La police avait déjà passé les environs au peigne fin. Cherchait-elle une trace de la présence de Geordie ? Peut-être.

Elle se dirigea vers la sobre stèle qu'encadraient deux petits conifères et sur laquelle étaient gravés le nom d'Emily ainsi que l'inscription « épouse et mère bien-aimée » ; en dessous, la date de sa naissance et de sa mort.

Chaque fois qu'elle était venue ici avec Noah et Geordie, Caitlin avait immanquablement été submergée par la culpabilité – son frère était responsable du décès d'Emily. Elle observait Noah et Geordie à la dérobée, se torturait en imaginant l'opinion qu'ils auraient d'elle s'ils connaissaient son secret. À chacune de leurs visites, Noah était toujours distant, silencieux. Il jetait les fleurs fanées, en mettait des fraîches dans le vase funéraire. Geordie déposait souvent sur la pierre une petite voiture en plastique ou une figurine. Caitlin savait combien Geordie détestait se séparer d'un de ses jouets, quel qu'il soit. Pourtant il en laissait toujours un, en offrande à sa mère, le caressait tendrement avant de se redresser et de filer en courant. La dernière fois, il avait déposé un Kung Fu Panda qu'il avait reçu lors d'une fête. Le panda était toujours là, dissimulé dans le parterre de bégonias planté devant la tombe.

Les fleurs dans le vase étaient toutes fraîches. Sans doute celles que Dan avait apportées. Caitlin se souvint de Noah disant que voir Dan fleurir la tombe d'Emily l'avait irrité. Elle regretta vaguement de n'avoir rien apporté.

Elle n'était jamais venue se recueillir seule ici. Elle ferma les yeux, inclina la tête et songea à la femme enterrée sous la pierre. Pour elle, Emily n'existait que sur des photographies. Le regard brillant, le sourire aux lèvres, muette.

Il est arrivé une chose terrible à ton petit garçon. À notre petit garçon. Si tu as le pouvoir d'intervenir, de nous indiquer la bonne direction, fais-le, je t'en prie. Amen, dit intérieurement Caitlin en effleurant la stèle. Puis elle se détourna. Elle ne croyait pas aux esprits s'attardant après la mort au milieu des vivants, mais à tout hasard…

Elle regagna sa voiture et s'assit au volant, sans cesser d'observer la tombe. Elle pensait à Dan. Le frère d'Emily. L'oncle du fils d'Emily. Il était venu sur la tombe de sa sœur, il avait acheté des fleurs. Pourquoi aurait-il agi de la sorte s'il avait kidnappé l'enfant d'Emily ? Si encore il avait profané cette tombe, cela aurait un sens. Mais des fleurs ? Absurde. Les actes de Dan paraissaient tous complètement… contradictoires.

Caitlin repensa à la soirée de la veille au fast-food. Elle avait interrogé Travis sur Dan, ce qui l'avait poussé à s'enfuir avec Champion et à se cacher.

Travis savait quelque chose. Elle en était de plus en plus persuadée. Malheureusement, il refuserait désormais de lui parler. Et Naomi interdirait à Caitlin de s'approcher de lui.

Il devait être à l'école. Mais non, se reprit-elle, on était samedi. Travis, le samedi, avait sa réunion scoute. C'était pour cette raison que la fête d'anniversaire de Geordie avait eu lieu le dimanche – pour que Travis puisse y assister. Dire que cela ne remontait qu'à une semaine. Incroyable.

Elle regarda la pendule du tableau de bord. À cette heure-ci, Travis était avec les scouts. Or Caitlin savait où ils se réunissaient. Comme tous les membres de la famille, elle avait déjà été réquisitionnée pour l'accompagner là-bas. Les scouts possédaient un chalet près du bassin de retenue, où ils se retrouvaient autour d'un feu de camp ou pour crapahuter dans les bois. Elle avait rencontré le chef scout, un dénommé Bernie, un jour que Geordie était avec elle. Geordie avait été fasciné par le groupe, il lui tardait d'être assez grand pour s'enrôler. Travis, en revanche, semblait toujours se rendre aux réunions à contrecœur. Les scouts étaient beaucoup trop dynamiques pour lui qui préférait les jeux vidéo. Naomi tenait à ce qu'il continue car l'un des responsables était en Irak avec Rod et se montrait très attentif à l'égard de Travis.

Si elle parvenait à coincer Travis, si elle réussissait à le convaincre qu'il n'avait rien à craindre, qu'il pouvait parler, il lui révélerait ce qu'il savait. Mais il risquait de pousser des cris d'orfraie en la voyant puis de rester bouche cousue. Tant pis, elle devait tenter le coup.

Elle tourna la tête vers la stèle entre les deux sapins.

— Ne quitte pas Geordie, dit-elle d'une voix qui résonna dans le silence sépulcral. Protège-le jusqu'à ce qu'on le retrouve.

Elle démarra et sortit du cimetière.

Elle manqua deux fois l'embranchement menant au bassin où se situait le camp scout, avant de se repérer et de s'engager sur l'étroit chemin de terre truffé d'ornières qui l'obligeait à rouler au pas. Une Mercedes flambant neuve qui arrivait du chalet négociait les nids-de-poule avec une tranquille détermination. Caitlin eut à peine le temps de se ranger sur le bas-côté, la Mercedes la croisa en tanguant – sa conductrice, le mobile vissé sur l'oreille, parlait avec animation. Caitlin repartit et dut de nouveau se serrer au bord du fossé pour laisser le passage à un énorme Hummer jaune. Elle ne distingua même pas le conducteur, tellement le véhicule était haut.

Enfin, au loin, elle vit le chalet, une construction rudimentaire quoique immense, en rondins, tout près du bassin. Des garçons se couraient après en braillant, au milieu des tables de pique-nique.

Un Forester Subaru encombrait le bout du chemin. Caitlin entrevit un couple, à l'avant, qui s'embrassait. Puis la portière du véhicule s'ouvrit, côté passager, et un homme brun et robuste en sortit, vêtu d'une chemise à carreaux, chaussé de grosses bottes de sécurité et coiffé d'une casquette à l'effigie des Eagles. Caitlin fronça les sourcils. Ce type ne lui était pas inconnu. Il se pencha pour adresser un dernier mot à la personne qui conduisait, puis il se dirigea vers le chalet. Plusieurs scouts se précipitèrent à sa rencontre, visiblement ravis de le voir. Il tapa dans les mains que les gamins turbulents lui tendaient, avant de lui emboîter le pas, tels des poissons pilotes. Le chef scout, Bernie, salua le nouveau venu qui était manifestement un responsable.

Le Forester exécuta un demi-tour sur le chemin. Comme il approchait, Caitlin remarqua la plaque d'immatriculation des pompiers, et soudain elle sut pourquoi ce type brun et ce Subaru lui étaient familiers. Elle était montée dans ce véhicule lorsque les volontaires fouillaient les marais à la recherche de Geordie. Comment s'appelait cet homme ? Jerry. Un gars sympa. Pompier, chef scout, un gars qui cherchait un enfant disparu durant ses moments de loisir.

Le Forester étant à présent presque parvenu à sa hauteur, elle s'arrêta pour lui permettre de passer.

Un instant, elle crut avoir la berlue. Le conducteur, concentré sur le chemin cahoteux, ne lui prêta pas attention. Caitlin eut donc la possibilité de le dévisager tout son soûl, ce dont elle ne se priva pas. Pas étonnant que Jerry soit descendu de voiture à une telle distance du chalet, songea-t-elle. Il ne souhaitait pas qu'on le surprenne en train d'embrasser un homme, et pas n'importe lequel. Caitlin l'avait immédiatement reconnu.

L'instituteur de Geordie, Alan Needleman.

27

Un coup de klaxon, juste derrière elle, fit sursauter Caitlin qui redémarra et continua à rouler en direction du chalet. La femme, dans la voiture qui la suivait, s'arrêta. Deux garçons à peu près de l'âge de Travis jaillirent du véhicule.

Travis, se dit-elle. Elle était venue parler à Travis, au lieu de quoi elle s'employait à digérer sa stupéfaction. Elle avait eu vent des rumeurs selon lesquelles Alan Needleman vivait avec un homme. Elle avait même entendu dire que son compagnon était pompier. Et voilà que les éléments du puzzle s'assemblaient brutalement.

Elle se gara à proximité du chalet, sortit et se dirigea vers la véranda. Les gamins rassemblés plaisantaient avec Jerry et l'autre chef scout, Bernie, un peu plus âgé que le robuste pompier. Caitlin n'aperçut pas Travis. Elle s'immobilisa au pied des marches en bois, ne sachant plus trop ce qu'elle avait à demander.

— On peut vous aider, madame ? dit poliment Bernie.

— Je désire m'entretenir avec Jerry.

Celui-ci ôta sa casquette qu'il fourra dans sa poche arrière. Il dévisagea Caitlin, tandis que les garçons lançaient en chœur des « oh, oh ! » moqueurs.

— Ça va, on se tait ! leur dit Jerry.

Il descendit les marches, fixant Caitlin d'un air perplexe. Il s'efforçait, elle le devina, de se rappeler où il l'avait rencontrée.

Caitlin le tira d'embarras.

— J'étais dans votre voiture l'autre jour, quand on cherchait Geordie.

Il opina, de plus en plus déconcerté.

— Excusez-moi. Je me souviens de vous, mais j'ai oublié votre nom.

— Je vous ai dit que je m'appelais Kate.

Il acquiesça de nouveau.

— Que puis-je pour vous, Kate ?

— En réalité, je m'appelle Caitlin. Caitlin Eckert. Je suis… Geordie Eckert est mon fils.

Jerry fut d'abord stupéfait. Puis son regard s'emplit de compassion.

— Je l'ignorais. Je suis vraiment désolé.

Elle le considéra, les yeux étrécis.

— Si je vous l'avais dit, auriez-vous mentionné notre relation commune ?

— Quelle relation ?

Les garçons se penchaient sur la balustrade de la véranda pour les écouter. Caitlin faillit tout déballer, devant eux, mais se ravisa.

— Si on s'asseyait là-bas pour discuter ? suggéra-t-elle, désignant une table de pique-nique.

Jerry sourcilla puis haussa les épaules.

— D'accord. Je reviens tout de suite, jeunes gens.

Il suivit Caitlin, les feuilles mortes craquant sous ses bottes, jusqu'à la table. Elle ne lui laissa pas le temps de s'installer.

— Alan Needleman est l'instituteur de mon fils, déclara-t-elle tout à trac.

Jerry n'eut pas un tressaillement. Pas un sourire non plus.

— Oui, je suis au courant. La disparition de Geordie l'a bouleversé, ajouta-t-il en la regardant droit dans les yeux.

— Eh bien, ça me paraît une drôle de coïncidence.

— Ah oui ? dit-il sur un ton apparemment neutre, mais sa tension était perceptible.

— Oui, franchement oui.

— Vous nous avez vus tout à l'heure ? C'était vous dans la voiture derrière nous ?

— Effectivement.

— Je suis navré que vous ayez un problème avec ça.

Caitlin ne se démonta pas.

— Votre... relation ne me pose aucun problème. Ce sont les secrets qui me posent un problème. Que vous m'ayez caché votre identité, ça me pose un problème.

— Il s'agit de ma vie privée, si vous n'y voyez pas d'inconvénient.

— Oh que si ! riposta Caitlin, furieuse. Mon enfant a disparu. Je me fiche éperdument de votre droit à avoir une vie privée. Mon enfant n'est plus là. La personne qui l'a enlevé est dans le mensonge, elle fait semblant d'être... ce qu'elle n'est pas.

— Vous avez raison, indubitablement. Mais cela n'a aucun rapport avec moi.

— Vraiment ? Je sais que mon neveu, Travis, a peur de quelqu'un ou de quelque chose. Il ne veut jamais venir ici, aux réunions scoutes. Est-ce à cause de vous ?

Jerry émit un petit rire sans joie.

— Travis n'est pas... enthousiaste de nature. Probablement parce que nous l'obligeons à se remuer.

— Il n'y a pas de quoi rire.

— Certes. Vous voulez qu'on parle de Travis ? Ce môme a des problèmes. Indiscutablement. Il est... en colère. J'essaie de ne pas être trop dur avec lui. Il a subi un grand malheur. Je suis bien placé pour le savoir : j'étais en Irak avec son père.

— Vraiment ? bredouilla Caitlin, sidérée.

Elle repensa à Naomi, insinuant qu'Alan Needleman n'était peut-être pas étranger à la disparition de Geordie. Elle ne devait pas imaginer que ce chef scout, celui qu'elle citait en exemple à Travis, était le compagnon d'Alan Needleman.

— Naomi sait que...

— ... que je suis gay ? À votre avis ?

— À mon avis, elle l'ignore. Je suis certaine qu'elle l'ignore. D'ailleurs, vous ne seriez pas chef scout si on connaissait vos préférences sexuelles.

— On ?

— Les boy-scouts.

— C'est vrai, je ne le nie pas. C'est une organisation homophobe.

— Alors pourquoi êtes-vous là ?

Jerry croisa les bras, tourna le regard vers les gamins qui faisaient les fous autour du chalet.

— Figurez-vous, madame Eckert, que mon fils fait partie de ce groupe.

— Votre fils ? répéta-t-elle, ébahie.

— Oui. Je l'ai incité à devenir scout parce que j'adorais ça quand j'avais son âge. J'adorais camper, faire des activités de plein air. J'ai pensé que ce serait bien aussi pour mon fils. Le groupe avait besoin d'un autre chef, je me suis donc porté volontaire.

— Oh, je… je ne…

— Entre le divorce et la rancœur de mon ex-femme à mon égard, il a traversé de sales moments. Il n'en parle pas, mais il préférerait que tous ses copains de la meute scoute ne soient pas au courant pour son père et M. Needleman. Je n'ai pas à vous dicter votre conduite, mais mon fils n'a pas mérité qu'on l'embête avec tout ça.

— Oui, bien sûr.

Caitlin prenait conscience, un peu tard, qu'elle avait autant de préjugés que la hiérarchie du mouvement scout. Elle en eut honte.

— Ces garçons ne courent aucun risque avec moi, continua Jerry d'un ton sec. À l'école, ils ne risquent rien avec Alan. Nous nous efforçons seulement d'être solidaires, honnêtes et de vivre notre vie.

— Vous avez raison. J'ai eu tort d'insinuer que…

— Mais au fait, pourquoi êtes-vous venue ?

— Je souhaitais parler à Travis, soupira-t-elle. Il est là ?

Jerry scruta la bande de garçons sur la véranda.

— Je ne le vois pas. Attendez, je vais vérifier.

Il retourna vers le chalet.

— Hé, Bernie ! lança-t-il, invitant d'un geste son homologue à le rejoindre. Travis Pelletier est là ?

— Sa mère a téléphoné. Apparemment, il a perdu son chien. Il était trop bouleversé pour venir aujourd'hui.

— Je te présente Mme Eckert, lui dit Jerry. C'est son fils qui a disparu de l'école élémentaire.

— Ah oui, répliqua Bernie en fixant sur Caitlin un regard désolé. Nous nous sommes déjà rencontrés. Quel malheur.

— Merci... Vous dites que Travis a perdu son chien ? Quand ?

— Je n'en sais rien.

Caitlin éprouva aussitôt une sensation de malaise. Travis ne quittait jamais son chien des yeux. L'animal et son jeune maître semblaient littéralement soudés l'un à l'autre.

— Il faut que j'y aille, dit-elle abruptement.

Elle s'apprêta à regagner sa voiture. Soudain, elle s'immobilisa et dit à Jerry qui s'éloignait :

— Je vous demande pardon. J'ai été injuste.

— J'ai l'habitude.

Caitlin songea aux policiers qui, au tout début, la considéraient comme suspecte tout simplement parce qu'elle était la belle-mère de Geordie, et non sa mère biologique. Elle pensa à Noah, l'accusant quasiment d'être complice du ravisseur, tout cela parce qu'elle avait gardé le secret au sujet de son frère. Ces accusations l'avaient peinée, révoltée. Pourtant elle avait réagi de la même manière. Elle avait peur pour Geordie, certes, mais ce n'était pas une excuse. Elle qui critiquait Naomi, lui reprochait de tirer des conclusions hâtives… voilà qu'elle l'imitait. Constater à quelle vitesse des convictions soi-disant profondes cédaient devant l'angoisse était décidément fort instructif.

— Je ne me voyais pas comme ça, ajouta-t-elle.

— C'est-à-dire ?

— Pleine de préjugés.

L'expression de Jerry se radoucit.

— Allons, ne soyez pas trop dure avec vous-même. À votre place, moi non plus je n'aurais confiance en personne.

Pendant tout le trajet jusqu'au domicile de Naomi, Caitlin se demanda comment diable convaincre Travis de se confier à elle. Même si Naomi était à la librairie, Martha avait certainement reçu la consigne d'empêcher Caitlin d'approcher l'enfant.

Elle repensait à ce qu'elle avait appris au camp scout. Champion avait disparu. Comment cela avait-il pu se produire ? Les chiens sont des créatures fidèles, pourquoi celui-ci se serait-il enfui ?

Elle se gara dans une rue adjacente, d'où elle pouvait surveiller la maison de Naomi. La Volvo de sa belle-sœur n'était pas dans l'allée. Cela faciliterait les choses. Enfin, façon de parler.

À force de se creuser les méninges, une idée lui vint.

Elle traversa la rue, monta les marches du perron et frappa à la porte. Martha cria : « Oui, oui, voilà ! » puis ouvrit. Plissant les yeux, elle considéra la silhouette campée sur le seuil.

— Oui ?

— C'est moi, Martha. C'est Caitlin.

— Caitlin ! Ils ont relâché Noah ?

— Pas encore. Ils cherchent toujours le motard qui l'a aidé à réparer sa voiture. L'inspecteur Mathis est allé à Washington essayer de lui mettre la main dessus.

— Ces flics m'écœurent. Ils ne trouveraient même pas le nez qu'ils ont au milieu de la figure. Et Geordie ? Du nouveau ?

— Non, rien.

— Oh, Seigneur, soupira Martha.

— Écoutez, hier soir, il y a eu un petit malentendu entre Travis et moi. Je suis vraiment désolée que…

— Les ennuis, il les cherche. Il sait bien que les chiens ne sont pas autorisés dans les restaurants.

— Enfin, bref, je venais m'excuser. Et voilà que j'apprends que Champion s'est enfui. Mais que s'est-il passé ? La porte de derrière était ouverte, et il est sorti, c'est ça ?

— Je ne sais pas. Je ne savais même pas qu'il avait pris la poudre d'escampette jusqu'à ce que Travis nous en informe.

Informe ? s'étonna mentalement Caitlin. Elle imaginait plutôt Travis piquant une crise d'hystérie en découvrant l'absence de son chien. Quoique, rectifia-t-elle, Naomi lui avait raconté que le garçon avait été le seul à ne manifester aucune réaction lors du décès d'Emily.

— Eh bien, je comptais lui proposer mon aide pour retrouver Champion. Il acceptera, à votre avis ? En voiture, on couvrira un plus grand périmètre qu'à pied.

— Vous êtes gentille, ma chère Caitlin. Je lui dirai que vous êtes venue.

On ne l'invitait pas à entrer, nota Caitlin.

— Il est en train de chercher Champion, en ce moment ?

Martha plissa le front et désigna l'intérieur de la maison, plongée dans la pénombre.

— Non, la dernière fois que j'ai vérifié où il était, il m'a répondu qu'il jouait à un jeu vidéo.

— Vraiment ? dit Caitlin, stupéfaite.

— Je lui ai conseillé de fabriquer quelques affichettes avec la photo de Champion et de les placarder dans le quartier. Si c'était mon chien, je remuerais ciel et terre. Mais il est accro à ces jeux.

— Je peux l'emmener en voiture pour coller ces affiches.

— Ne vous embêtez pas. Marcher lui fera du bien, à ce petit. Mais je lui dirai que vous êtes passée, conclut Martha, et elle referma la porte.

Caitlin regagna sa voiture. La fugue de Champion, c'était déjà surprenant. Mais que Travis ne soit pas en train de chercher partout son chien adoré, cela n'avait aucun sens. Elle aurait pourtant juré que le garçon aimait par-dessus tout son compagnon à quatre pattes. Elle se serait donc trompée ?

Caitlin contemplait la petite maison, en face. Elle ne tirerait rien de Travis, quoi qu'il sache. À l'évidence, elle n'était pas la bienvenue ici.

Elle aurait dû démarrer et partir, mais elle se sentait complètement sonnée. Où aller ? Elle appela David Alvarez, tomba sur sa boîte vocale. Elle pouvait contacter l'hôpital, demander si Dan avait repris conscience, s'il était en état de parler. Non, inutile, on ne lui donnerait pas de renseignements par téléphone. On ne l'autoriserait pas non plus à s'approcher du patient, et Haley ne la portait plus dans son cœur, elle avait été claire sur ce point.

Geordie… je n'ai rien fait de bon pour toi, songea-t-elle, amère. Je me suis fâchée avec tout le monde, et je n'ai pas avancé d'un pas.

Elle était là, avachie sur son siège, à ruminer un sentiment de défaite et à tenter d'élaborer une stratégie pour la suite, quand elle vit s'ouvrir la porte de la maison de Naomi. Aussitôt, elle fut sur le qui-vive. Travis descendit les marches, un sac à l'épaule. Il jeta alentour un regard furtif, extirpa une affichette de son sac et, s'éloignant sur le trottoir, la scotcha sur le premier poteau. Puis, traînant les pieds, il se dirigea vers l'extrémité de la rue. Caitlin l'observait, se demandant comment l'approcher sans qu'il détale au triple galop en criant : « Au secours ! »

Quel gamin étrange. Il n'avait pas l'air bouleversé. Il semblait presque… content de lui. Elle le suivit des yeux. Quand il fut au bout de la rue, au lieu de tourner à droite ou à gauche, il jeta de nouveau un regard circulaire. Visiblement, il ne reconnut pas la voiture de Caitlin garée à l'angle, ne remarqua pas la conductrice recroquevillée derrière le volant.

Quand il fut certain que personne ne le surveillait, il se faufila derrière la boutique du traiteur, définitivement fermée. Caitlin dut se démancher le cou pour ne pas le perdre de vue. Il était accroupi à côté de la porte latérale, condamnée par un panneau de contreplaqué. Et, tout à coup, le sac et le gamin s'évaporèrent.

28

Caitlin bondit hors de sa voiture ; au pas de course, elle traversa la rue et fonça vers la boutique. Son cœur cognait.

Était-ce possible ? Geordie était-il là, à l'intérieur de ce magasin ? Était-ce le secret que dissimulait Travis ? Dan l'avait-il enrôlé, persuadé de l'aider ? Travis était-il un enfant à ce point cruel et diabolique ? La fuite de son chien paraissait lui être indifférente. En apprenant que sa tante Emily était morte dans un accident, il avait réclamé une deuxième portion de macaronis. Peut-être était-il une espèce de psychopathe en herbe, qui donnait un coup de main à Dan parce que ce dernier lui avait promis une récompense.

Elle avait lu quelque part qu'il existait des enfants de ce genre. Elle en était épouvantée et, pourtant, de toutes les fibres de son corps, elle priait que ce soit la réponse – que Geordie soit là, vivant, dans cette boutique abandonnée. Si seulement elle réussissait à le trouver, s'il n'était pas trop tard, elle alerterait les secours et, jusqu'à leur arrivée, protégerait son fils.

Elle se déplaçait le plus silencieusement possible, pour ne pas trahir sa présence. Elle contourna le magasin et manqua, dans sa hâte, renverser une poubelle vide. Par chance, elle la redressa avant qu'elle ne tombe par terre. Elle prit une grande inspiration pour essayer d'apaiser les battements de son cœur.

Le panneau de contreplaqué était de guingois, néanmoins elle ne parviendrait pas à le pousser et à pénétrer dans le bâtiment sans faire de bruit. Elle voulait surprendre Travis et, s'il avait un otage, s'assurer que cet otage ne pâtisse pas de son intrusion. Un gamin capable de retenir son cousin prisonnier était capable de tout.

Pas moyen d'ouvrir cette porte en silence. Elle ne pouvait donc compter que sur l'effet de surprise. Si elle franchissait cet obstacle suffisamment vite, Travis n'aurait pas le temps de réagir.

Caitlin fouilla des yeux la ruelle derrière le magasin, en quête d'un outil quelconque qui lui permette, si le contreplaqué résistait, de le faire voler en éclats. Elle n'avait guère le choix. Les vieilleries qui encombraient la boutique avaient depuis longtemps été évacuées. Il restait quelques cartons vides, des caisses en plastique de bouteilles de lait, qui ne lui seraient d'aucune utilité. Il y avait aussi un antique balai, abandonné dehors. Peut-être pourrait-elle se servir du manche comme d'un pied-de-biche de fortune.

Elle examina la porte. Un deuxième panneau renforçait la partie supérieure. Si elle parvenait à le décoincer, elle passerait la main par la brèche et tournerait la poignée. J'essaye, décida-t-elle. Elle pesa sur le coin, tout près de la poignée, en vain. Le panneau était soigneusement cloué. Elle insista, de toutes ses forces, mais ça ne bougea pas d'un millimètre. Travis avait déjà à demi démoli le panneau inférieur. Elle n'avait pas d'autre solution.

S'accroupissant, elle plaqua la paume de sa main sur le panneau et le sentit céder. Travis s'était débrouillé pour se faufiler par cette ouverture. Elle doutait de réussir à passer par là, même s'il était rondouillard et elle plutôt mince. Elle devait retirer le panneau du cadre qui le maintenait. Imaginant son fils de l'autre côté de cette porte, elle inséra le manche à balai entre le contreplaqué et le chambranle, et appuya dessus. Le contreplaqué craqua mais ne se brisa pas. Elle continua, en douceur mais résolument. Soudain, avec un craquement sinistre, un morceau se détacha sur toute la longueur et tomba sur le sol, découpant une large brèche sombre. Elle s'y glissa en rampant et se retrouva dans la resserre du magasin, sur un lino crasseux. Pour l'effet de surprise, c'était loupé. À présent elle devait faire vite.

Elle se remit debout dans le local aux murs couverts d'étagères pratiquement vides, baigné d'une lumière grise filtrant par une fenêtre aux vitres sales.

Il régnait dans les lieux un silence absolu. Comme si tout le bâtiment était désert. Elle s'avança vers la porte donnant sur la boutique proprement dite. Les bras tendus pour ne pas percuter un meuble quelconque, au risque de le faire basculer sur elle. Elle poussa le battant.

Devant elle, un comptoir flanqué d'un deuxième comptoir, naguère réfrigéré. Elle contourna le tout, clignant des paupières pour s'habituer à la pénombre. Du côté des vitrines, condamnées par des planches, des publicités et des journaux gratuits jaunis jonchaient une étagère. Face au comptoir, des chaises et des tables sur lesquelles des fleurs en plastique dans des petits pots de confiture voisinaient avec salières, poivrières et distributeurs de serviettes en papier.

Elle avança encore.

— Geordie ? chuchota-t-elle.

Pas de réponse, pourtant elle perçut un bruit. Elle s'immobilisa, tendit l'oreille. Une respiration saccadée et un gémissement étouffé, provenant de sous une table près du mur. Elle n'avait pas de torche électrique, dommage.

Elle se pencha.

Travis était blotti sous la table, sa figure ronde livide de peur. Il serrait Champion contre sa poitrine, le muselant de la main. La laisse du chien était attachée au radiateur.

— Travis, qu'est-ce que tu...

Il la regardait, les yeux exorbités.

— Qu'est-ce que tu fabriques là-dessous ? Geordie est là ?

Il parut totalement décontenancé par cette question.

— Geordie ? Mais... on l'a kidnappé.

Caitlin sut alors, avant même d'interroger le gamin, que ses folles suppositions n'étaient que cela – un espoir délirant. Geordie n'était pas ici. Elle inspecta le sol autour des pieds de la table. Un bol d'eau, un autre de pâtée pour chien. Et un lit rudimentaire, constitué de torchons et de journaux.

— C'est un genre de club secret ? commenta-t-elle.

— C'est pas tes oignons.

— Qu'est-ce que Champion fabrique ici ? Je croyais qu'il s'était enfui. Sors de là-dessous, et réponds-moi.

Il fit non de la tête, serrant plus fort son chien.

Caitlin s'accroupit pour être à la hauteur du gamin ; elle fut étonnée, car il pleurait. Aussitôt elle regretta de lui avoir fait peur, d'avoir découvert son repaire.

— Qu'est-ce qui se passe, Travis ?

D'un revers de main, il essuya ses joues où les larmes avaient dessiné des sillons crasseux.

— Où je vais le cacher, maintenant ?

Caitlin hésita une fraction de seconde, puis se mit à quatre pattes sur le sol dégoûtant. Lentement, elle rejoignit sous la table Travis et son chien. Il agrippa Champion et s'écarta quand elle essaya de lui toucher l'épaule. Elle l'observa intensément, puis :

— Pourquoi faut-il que tu le caches ?

Il secoua furieusement la tête.

— Travis ? Ta maman t'a dit que tu ne pouvais plus le garder ?

— Mais non, idiote !

Ce Travis-là, l'insolent, Caitlin le connaissait mieux. Mais dès qu'il l'eut rabrouée, il parut se dégonfler comme un ballon de baudruche. Pour sa deuxième question, Caitlin choisit ses mots avec précaution.

— Contre qui le protèges-tu ? demanda-t-elle, aussi gentiment que possible.

De nouveau, il secoua la tête.

— Quelqu'un a menacé de te le voler ?

— Non, pas le voler.

— Quelqu'un t'a dit qu'il ferait du mal à Champion ?

Travis ne répondit pas, il se contenta de renifler.

— C'était un jeune ? Un jeune comme toi qui a menacé de lui faire du mal ?

Non de la tête.

— Un adulte ?

— Maintenant que tu sais, tu le répéteras à tout le monde, grommela-t-il.

— Je ne dirai rien à personne.

— Si ! Et après…

— Quoi donc ?

— Tu sais bien ! On le tuera.

Elle en eut le souffle coupé.

— Tuer Champion ? Qui t'a dit ça ? s'indigna-t-elle.

Pas de réponse. Tout doucement, elle tendit la main et caressa Champion.

— Écoute-moi, Travis. Écoute-moi bien. Personne ne s'en prendra à ce chien, tu m'entends ? Personne. Je te le promets. Quoi qu'il arrive.

Travis leva vers elle un regard circonspect. Une fois encore, il essuya ses larmes d'un revers de main. Elle eut honte de s'être à ce point trompée sur ses motivations.

— Quoi qu'il arrive, répéta-t-elle gravement. Tu comprends ? Tu me crois ?

Il haussa les épaules.

— Un être humain digne de ce nom ne dirait pas une chose pareille. La personne qui t'a dit ça est très méchante.

— Je sais, articula Travis, et cette fois sa réponse était claire et nette.

Caitlin continua à caresser le chien, doucement, gentiment.

— Pourquoi cette méchante personne a menacé de tuer Champion ? demanda-t-elle, avec l'impression de marcher sur des œufs.

— Parce que j'ai trahi le secret ! s'écria Travis. C'est ta faute ! J'avais jamais rien dit. Mais toi tu as dit que je devais tout raconter pour qu'on retrouve Geordie. Et moi je savais que si je le disais, le secret…

Caitlin sentit son cœur s'emballer, cependant elle s'efforça de garder un ton calme.

— Oui, je comprends. Tu as eu peur de ce qui risquait de se passer pour Champion.

Il opina.

— C'est pour ça que je l'ai caché ici. J'ai pensé que s'il était bien caché, alors je pourrais dire le secret et quand même garder Champion vivant.

— Travis… ton secret concerne Geordie ? questionna-t-elle d'une voix sourde. Tu sais où il est ?

Il eut l'air perplexe, secoua la tête.

— Mais non… Je sais rien sur Geordie.

Caitlin eut l'impression que sa déception se répandait partout dans la pièce. Son petit garçon n'était pas là. Le secret de Travis n'avait aucun rapport avec Geordie. Elle n'avait pas avancé d'un pas. Elle eut envie de hurler de dépit.

— Le secret, reprit Travis, c'est par rapport à moi. Et au truc pas bien… qui s'est passé. Tu as dit qu'il fallait que je le raconte. Et pour tante Emily aussi. Tout ça.

Caitlin scruta son visage.

— Tante Emily. De quoi parles-tu, Travis ?

— Tu te mettras pas en colère contre moi ?

— Non.

Il la dévisagea, les yeux étrécis.

— Tu jures qu'il arrivera rien à Champion ?

— Juré, répliqua-t-elle, s'efforçant de maîtriser le tremblement de sa voix. Maintenant, dis-moi.

29

Caitlin ralentit pour descendre le chemin en pente douce, les yeux rivés sur le paisible lac. Près de la berge d'en face, des pêcheurs dans leur barque tentaient patiemment d'attraper leur dîner. En haut de la pente se dressait la maison de Paula et Westy, les vitres des fenêtres réfléchissaient le soleil de l'après-midi, des fleurs encore épanouies parsemaient les feuilles d'automne. Une carte postale, avec pour légende : « Sommes-nous vraiment dans le New Jersey ? »

Eh oui, songea Caitlin. Elle roula jusqu'à l'atelier de Westy, gara sa voiture dans une petite impasse, où elle serait à l'abri des regards. Elle sortit et remonta vers le chalet, pimpant et isolé. Les télescopes sur la véranda étaient braqués sur le lac.

Caitlin entra.

L'intérieur de la bâtisse, sans élégance particulière, était parfaitement organisé. Il y avait un poêle à bois. Aujourd'hui il n'était pas allumé, si bien qu'il faisait froid dans la salle où régnait la pénombre. Les fenêtres, percées très haut, s'alignaient quasiment sous l'avant-toit. Deux établis occupaient une partie de l'espace, ainsi qu'un vieux placard où étaient rangés des pots remplis d'accessoires de quincaillerie – clous, vis et rondelles métalliques – et d'outils. Deux nichoirs, en voie d'achèvement, étaient posés sur une large table. Un canapé danois des années 50 et des fauteuils en plastique trônaient d'un côté de la pièce. Des tableaux muraux montraient des oiseaux, ainsi que les caractéristiques permettant de les identifier. On voyait également une carte ornithologique de la région, avec les marais et les voies d'eau connus pour les différentes espèces qui les fréquentaient.

Caitlin balaya du regard l'atelier si bien rangé. Le dégoût la tenaillait, elle regrettait de n'avoir pas une bombe de peinture pour souiller ces murs, afin de leur donner l'aspect qui correspondait à leur histoire.

Soudain, la porte s'ouvrit. Caitlin fit face à Westy Bergen.

— Surpris ? articula-t-elle.

Il redressa les épaules, pointa le menton.

— Eh bien, oui. Je n'ai pas l'habitude de trouver des gens ici, dans mon atelier, sauf si je les y ai invités.

— Aujourd'hui, c'est moi qui ai lancé les invitations.

— Pardon ? marmonna-t-il, dérouté.

— Rien. Vous ne… rien. Nous savons tous les deux pourquoi vous êtes là.

— Je ne comprends pas de quoi vous parlez. Je suis descendu chercher mon imper. Je l'ai laissé dans cette penderie, là, or ce ciel plombé me donne à penser que…

— Quand je vous ai laissé ce message, j'étais sûre que vous viendriez. Il fallait que vous découvriez ce que je savais exactement sur les véritables causes de la mort d'Emily.

— Si ma mémoire est bonne, riposta-t-il d'un air outré, ma fille a été tuée. Par votre frère. Maintenant, si cela ne vous ennuie pas, je…

— Travis m'a tout raconté.

Westy pâlit ; une fraction de seconde, il parut s'affaisser sur lui-même.

— Je ne comprends pas de quoi vous parlez, répéta-t-il, mais d'un ton moins catégorique.

— Je dois vous tirer mon chapeau : vous avez eu une idée brillante pour le faire taire… Menacer de tuer son chien. Mais il a fini par craquer et tout me dire.

Westy feignit de l'ignorer. Il se mit à farfouiller dans un étroit placard.

— J'ignore complètement de quoi vous me parlez.

Caitlin l'observait, frissonnant d'horreur et de haine.

— Oh que non. Travis m'a expliqué ce qui s'est vraiment passé le jour où Emily est morte. Vous n'avez sûrement pas oublié ce jour-là ?

Westy se retourna vers elle, rassemblant les lambeaux de sa dignité.

— Franchement, déclara-t-il posément, je suis stupéfait que vous osiez évoquer le décès d'Emily. C'est votre frère qui l'a tuée.

— C'est mon frère qui l'a renversée. Effectivement. Et il a payé le prix fort pour ça. Mais le vrai coupable, c'était vous.

— Le coupable, répéta Westy dont les yeux jetèrent des éclairs. Ce serait amusant, si ce n'était pas si écœurant.

Caitlin secoua résolument la tête.

— À présent, je sais ce qui s'est passé. Comment ça s'est passé. Emily avait amené son bébé ici, sans doute pour vous faire une surprise. Il n'y avait personne à la maison. Évidemment. Vous vous étiez assuré que Paula serait à son travail. Mais Emily vous a cherché, elle est venue jusqu'ici, dans votre atelier. Elle est tombée sur vous et Travis. Elle a vu son père abuser d'un enfant de six ans, lança Caitlin d'une voix vibrante de mépris.

Westy ne cilla pas.

— Vous perdez la raison. C'est abominable.

— Travis se souvient qu'Emily lui a crié de remettre son pantalon, il se souvient qu'elle l'a fait sortir d'ici à toute vitesse. Elle hurlait de façon hystérique quand elle l'a poussé dans la voiture. Travis s'est senti coupable. Il a pensé qu'il était fautif.

Westy, de nouveau, pointa le menton.

— Quelle imagination a ce gamin !

— Travis n'a pas inventé cette histoire. Elle ne lui aurait même pas effleuré l'esprit.

— Le plus invraisemblable, c'est que vous la répétiez, cette histoire. Sortez. Fichez le camp de chez moi.

— Non. J'ai tout de suite su que c'était la vérité. Vous étiez derrière tout ça. Vous les avez suivis jusqu'à la maison. Vous vous êtes disputé avec Emily dans l'allée. Travis a tout vu. Il l'a vue descendre l'allée en courant, sans doute essayait-elle de s'échapper, de vous fuir, vous et vos lamentables excuses. Il a entendu le choc. Mon frère a dit, figurez-vous, qu'elle s'était jetée au-devant du pick-up, qu'elle voulait se suicider. Il n'avait sans doute pas complètement tort. Elle a dû avoir envie de mourir, en découvrant qui était son père.

— Arrêtez de vouloir blanchir votre frère. Ma fille n'a pas tenté de se suicider.

— Non, elle s'enfuyait, loin de vous. Vous l'avez pourchassée, elle a déboulé sur la route, au moment où un pick-up arrivait.

— Inventer une histoire pareille… Travis est vraiment détraqué. Et vous le croyez… Très perturbant, vraiment. Tout le monde sait qu'Emily était en train de prendre le courrier quand votre frère est sorti du virage comme un boulet de canon, et l'a percutée.

— Oui, j'y pensais tout à l'heure, justement. Ce courrier éparpillé un peu partout, il m'a fallu un moment pour comprendre.

Westy la dévisagea d'un air dédaigneux.

— Comprendre quoi ?

— Dès que mon frère s'est éloigné sur la route, au lieu d'appeler les secours, vous avez pris la précaution d'enlever le courrier de la boîte et d'éparpiller les enveloppes autour du corps d'Emily. La mise en scène d'un accident. Ensuite vous avez dit à Travis, avant de le pousser dans votre voiture et de partir le déposer chez lui, que si jamais il parlait des événements de cette journée, vous tueriez son chien. Vous tueriez Champion.

— Ridicule, ricana Westy, mais sa voix manquait de fermeté.

— Ridicule ? Monstrueux, oui ! Pendant ces quatre dernières années, cet enfant n'a pas connu un instant de tranquillité. Il a eu peur sans répit.

— Travis… Qui croirait cette petite brute gloutonne ? Il a toujours été bien content d'empocher mon argent, mes cadeaux. Quand j'allais le chercher à l'école, il était toujours disposé à m'accompagner.

Caitlin en eut un haut-le-cœur.

— Vous le payiez ? Un gosse de six ans qui n'a plus de père ? Vous lui offriez des cadeaux ? Depuis combien de temps ça dure ? Combien de fois l'avez-vous agressé ?

— Agressé ? J'ai été gentil avec cet enfant, et vous appelez ça une agression ?

Caitlin le regardait fixement – jusqu'à quel point fallait-il être pourri pour qualifier de gentillesse le viol d'un enfant ?

— À mon avis, la police utilisera le même terme que moi : agression. J'en suis certaine.

Le regard de Westy, soudain, se fit glacial.

— Travis est un menteur. Quant à vous, vous seriez prête à tout pour mettre sur le dos de quelqu'un les actes de votre frère. Je vous conseille de garder cette fable pour vous.

— Sinon quoi ? Vous pensez pouvoir me terroriser avec vos menaces ? Je ne suis pas une enfant, je n'ai pas peur de vous. Et au cas où vous auriez l'idée de nous réduire au silence, moi ou Travis, j'ai alerté la police avant de venir ici. En outre, je me suis arrangée pour que Travis et Champion soient en sécurité. Vous ne vous en tirerez pas. J'aurais dû laisser la police se charger de vous, mais je n'ai pas résisté à l'envie de voir votre mine quand vous comprendriez que vous étiez fait comme un rat.

À cet instant, Caitlin entendit son téléphone sonner dans la poche de sa veste.

— C'est l'inspecteur Mathis, annonça-t-elle en saisissant l'appareil.

Avant même qu'elle ait pu déchiffrer le nom de son correspondant sur l'écran, Westy Bergen envoya valser le mobile d'un revers de la main. Caitlin s'empressa de le ramasser. Elle leva les yeux. Bergen était penché sur elle. Il brandissait un marteau.

— Vous avez eu tort de venir ici.

La porte du bureau de Sam Mathis s'ouvrit. Un type trapu et grisonnant, affublé d'un jean déchiré et d'un bandana noué autour du front, franchit le seuil.

— Ce sera tout ? demanda-t-il.

— Ce sera tout, répondit l'inspecteur.

— Faudra que je revienne ?

— Non. Je vous remercie d'avoir pris la peine de passer. Quant à vous, ajouta Mathis en se tournant vers Noah, assis entre son avocat David Alvarez et un policier en uniforme, vous avez de la veine. Ce monsieur vous a fourni un alibi en béton.

Noah se leva et vint serrer la main du témoin.

— Merci, Jim. C'est la deuxième fois que vous me sortez d'affaire. Je ne sais pas comment vous exprimer ma gratitude.

Jim haussa les épaules.

— Bah, j'suis content de vous avoir filé un coup de main.

— Mais je trouve injuste que votre bonne action vous ait gâché le rassemblement. Vous retournez là-bas ?

— Non, je crois pas. En fait, je crois que l'inspecteur Mathis m'a empêché de faire une grosse connerie.

— Ah bon ?

— Ouais, j'ai rencontré mon ex-femme. On lui enlevait de l'omoplate son tatouage : « Linda aime Jim ». On a discuté et vlan, l'instant d'après elle disait au tatoueur qu'elle avait changé d'avis. J'ai peut-être échappé au pire.

Les autres opinèrent d'un air pénétré. Jim les salua de la main et s'éloigna. David Alvarez se tourna vers Sam Mathis.

— Mon client est libre de s'en aller, n'est-ce pas ?

L'inspecteur acquiesça.

— On doit se concentrer de nouveau sur le kidnapping de son fils.

— Merci de vous être donné tant de mal, dit l'avocat qui échangea une poignée de main avec Mathis puis avec Noah, en promettant de prendre des nouvelles ; après quoi il saisit son attaché-case et s'en fut.

Noah poussa un soupir.

— Comment va Dan, au fait ? Il a repris conscience ? Il faut l'interroger au sujet de Geordie dès qu'il émergera.

— Absolument, répondit Mathis en collant son mobile à son oreille.

Il écouta les messages laissés sur sa boîte vocale, fronçant les sourcils, puis appuya sur la touche « appeler » et attendit. Il fixa son regard sur Noah.

— Caitlin m'a téléphoné. Elle demande que je la contacte, que c'est important, mais elle ne décroche pas.

Il entraîna Noah vers un bureau, où il signa un document entérinant la restitution des objets qu'on lui avait confisqués, puis il lui tendit une enveloppe en papier kraft.

— Je vais me renseigner, je vous dirai de quoi il s'agissait.

Noah vida l'enveloppe sur une table. Il remit sa montre, rempocha son portefeuille et son mobile.

— Vous allez voir Dan ? questionna-t-il.

— Oui, c'est ma prochaine escale.

— Ça vous ennuie si je vous accompagne ?

— Oui, je ne veux pas de vous à l'hôpital. La famille de Dan a subi suffisamment d'épreuves. S'ils vous voient débarquer, aucune explication ne réussira à les calmer. Laissez-moi gérer ça. Je sais quelles questions poser.

— Vous avez raison, bien sûr.

Ils quittèrent l'immeuble ensemble. Noah s'immobilisa sur les marches de grès, consulta sur son mobile les appels en absence, espérant qu'il y en ait un de Caitlin. Il n'y en avait pas, en revanche Naomi avait tenté plusieurs fois de le joindre. Il la rappela.

— Noah ! s'écria sa sœur. On t'a relâché ?

— Oui, je suis dehors.

— Dieu merci ! Il faut que je te parle.

— Bon, j'y vais, intervint Sam Mathis à voix basse. À plus tard.

Noah hocha la tête et reporta son attention sur sa sœur.

— Que se passe-t-il ?

— Tu es avec Caitlin ?

— Non. Pourquoi ?

— Elle a déposé Travis et Champion ici, à la librairie, voilà environ une heure. Elle m'a dit de ne pas quitter Travis des yeux, sous aucun prétexte. Elle a dit que la police allait venir lui parler. Elle n'a pas précisé pour quelle raison. Elle a même demandé à Ed, le gardien, de ne pas nous laisser seuls dans la librairie avec quiconque. Qu'est-ce qui se passe ? Tu es au courant ? Travis refuse de m'expliquer. Il est fermé comme une huître, mais je sens bien qu'il est complètement chamboulé.

— Je ne suis au courant de rien, Naomi.

— Pourquoi elle a agi comme ça ? Elle me fait peur.

— Elle avait une bonne raison, j'en suis persuadé. Tu sais où elle est allée ?

— Non.

— Et Travis ?

— Je vais le lui redemander, mais il ne me répond pas. Travis, enchaîna-t-elle, tu sais où est allée tante Caitlin ? Travis ?

Un silence, puis :

— Rien, pas un mot.

— Laisse-moi lui parler.

— Travis, ton oncle veut te parler !

Naomi patienta une minute.

— Il fait non de la tête.

— Approche le téléphone de son oreille.

Des bruits confus à l'autre bout de la ligne, une respiration laborieuse.

— Travis, c'est moi, ton oncle Noah. Il y a un problème, je le sais. Tu dois me dire de quoi il s'agit.

— Tu es en prison ? demanda le gamin.

— Non, je suis sorti. Explique-moi pour tante Caitlin. Tu étais avec elle aujourd'hui ?

— Elle a dit qu'elle pouvait me protéger, articula Travis, lugubre. Enfin, moi et Champion.

— Te protéger contre quoi ? Contre qui ?

— Elle m'a obligé à tout raconter, et maintenant elle est partie.

— Raconter quoi ?

Silence.

— Écoute, Travis. Je suis inquiet pour tante Caitlin. J'ai peur qu'elle ait des ennuis. Tu sais où elle allait, quand elle t'a déposé à la librairie ?

Silence.

Noah s'efforça de garder son calme et de réfléchir, malgré le signal d'alarme qui hurlait dans sa tête.

— Contre qui elle voulait te protéger ? C'est peut-être chez cette personne qu'elle est allée. Pour la battre à plate couture, cette personne.

— Elle pourrait pas le battre. Il est trop fort, rétorqua Travis avec mépris.

— Qui, Travis ?

— Demande à Caitlin.

— Je ne peux pas, Travis. Elle ne répond pas au téléphone.

— Quand elle répondra...

— Et si elle est dans l'incapacité de décrocher ?

Nouveau silence, qui se prolongea. Puis Travis dit, vaincu :

— M. Bergen…

— Dan, l'oncle de Geordie ?

— Non. L'autre.

30

Caitlin reprit conscience, le visage et les cheveux trempés de sueur, du brouillard dans la tête. Elle cligna des paupières et vit... du noir. Elle était assise dans un fauteuil, les poignets ligotés derrière le dossier avec un mince fil de fer qui lui mordait la peau, les bras contractés par une douleur brûlante. Ses chevilles étaient attachées aux pieds du fauteuil par le même fil de fer, serrées l'une contre l'autre. Elle essaya de respirer à fond et comprit, quand elle le sentit dans sa bouche, sur ses dents et sa langue, qu'elle avait un sac en plastique noir sur la tête, serré autour de son cou. Le fil de fer lui cisaillait la gorge dès qu'elle bougeait. Et elle avait atrocement mal au crâne, là où Westy Bergen l'avait frappée. Depuis combien de temps était-elle saucissonnée sur ce siège ? Il était parti, elle allait mourir là. Impossible de respirer, et son rythme cardiaque s'emballait.

Pense aux palmiers, se dit-elle. Ne perds pas les pédales, pas maintenant. On te retrouvera. Elle avait laissé un message à Sam Mathis. Travis lui avait révélé son secret, par conséquent – espérait-elle – il n'aurait pas trop de difficultés à l'avouer une seconde fois. Quelqu'un devinerait où il fallait la chercher. Forcément. Elle devait rester calme, essayer de respirer doucement, par petites bouffées, pour ne pas être étouffée par le sac.

Il était trop tard, hélas, mais elle se rendait compte à présent que jamais elle n'aurait dû venir ici toute seule. Elle aurait dû attendre, passer le relais à la police. Elle était si pressée de l'affronter qu'elle s'était jetée dans la gueule du loup.

Les regrets, le manque d'air attisèrent encore la douleur qui lui broyait le cœur. Se trouvait-elle encore dans l'atelier ? Oui, probablement. Westy avait pu l'assommer, mais il n'était pas assez costaud pour transbahuter son corps inanimé. En plein jour, de surcroît, et sans se faire repérer.

Elle tenta de déplacer le fauteuil, mais il y avait autour de ses pieds des objets qui lui frôlaient les chevilles. Elle sentait également quelque chose sur sa tête et ses épaules. Elle s'obligea à analyser ses sensations. Du tissu, épais, des manches vides. Elle était dans la penderie. Et ces trucs, autour de ses pieds – des chaussures, des bottes. Oui, il l'avait enfermée dans la penderie.

Qui me cherchera là-dedans ?

Non, ce genre de pensée ne menait qu'à la défaite. Vite, la chasser de son esprit. Elle demeura immobile, ligotée au fauteuil en plastique. Continuer à respirer. Elle songea à Noah, à Geordie. Elle se dit – une idée affreuse, intolérable – que Geordie avait peut-être été retenu prisonnier comme elle, de la même façon. Westy l'avait-il kidnappé ? Le cachait-il quelque part ? Lui avait-il fait subir le traitement infâme qu'il avait infligé à Travis ? Geordie n'aurait jamais pu comprendre. Il aurait paniqué, suffoqué. Il en serait mort.

Les larmes lui montèrent aux yeux, mais pleurer serait la pire des choses. Pleurer précipiterait sa mort. Se vider la tête, ne penser qu'à ces foutus palmiers. Elle se les représenta, les battements de son cœur s'apaisèrent un peu. Surtout ne pas visualiser le visage de son petit garçon adoré. Surtout pas. Pas si elle voulait le revoir.

Elle entreprit de libérer ses mains et ses pieds, les écartant millimètre par millimètre. Une vraie torture, le fil de fer lui entaillait la chair, mais elle s'en fichait. Que risquait-elle, au pire ? Saigner ? Tant pis. Elle devait tenter de sauver sa vie. Malheureusement, il l'avait si solidement attachée qu'elle ne progressait guère. Elle tenta de se propulser en avant, mais les chaussures entassées par terre déséquilibrèrent le fauteuil dont un pied se coinça dans le haut d'une botte. Elle recommença, avec fureur, et une fois de plus se retrouva bloquée, de guingois.

Brusquement, elle se figea. Elle percevait des voix assourdies, quelque part. Son cœur se dilata sous l'effet de la terreur. Était-il de retour ? Pour la tuer ?

Quand la porte de l'atelier s'ouvrit, Caitlin s'affaissa sur elle-même, envahie par un indicible soulagement. Une femme. Caitlin distinguait à peine ses paroles.

— Il n'est pas là. Il n'y a personne. Je te l'avais dit.

Je suis là ! Caitlin essaya de crier ces mots, mais le sac en plastique lui emplissait la bouche, le fil de fer autour de son cou l'étranglait. Elle grogna, s'efforça de faire du bruit – malheureusement les sons qu'elle émettait étaient si ténus qu'elle-même ne les entendait quasiment pas.

— Il voulait que je me repose. Il est retourné à l'hôpital.

Paula Bergen. Elle parlait de son mari. Westy était allé à l'hôpital. Voir Dan. Soudain, les pièces du puzzle se mirent en place, et l'estomac de Caitlin se tordit.

Westy. C'était lui qui avait agressé Dan. Ce dernier avait-il découvert la vérité au sujet de son père ? L'avait-il affronté face à face ?

Une voix masculine, grave. Caitlin ne saisit pas ce que disait cette voix.

N'écoute pas, s'exhorta-t-elle. Peu importe ce qu'ils racontent. Il y a des gens dans l'atelier, et ils ne resteront pas longtemps. Que faire ? Attirer leur attention. Faire assez de bruit pour les alerter.

Elle n'avait rien sur quoi frapper. Seulement son corps. Elle avait commencé, il lui fallait aller jusqu'au bout, en espérant ne pas s'étouffer. Elle pesa sur le côté incliné du fauteuil en déséquilibre, se pencha sur l'accoudoir, au maximum, le fil de fer creusant sa peau. Elle sentit le siège basculer. Elle n'avait pas d'autre solution. Elle accompagna le mouvement... et, arrimée au fauteuil, percuta la porte de la penderie, violemment. Sa joue et son épaule s'écrasèrent contre le bois.

— Qu'est-ce que c'est ?

La voix masculine, si familière. Noah, je suis là, dit-elle dans un gargouillement.

— Je n'ai rien entendu.

— J'aurais pourtant juré...

— Noah, je suis vraiment épuisée. Je dirai à Westy que tu es passé. Que lui veux-tu, au fait ?

Noah ne répliqua pas.

— Je regrette qu'il y ait eu un malentendu à propos de Dan. Mais tu ne peux pas nous reprocher de t'avoir cru responsable.

Caitlin ne comprit pas la réponse de son mari. Dans la position où elle était à présent, le fil de fer se resserrait autour de son cou. Sa conscience vacillait, comme si elle était sur le point de s'endormir.

C'était cela, la mort ? se demanda-t-elle vaguement. Dormir. Cette pensée fut presque une consolation, avant de la réveiller brusquement. Son cœur cognait, il semblait prêt à exploser à cause du manque d'oxygène.

Noah...

Elle entendit la porte de l'atelier se refermer. Ils étaient partis.

Et avec eux, tous ses espoirs.

Elle tenta de prendre une inspiration, le sac en plastique lui emplit la bouche, la suffoqua. Elle vit la frimousse de Geordie et commença à lâcher prise.

Haley somnolait dans un fauteuil, près de Dan. Elle rêvait qu'on la poursuivait dans les couloirs de l'hôpital, qu'on l'appelait pour la forcer à se réveiller. Finalement, elle sentit une main qui la secouait et ouvrit les yeux. Elle avait la migraine et du sable sous les paupières, lui semblait-il. Elle considéra Sam Mathis, s'efforça de mettre un nom sur son visage. Puis, soudain, elle se souvint et eut une bouffée d'angoisse.

— Inspecteur… qu'est-ce qu'il y a ?

— Je ne voulais pas vous effrayer.

— Ce n'est pas grave.

— Comment va-t-il ? demanda Mathis, regardant d'un air soucieux la forme inerte sur le lit.

Dan avait toujours le teint cireux, il était toujours relié à une batterie de machines. Haley le contempla tristement et pinça les lèvres.

— On attend toujours qu'il reprenne conscience. Il a ouvert les yeux, à un moment, mais il n'a pas eu l'air de comprendre ce que je lui disais. Et puis il a sombré de nouveau.

— Vous êtes ici depuis longtemps ?

Haley opina, se frottant les yeux. Elle changea de position dans le fauteuil, lissa ses vêtements froissés.

— Oui… Caitlin m'a recommandé de ne pas le laisser seul. J'ai décidé de… de suivre son conseil.

— Elle pense que Dan sait où se trouve Geordie. Elle a terriblement peur qu'il ne soit pas en mesure de nous le dire à temps pour que nous retrouvions l'enfant sain et sauf. J'avoue que je suis d'accord avec elle.

— Pour vous aussi, Dan est coupable ? Jamais il ne ferait de mal à ce petit.

— Je n'en sais rien. Toujours est-il que, nous en avons la quasi-certitude, Geordie était avec lui. Et Dan ne pouvait pas se douter qu'il atterrirait sur un lit d'hôpital, inconscient. Alors qu'est-il arrivé au gamin ? C'est toute la question.

Haley soupira, scruta les traits de son ex-mari.

— Le docteur est passé ce matin. D'après lui, même si Dan se réveille bientôt, il risque d'avoir des problèmes d'amnésie. En cas de blessure à la tête, ce n'est pas rare.

Sam contourna le lit, se pencha.

— Dan, vous m'entendez ? C'est l'inspecteur Mathis.

Les paupières de Dan frémirent.

— Il faut vous réveiller, Dan. Il faut nous dire où est Geordie. Nous devons le retrouver avant qu'il ne soit trop tard. Vous pouvez faire ça, Dan ? Vous pouvez nous dire où il est ?

Dan ouvrit les yeux et regarda l'inspecteur d'un air dérouté. Haley bondit sur ses pieds et vint se camper près de Sam Mathis.

— Dan... chéri, tu vas bien ? Qu'est-ce qui t'est arrivé ? Qui t'a fait ça ?

Dan fronça les sourcils, en proie à une agitation qui s'afficha sur l'écran du moniteur en pics et en creux.

— Mademoiselle Jordan, chuchota Sam Mathis. Dans l'immédiat, nous avons besoin d'une réponse au sujet de Geordie Eckert. Nous devons amener M. Bergen à nous la donner, cette réponse.

— Je suis désolée.

Mathis se pencha de nouveau, pour que Dan le voie bien.

— Monsieur Eckert... Dan... c'est vous qui avez enlevé Geordie, à l'école ?

Dan s'humecta les lèvres, les yeux rivés sur l'inspecteur. Lentement, d'un mouvement presque imperceptible, il opina.

— Non ! s'exclama Haley.

Mathis se redressa et lui décocha un regard sévère.

— Sortez. Immédiatement.

— Je vous en supplie, laissez-moi rester.

— Certainement pas. Sortez.

— Vous essayez de coller ce crime sur le dos d'un homme blessé, vulnérable, s'insurgea-t-elle. Il n'est même pas responsable de ce qu'il dit en ce moment même.

— Je ne cherche pas des chefs d'inculpation contre lui, je m'échine à retrouver un gamin de six ans qui a disparu, lui rappela Sam Mathis, les dents serrées. Pour l'instant, c'est tout ce qui compte. Si ce monsieur détient des informations, je vais lui tirer les vers du nez et je réglerai ça plus tard avec les avocats. Maintenant, vous sortez. Allez vous rafraîchir, manger un bout à la cafétéria. Vous avez une mine épouvantable.

— J'ai peur de le quitter, balbutia Haley, les larmes aux yeux.

— Il ne lui arrivera rien. Je suis là avec lui. Wheatley monte la garde dans le couloir. Sortez, c'est un ordre.

À contrecœur, Haley s'exécuta, non sans s'être retournée plusieurs fois vers son ex-mari. De nouveau, Sam Mathis se pencha et dévisagea Dan dont le regard terne reflétait la confusion. Puis il ferma les yeux un instant, et Mathis craignit qu'il ne reperde conscience.

— Dan, murmura-t-il en le secouant précautionneusement. Ne vous rendormez pas. Parlez-moi.

Pendant ce temps, Haley s'éloignait d'un pas titubant dans le couloir. Elle bifurqua en direction des ascenseurs et se trouva nez à nez avec Westy qui émergeait d'une cabine.

— Comment va-t-il ? questionna-t-il.

— L'inspecteur Mathis est avec lui, soupira Haley. Dan se réveillait, apparemment, mais l'inspecteur a refusé que je reste. Il pense que Dan sait où est Geordie, et il s'acharne à le lui faire dire, alors que Dan est encore dans le coaltar.

— C'est ce qu'on va voir ! grommela Westy qui se précipita vers la chambre où il s'engouffra. Vous, ça suffit ! lança-t-il à l'inspecteur. Laissez mon fils tranquille !

— Votre fils sait où est Geordie.

— Où avez-vous pêché une idée pareille ? Regardez dans quel état il est.

— Il essaie de me parler, objecta patiemment Sam Mathis.

— Non, il n'a plus sa tête. Je ne vous autorise pas à l'interroger tant qu'il ne va pas mieux.

— Savoir où est votre petit-fils ne vous intéresse pas ? demanda Mathis, soupçonneux.

— Quelle question stupide ! s'indigna Westy. Bien sûr que si ! Mais Dan n'a aucune information concernant Geordie. Et il ne sait pas ce qu'il dit. Je ne vous permettrai pas de le questionner en l'absence d'un avocat. Il n'est peut-être pas vraiment conscient, mais il a des droits. Et tant qu'il est en position de faiblesse, c'est à moi de défendre ses droits. Ce que je fais. Plus une seule question avant que nous contactions un avocat.

L'inspecteur leva les mains dans un geste d'apaisement. L'atmosphère était électrique.

— D'accord, très bien. Je vais faire une pause. Mais je veux que vous appeliez sur-le-champ ce fameux avocat. Je reviens. Dan est le seul qui puisse nous mener à Geordie. Je ne le lâcherai pas.

— C'est ce qu'on verra, riposta Westy, furieux. Débarrassez le plancher.

Sam Mathis quitta la chambre et se dirigea vers l'ascenseur. En pénétrant dans la cabine, il appela une fois de plus Caitlin, sans résultat.

Il repensa à ce qu'il venait d'apprendre. Dan avait enlevé Geordie. Il l'avait admis, d'un simple hochement de tête, mais c'était suffisant. Cela signifiait donc qu'il savait où était le petit garçon. À l'évidence, Dan n'avait pas imaginé finir comateux dans un lit d'hôpital. Il avait pu laisser Geordie seul quelque part, ou bien entre les mains d'un complice qui risquait de s'impatienter. L'enfant avait peut-être une quantité limitée de nourriture et d'eau. Sa vie était peut-être en péril. Avocat ou pas, Sam Mathis était résolu à découvrir dans quel lieu on gardait le gamin prisonnier.

Pendant ce temps, Haley marchait vers la cafétéria. Elle était à mi-chemin quand elle s'aperçut qu'elle avait oublié son sac dans la chambre de Dan. Oh zut ! Elle avait une telle boule à l'estomac qu'elle ne réussirait pas à avaler quoi que ce soit. Mais elle avait besoin de boire quelque chose. Au moins un café.

Elle fit donc demi-tour.

Elle sortit de l'ascenseur et longea le couloir. Le policier, le dénommé Wheatley, le mobile vissé sur l'oreille, était en communication. Il la salua d'un signe de tête quand elle pénétra dans la chambre de Dan. Elle franchit le seuil et se figea.

— Mais qu'est-ce que vous faites ? s'écria-t-elle. Qu'est-ce que vous faites, bon Dieu !

31

Westy lui décocha un regard ulcéré.

— J'arrange ses oreillers. Pour qu'il soit mieux installé.

— Non, c'est faux ! Vous teniez cet oreiller sur sa figure.

— Haley, voyons, comment pouvez-vous dire une horreur pareille ! C'est mon fils !

— Je vous ai vu. À l'instant, quand je suis entrée. Vous plaquiez l'oreiller sur sa figure.

Westy remit l'oreiller sur le lit et s'approcha de Haley. Il lui posa doucement la main sur le bras.

— Haley, pendant toute cette épreuve, vous avez été pour Dan une amie merveilleuse. Je sais combien il vous est cher. Si Paula et moi avions eu notre mot à dire, jamais vous ne vous seriez séparés, tous les deux. Je vous considère comme ma fille. Mais dans l'immédiat, je crois que vous avez besoin de vous reposer. Vous êtes exténuée. Votre imagination vous joue des tours.

— Je vous ai vu, s'obstina-t-elle.

— Oui, vous m'avez vu retaper ses oreillers. J'ai peur que cette position soit inconfortable pour lui. Or il n'est pas en mesure de bouger.

Haley fronça les sourcils, vrillant son regard dans celui de Westy.

— Caitlin m'a recommandé de ne faire confiance à personne.

— Celle-là, ce n'est pas une référence. Rentrez chez vous et reposez-vous, Haley. Sa mère et moi, nous veillerons sur Dan, vous pouvez compter sur nous.

— Où est Paula ?

— Elle aussi avait besoin d'un break. Mais elle sera bientôt là, j'en suis certain.

— Et l'inspecteur Mathis ?

— Il vient juste de sortir. Vous ne l'avez pas croisé ? C'est étonnant. Mais il y a l'autre policier qui monte la garde devant la porte. L'officier Wheatley. Dan est entre de bonnes mains. Il ne risque rien.

— Vous avez peut-être raison, soupira-t-elle. Je suis désolée. Vous accuser d'une chose aussi horrible…

— Nous sommes tous à bout de nerfs.

— Un peu de repos ne serait pas du luxe, effectivement.

Haley contourna le lit, se pencha pour prendre son sac dont elle passa la bandoulière sur son épaule. Elle se redressa, regarda Dan. Il avait les yeux fermés, comme s'il errait de nouveau dans les limbes.

Elle caressa ses cheveux, baisa sa joue.

— Je reviens, Dan, promit-elle avec douceur.

Elle l'entendit murmurer à son oreille :

— Au secours…

La porte de la penderie s'ouvrit brusquement, le fauteuil bascula en avant et tomba sur le sol de l'atelier.

— Bonté divine ! s'exclama Noah.

Caitlin essaya de parler, mais le noir emplit ses paupières.

— Ne bouge pas, dit Noah.

Il saisit un couteau sur l'établi et découpa l'arrière du sac. Puis il desserra les fils de fer qui maintenaient le plastique autour du cou de Caitlin.

Elle respira enfin, la bouche ouverte, buvant l'air comme un assoiffé se jette sur de l'eau en plein désert. Noah continua à la libérer de ses liens, en prenant garde à ce qu'ils n'entaillent pas davantage la peau. Ses mains tremblaient, la lenteur de l'entreprise le mettait en rage.

— Tu es revenu, bredouilla-t-elle d'une voix éraillée. Merci.

— Travis m'avait dit que tu venais ici. J'avais besoin de réfléchir, alors j'ai fait quelques pas sur la route, et j'ai aperçu ta voiture dans le cul-de-sac. J'ai compris que tu étais toujours là.

— J'avais caché la voiture pour que Westy ne la voie pas. Merci de ne pas m'avoir abandonnée.

— Voilà, tu es libre.

Noah tapota ses poches.

— Je vais appeler une ambulance.

— Non, on n'a pas le temps. Je vais bien.

— Tu es en sang de la tête aux pieds, objecta Noah, examinant ses poignets et ses chevilles cisaillés par le fil de fer.

— Téléphone à Naomi. Il faut avoir la certitude que Travis est en sécurité. Et puis appelle Sam Mathis. Il doit se rendre à l'hôpital. J'ai peur pour Dan. J'ai peur que Westy cherche à le faire taire pour toujours.

— Son propre fils ? s'écria Noah.

— Appelle-les.

Elle acheva de se débarrasser de ses entraves et s'approcha d'une étagère sur laquelle elle avait repéré une trousse de secours marquée d'une croix rouge.

— Qu'avez-vous dit au sujet de Westy ?

Caitlin et Noah sursautèrent. Paula était sur le seuil. Ils échangèrent un regard.

— J'ai remarqué que ta voiture était toujours là, Noah. Alors je suis redescendue voir pourquoi tu n'étais pas parti. Qu'avez-vous dit, Caitlin ? Sur mon mari ? Que se passe-t-il ? Mais… vous saignez !

— Il l'a ligotée avec du fil de fer et l'a enfermée dans la penderie. Il était déterminé à l'abandonner là-dedans, jusqu'à ce que mort s'ensuive.

Paula secoua la tête.

— Non. C'est impossible.

Noah ouvrait la bouche pour répliquer, mais se ravisa.

— Nous n'avons pas le temps d'en discuter.

Lui tournant le dos, il téléphona à sa sœur.

— Naomi, c'est moi. Vous allez bien, Travis et toi ? Et Champion ?

— On va bien. Ed est là, il joue aux cartes avec Travis qui trouve ça idiot, mais…

— Tant mieux, restez avec Ed, ne bougez pas de la librairie. Je t'expliquerai tout plus tard.

— Travis veut savoir si tu as trouvé Caitlin.

Noah jeta un coup d'œil à sa femme qui enroulait de la gaze autour de ses poignets.

— Oui, dis-lui qu'elle va bien, grâce à lui.

— Noah, pose ce téléphone et réponds-moi, ordonna Paula.

Caitlin fixa ses bandages puis regarda Paula droit dans les yeux.

— C'est moi qui vais vous répondre. Votre mari est un pédophile et un assassin en puissance. Et il est impliqué dans la disparition de Geordie, d'une manière ou d'une autre.

— C'est grotesque. Westy ne ferait jamais de mal à un enfant. Il adore les enfants.

— Oui… beaucoup trop.

— Vous m'écœurez, vous avez des pensées ignobles. Mais pourquoi vous croirait-on ? ajouta Paula d'un ton froid. On sait que vous êtes une menteuse hors pair.

— Je me moque que vous me croyiez ou pas. Préparez-vous à de mauvaises surprises. Westy n'est pas l'homme que vous pensez connaître.

Noah était en ligne avec Sam Mathis, qui avait décroché son téléphone alors qu'il s'engouffrait dans sa voiture, sur le parking de l'hôpital.

— Westy Bergen a ligoté Caitlin et l'a enfermée dans un placard, ici dans son atelier. Il est aux abois. Ne le laissez surtout pas seul avec Dan. Dan est notre unique lien avec Geordie. Oui… nous arrivons.

— Dan ? répéta Paula. Mon Dan ?

— Il a tenté de le tuer, votre Dan, rétorqua amèrement Caitlin.

— Quelle absurdité ! Il adore Dan.

— Peut-être que votre fils a découvert quel était l'autre hobby de son père, après les oiseaux : tripoter des petits garçons.

— Espère de garce ! Retirez vos paroles !

Caitlin la dévisagea, sans trop savoir si elle éprouvait envers Paula du mépris ou de la pitié. Comment avez-vous pu être aussi aveugle, madame ? songea-t-elle. Comment avez-vous pu ne pas deviner les penchants de votre compagnon ? Pourtant cela se produisait quotidiennement. Nous sommes tous convaincus de connaître notre conjoint. Nous espérons simplement ne pas être trompés.

Le masque savamment élaboré qu'arborait Paula, ce masque de calme et de compétence, se fissurait sous les yeux de Caitlin – laquelle dut admettre que la pitié, en elle, l'emportait sur le mépris.

— Je ne peux pas retirer mes paroles, Paula, déclara-t-elle, soutenant le regard horrifié de son interlocutrice. Vous refusez de me croire, bien sûr, plutôt mourir. Malheureusement, je dis la vérité.

Noah mit fin à sa communication et inspecta les bandages de Caitlin.

— Il faudra qu'on te refasse ça, à l'hôpital.

— On s'en occupera plus tard. Allons-y.

Ils entendirent une porte claquer, se retournèrent. Paula s'était éclipsée. Soudain, un moteur ronfla. Noah se rua vers le seuil de l'atelier et regarda au-dehors.

— Elle est partie. Avec ma voiture.

— On prendra la mienne. Dépêchons-nous.

Lentement, Haley reposa son sac sur le sol et reprit sa place dans le fauteuil, au chevet de Dan.

— Qu'est-ce que vous fabriquez ? marmonna Westy. Je pensais que vous partiez.

— J'ai changé d'avis. Je reste.

— Vous n'êtes pas la bienvenue ici, rétorqua-t-il avec un effort pour se contrôler.

Haley lut de la rage sur ses traits ; un calme étrange l'envahit.

— Il me semble pourtant vous avoir entendu dire, tout à l'heure, que vous m'aimiez beaucoup. Que vous regrettiez tellement que Dan et moi soyons séparés.

— J'essayais juste de vous remonter le moral. En réalité, je trouve pathétique votre manière de le harceler. Il a continué son chemin, Haley. Vous pendre à ses basques ne changera rien. Vous devriez capituler. Allez-vous-en et laissez-le mener sa vie.

Haley prit la main de Dan, entrelaçant ses doigts aux siens.

— Non, je vais rester ici, comme prévu. Vous pouvez y aller, si vous le voulez.

Tout en parlant, elle sentait Dan serrer ses doigts.

— Il faut que je demande à la police de vous chasser d'ici ? Je n'hésiterai pas. Il y a un flic dans le couloir. Je vais lui expliquer que vous compromettez la guérison de mon fils.

— Ne vous gênez surtout pas. Moi, je lui dirai que vous avez tenté d'étouffer votre fils avec un oreiller.

Westy dardait sur elle des yeux luisants de haine, mais Haley soutint ce regard. Soudain, la porte se rouvrit, et l'officier Wheatley apparut.

— Monsieur Bergen, je viens d'avoir l'inspecteur Mathis au bout du fil. Une jeune femme a porté plainte contre vous. Il faudrait m'accompagner au commissariat pour répondre à quelques questions…

— Quelle jeune femme ?

Wheatley lança un coup d'œil à Haley.

— Vous n'aurez qu'à le demander au commissariat.

— Non, je ne vais nulle part ! Je reste ici auprès de mon fils.

— Je suis navré, mais… vous n'avez pas le choix. Soit vous venez de votre plein gré, soit je vous arrête.

— Vous m'arrêtez ? s'écria Westy. Le monde est devenu fou !

— Inutile d'aggraver la situation. Allons, suivez-moi. Nous réglerons peut-être le problème, et vous pourrez retrouver votre fils très vite.

— Ne le laissez pas revenir ici, intervint Haley d'une voix tremblante. Il a tenté d'étouffer Dan avec un oreiller.

Westy pivota vers elle, ivre de rage.

— La ferme, espèce de…

— Ça suffit, dit sèchement le policier.

— Non, je ne viens pas, glapit Westy.

L'officier Wheatley ébaucha le geste de lui agripper le bras. Westy repoussa sa main et le frappa au visage. Le policier dégaina son arme.

— Là, vous dépassez les bornes. Voie de fait sur un policier. Monsieur Bergen, je vous somme de me suivre au…

Il n'eut pas la possibilité de terminer sa phrase. Westy s'empara de son arme. Il lui tira dessus à bout portant.

Haley poussa un hurlement et se jeta sur Dan, le protégeant de son corps. Westy tira de nouveau. Haley s'affaissa sur la poitrine de Dan, alors que la porte s'ouvrait et que des aides-soignants, une infirmière et un médecin tentaient d'entrer.

Westy brandit le pistolet en tous sens, vociférant des menaces. Les autres reculèrent, comme il le leur ordonnait. Il se rua dans le couloir.

— Attention ! cria quelqu'un. Un homme armé !

Les gens se plaquaient contre les portes des chambres, se précipitaient sous les tables et les chariots. L'étage, subitement, semblait désert. Westy avait le champ libre. Il courut jusqu'à la sortie des urgences et dévala l'escalier.

32

Noah conduisait. Non loin de l'hôpital, ils entendirent mugir des sirènes et virent les éclats lumineux de gyrophares. Passant la tête par la vitre, Caitlin distingua une barrière dressée devant l'entrée principale de l'hôpital ; quiconque essayait d'entrer était prié de faire demi-tour. La circulation était bloquée, les automobilistes observaient le remue-ménage.

— Je descends et j'y vais en courant, dit Caitlin.

— Tu es folle ? C'est bloqué, visiblement. Reste là, tu risquerais de recevoir un mauvais coup.

— Mais qu'est-ce qui se passe ?

Tandis qu'ils avançaient à une allure d'escargot, ils aperçurent sur le parking de l'hôpital un escadron de voitures de patrouille. Des policiers, l'arme au poing, paraissaient concentrer leur attention sur un point proche des urgences. Un policier muni d'un porte-voix s'adressait à quelqu'un, mais ses paroles étaient inintelligibles.

— C'est Sam Mathis ! s'exclama Caitlin. Je le reconnais.

Un flic en uniforme équipé d'un gilet pare-balles arrivait au pas de course ; il se planta au milieu du carrefour embouteillé et entreprit de faire circuler les véhicules. Il fit signe à une automobile de passer.

— Mais... c'est ma voiture ! dit Noah. Et Paula est au volant.

À cet instant, la conductrice tourna brutalement à droite, accéléra à fond et fonça dans la barrière qui vola en éclats. On entendit des coups de frein, lorsque le policier chargé de la circulation s'élança vers le parking.

— Hé, vous, stop !

Noah hésita une fraction de seconde, puis :

— Cramponne-toi. On les suit.

Il se dégagea de la file de véhicules, roulant sur le bas-côté, et se faufila ainsi jusqu'à la barrière brisée qu'il franchit.

Plus loin sur le parking, Paula s'arrêta entre deux rangées d'automobiles, coupa le moteur et jaillit de la voiture. Noah et Caitlin, garés sur une place de stationnement interdit, l'imitèrent. Paula se précipitait vers la sortie du service des urgences.

— C'est sa femme ! cria quelqu'un. Ne tirez pas !

Noah et Caitlin, pliés en deux derrière les voitures, zigzaguaient vers la scène du drame. Les policiers ne regardaient que Paula qui courait à découvert, sourde à leurs cris, indifférente au danger.

— C'est Westy, dit Caitlin. Je le savais. Et si Dan était mort ? Si on ne réussit pas à retrouver... si on ne découvre jamais...

— Tais-toi, commanda sévèrement Noah. Bon Dieu, mais qu'est-ce qui se passe ici ?

Comme pour répondre à sa question, un coup de feu claqua. Tout le monde sur le parking s'accroupit, hormis Paula qui continua à s'élancer en direction de la fusillade.

Caitlin et Noah, eux aussi, continuaient leur progression. À présent, ils voyaient clairement Westy. Il appuyait le canon de son arme sur la tempe d'une jeune infirmière blonde qui lui servait de bouclier humain.

Caitlin entendit la voix, calme et autoritaire, de Sam Mathis :

— Posez votre arme, monsieur Bergen. Laissez Sharon partir. Nous pouvons régler cette affaire tranquillement.

Ces paroles réconfortèrent Caitlin qui s'accrochait à la moindre bribe d'espoir.

— Peut-être que personne n'a été blessé pour le moment, chuchota-t-elle.

— Souhaitons-le.

Plusieurs policiers rattrapèrent Paula et tentèrent de la stopper, mais elle leur échappa. Elle poursuivit sa course vers son époux.

— Westy ! ordonna-t-elle. Lâche cette jeune femme. Elle n'a pas mérité ça. Lâche-la.

— Éloigne-toi de moi, Paula. Ne leur facilite pas la tâche !

— Lâche-la. Laisse-moi prendre sa place.

Caitlin retint son souffle. Elle devait admettre que, face à l'évidente folie de son mari, Paula montrait un courage admirable. Mais la vérité qu'elle avait à affronter était sans doute pire pour elle que la perspective d'être criblée de balles.

— Westy, s'il te plaît – Paula leva les mains pour montrer qu'elle n'était pas armée –, je me fiche de ce qui peut m'arriver désormais.

— Pourquoi ?

— Après ce que tu as fait ?

Elle émit un rire, pareil à un aboiement, où tremblait un sanglot.

— Qu'est-ce qui pourrait encore compter ?

Westy secoua la tête, les yeux étrécis.

— Quarante ans de mariage et tu ne m'accordes même pas le bénéfice du doute... marmonna-t-il avec dégoût.

— J'ai essayé, protesta-t-elle d'un ton peu convaincant.

— Non, c'est pas vrai. T'as jamais essayé. Tu ne m'as jamais respecté. Tu m'as toujours traité comme un minable.

Un van de la SWAT[1] était entré sur le parking et roulait à faible allure vers le forcené. Quatre hommes en treillis, armés de fusils à lunette, sautèrent en marche par la portière latérale.

— Monsieur Bergen, il faut vous rendre ! lança Sam Mathis. Libérez l'otage. Il est inutile qu'une autre personne soit blessée.

— Une autre personne ? s'exclama Caitlin. Ça signifie que quelqu'un a été touché ? On arrive trop tard ?

— Du calme. On n'en sait rien, objecta Noah.

---

1. Special Weapons and Tactics : unité de police spécialisée dans les opérations paramilitaires en milieu urbain.

— Westy, arrête tout de suite, dit Paula qui s'effor-çait manifestement de se maîtriser. Écoute, je ne sais pas ce qui ne va pas chez toi, mais tu as besoin d'aide. C'est évident.

— J'ai pas besoin d'aide ! Pourquoi j'en aurais besoin ? Parce que je ne fais pas ce que tu veux ?

— Ils disent que tu as abusé sexuellement des enfants. Ils disent que c'est toi qui as frappé Dan.

— Et tu les crois ! Tu ne me demandes même pas si c'est vrai. Et en plus tu me donnes des ordres.

— Monsieur Bergen ! articula Sam Mathis dans son porte-voix. Votre femme cherche à vous aider. Écoutez-la !

— M'aider ? s'énerva Westy. Elle a honte de moi. Elle ne croit pas un mot de ce que je lui raconte.

— C'est faux ! Si, bien sûr que je te crois. Quoi qu'ils puissent dire, je sais bien que jamais tu ne ferais de mal à Dan.

Westy la dévisagea un instant, soupesant sa sincé-rité.

— Ton cher Dan. Tu penses tout savoir de Dan. Tu as toujours pensé qu'il n'était qu'à toi. Mais entre Dan et moi, il y avait quelque chose de spécial. On était tel-lement plus proches qu'un père et son fils.

Paula tressaillit.

— Ne dis pas ça.

— On avait ça, Paula. Désolé, mais on avait ça. Et pourtant il s'en est pris à moi. C'est un traître. Il m'a trahi. Après tout ce qu'on a partagé.

— Mais qu'est-ce que tu racontes ? cria-t-elle.

— Il fallait que je le fasse taire, poursuivit-il, haineux. Il allait déballer tout ce qu'on avait vécu ensemble, comme on lave son linge sale en public. Je pouvais pas accepter.

— Oh, mon Dieu...

Paula se plia en deux. Elle tomba à genoux, se balançant d'avant en arrière, les bras noués autour de son ventre, comme pour empêcher ses entrailles de se répandre sur le bitume.

— Salaud ! hurla Caitlin qui, cachée derrière une voiture, se redressa d'un bond – il lui semblait que son cœur explosait dans sa poitrine. Où est Geordie ? Qu'est-ce que vous avez fait de lui ?

— Caitlin, non ! dit Noah qui se redressa également, cherchant à la retenir.

— À terre ! tonna Sam Mathis. Planquez-vous !

Trop tard. Westy voyait Caitlin, qui hurlait son désespoir, s'avancer vers lui. Il s'accrocha à son otage, son bouclier, mais braqua son arme vers Caitlin, à l'instant où Noah l'agrippait.

— Reculez ! vociféra-t-il.

Noah tenta de la tirer en arrière, hors d'atteinte. Caitlin se débattit, résolue à marcher sur Westy.

— Espèce de malade, de pervers ! Où est mon petit garçon ?

— Comment je le saurais ?

Sharon, l'otage, s'apercevant qu'il ne la menaçait plus de son arme, hésita une fraction de seconde avant de saisir sa chance. Elle approcha la main de Westy de sa bouche et le mordit au poignet. Avec un cri de douleur, il desserra son étreinte. La jeune femme s'écarta d'un bond et plongea derrière la voiture la plus proche.

Caitlin, elle, se ruait sur Westy qui pointait de nouveau son arme sur elle.

— Maintenant ! beugla Sam.

Les tireurs d'élite de la SWAT, déjà en position, firent feu.

33

Caitlin et Noah sonnèrent à la porte de la maison en brique.

— La dernière fois que je suis venue ici, j'étais persuadée que Dan retenait Geordie prisonnier. Il m'a fait entrer, je me suis plantée au milieu du vestibule et je me suis mise à appeler Geordie, à hurler comme une cinglée.

— Tu ne te trompais pas de beaucoup, rétorqua Noah qui lui prit la main et l'étreignit. Maintenant, ce n'est plus qu'une question d'heures.

— Dieu merci, murmura Caitlin en lui souriant.

Ce fut Paula Bergen qui ouvrit. À leur vue, elle ne manifesta aucune émotion. Elle avait les traits tirés, l'air hagard, le regard éteint.

— Entrez, dit-elle, comme si elle était une domestique. Il est au salon.

— Comment allez-vous, Paula ? demanda Noah.

Elle secoua la tête sans répondre, les escorta jusqu'au seuil du salon.

— Dan, je monte au premier. Je suis très fatiguée. Appelle si tu as besoin de moi.

Là-dessus elle se détourna et, d'un pas lourd, gravit l'escalier.

Comment pouviez-vous ne pas savoir, songea Caitlin en la suivant des yeux. Vous étiez si occupée à tenir votre belle maison, préparer vos repas gastronomiques, vous consacrer à votre travail de cadre supérieur que vous n'avez même pas vu ce qui se passait sous votre nez.

Caitlin se reprocha sa dureté. Inutile d'en rajouter, Paula était la première à se condamner. Elle souffrirait jusqu'à la fin de ses jours, maintenant qu'elle avait découvert que son mari était un dépravé, un prédateur s'attaquant aux enfants, y compris à son propre fils. Paula avait dû, ces derniers jours, se poser la question des centaines de fois : comment ai-je pu ne pas voir ?

Dan, couvert d'hématomes et de pansements, était installé dans un fauteuil inclinable.

— Entrez, dit-il. Excusez-moi, je ne me lève pas, c'est encore douloureux.

— Tu as meilleure mine, constata Noah d'une voix où vibrait une note accusatrice.

— Je me remets.

La mort de Westy Bergen avait, semblait-il, sorti Dan du semi-coma où il s'enfonçait depuis que son père l'avait roué de coups. Son esprit s'était subitement éclairci et la première question qu'il avait posée concernait Haley. Heureusement, elle avait été opérée avec succès et se rétablirait complètement. L'autre victime de Westy, le policier Wheatley, était hélas dans un état critique.

344

Dan avait ensuite indiqué à la police où se trouvait Geordie. En cet instant même, le garçonnet était à bord d'un avion en compagnie de deux agents fédéraux qui le ramenaient à la maison. Noah et Caitlin auraient préféré aller le chercher eux-mêmes, cependant on leur avait répondu, gentiment mais fermement, qu'ils ne récupéreraient leur fils qu'après l'atterrissage à Philadephie.

Dans une heure. Soixante minutes à passer avec Dan dans son domicile de Philadelphie, où il était en convalescence, inculpé de kidnapping et libéré sous caution. Hormis les excuses qu'il leur avait présentées, Dan n'avait pas eu la possibilité, depuis son arrestation, de parler à Noah et Caitlin. Cet entretien, quoique tendu, était absolument nécessaire.

Paula logeait dans la maison avec son fils, elle s'occupait de lui, mais elle n'était plus que l'ombre de la femme qui, naguère, s'enorgueillissait de son existence parfaitement ordonnée. Noah et Caitlin s'étaient demandé si elle assisterait à la discussion. À l'évidence, en décidant de monter se reposer, elle se dérobait une fois de plus. Elle refusait d'entendre son fils décrire les circonstances atroces qui avaient abouti à la destruction de leur famille.

— Je suis content que vous soyez venus, dit Dan. Je tenais à vous expliquer ce qui s'est passé.

— Nous savons l'essentiel, rétorqua abruptement Noah.

— Noah, murmura Caitlin. Laisse-le parler.

— Merci, Caitlin. Par où commencer ? Vous allez avoir du mal à me croire, mais j'ignorais ce que mon père m'avait infligé. Il y avait un énorme trou noir dans ma vie. Je ne comprends pas comment c'est possible, mais je n'avais aucun souvenir de tout ça. Je l'avais refoulé. Je ne me souvenais de rien, jusqu'à la fête d'anniversaire. Quand Geordie a ouvert ses cadeaux, quand j'ai vu la paire de jumelles que mon père lui offrait… la foudre m'est tombée dessus. Je regardais Geordie déballer le paquet, je vous entendais dire que mon père l'emmènerait observer les oiseaux et, brusquement, j'ai eu la migraine et mal à l'estomac. Lorsque j'ai quitté la fête, je titubais. Il fallait que je rentre à Philadelphie, mais je souffrais trop. Je n'aurais pas pu conduire, je voyais double, littéralement. Ma copine est repartie en bus, et moi je suis resté chez Haley. Ce fut la pire nuit de mon existence. Les images se bousculaient dans ma tête. Je n'en revenais pas d'avoir ces pensées… dégoûtantes à propos de mon père. Lui et moi, cachés dans les canardières, ou dans le canoë qui tanguait. J'avais honte de pouvoir imaginer des choses pareilles. Mais à l'aube, j'ai commencé à comprendre que c'était la réalité. Ces choses s'étaient réellement produites. Ça m'était arrivé, à moi. Il m'emmenait en balade et, pendant qu'on nous croyait dans la nature en train d'observer les oiseaux, il me… il abusait de moi.

Les larmes roulaient sur les joues de Dan, mais il ne se donna pas la peine de les essuyer.

— Je ne pouvais le dire à personne… pas même à Haley. Et je n'avais qu'une idée à l'esprit : il allait s'en prendre à Geordie. Avec ce cadeau, cette paire de jumelles, il annonçait ses intentions. Sitôt que je les avais vues, tout m'était revenu. Je devais agir. Après cette nuit sans sommeil, épouvantable, je me suis rendu à l'école et j'ai dit à Geordie que je souhaitais qu'il m'accompagne en vacances. Une surprise, un cadeau d'anniversaire spécial. Et puis je l'ai embarqué.

— Mais pourquoi tu ne nous l'as pas dit, tout simplement ? s'écria Caitlin.

— Je ne raisonnais pas logiquement, admit Dan. Maintenant ça me paraît évident. J'étais affolé, je n'ai pas envisagé les conséquences. Je ne pensais qu'à sauver Geordie.

— Tu aurais pu contacter la police, lui reprocha Noah.

— Et accuser mon père ? Sans lui avoir parlé ? Sans avertir ma mère ? Je n'y ai même pas songé, figure-toi. C'était au-dessus de mes forces. J'avais besoin de temps pour réfléchir. Prendre des décisions. Mais en attendant, l'urgence était de mettre Geordie à l'abri. Je l'ai emmené directement à l'aéroport. On a pris un vol pour Porto Rico. Je l'ai laissé chez la mère de Ricardo Ortiz, Soledad. Grâce à lui et au base-ball, elle a une grande maison sur la plage. Un domaine familial, plutôt. Des enfants et des petits-enfants partout. Tous les proches de Ricardo, ou quasiment, ne parlent que l'espagnol, par conséquent ils ne risquaient pas d'être au courant d'un kidnapping dans le New Jersey. Et puis je connais Soledad depuis vingt ans. Je savais que Geordie se plairait au bord de la mer et qu'il serait en sécurité. J'ai demandé à Soledad de le protéger. Elle ne m'a pas posé de questions. Je lui ai proposé de l'argent, elle a refusé. Elle m'avait souvent dit, quand j'avais aidé Ricardo à entrer dans les équipes de la Ligue majeure, qu'elle ferait n'importe quoi pour moi. Je lui ai donc rappelé sa promesse.

— Mais tu as laissé Geordie me téléphoner, fit remarquer Caitlin.

— Je voulais que vous le sachiez sain et sauf. J'ai acheté le téléphone à Chicago, quand j'y suis allé pour le match. Ricardo est entraîneur des White Sox, maintenant, il est donc à Chicago. Je l'ai rejoint au stade, je lui ai donné le téléphone. Il a pris l'avion pour San Juan le soir même. Je lui avais dit de laisser Geordie parler une minute, pas plus. Je lui avais dit comment il devait expliquer ça à Geordie. Ricardo a fait exactement ce que je lui avais demandé.

Caitlin songea à l'avion, en provenance de San Juan, qui leur ramenait Geordie. Elle avait parfois perdu tout espoir de le revoir. Mais il était en plein ciel, en cet instant même, il leur revenait.

— Pour être franc, poursuivit Dan, je bloquais. Je me dérobais. Après que Caitlin a débarqué ici, à la recherche de Geordie, j'ai su ce que je devais faire. Je suis allé à Hartwell et je t'ai donné rendez-vous au cimetière, Noah. Je voulais tout te dire. Mais je n'avais pas encore vu mon père. Je ne pouvais pas te parler. Je t'ai quitté et je l'ai rejoint à l'atelier. Je voulais tout affronter en même temps, lui et ce lieu, un de ses cadres favoris pour ses agressions. Vous connaissez la suite. D'abord, il a nié. Mais j'étais déterminé à ce qu'il ne s'en tire pas comme ça. Ce qu'il m'a fait a gâché ma vie.

— Tu dis que tu ne t'en souvenais pas, objecta Caitlin. Comment cela a-t-il pu gâcher ta vie ?

Dan hésita, s'éclaircit la gorge.

— Je n'ai jamais compris ce qui ne tournait pas rond chez moi. Je n'ai jamais pu avoir, comme n'importe quel homme, des... relations avec une femme. L'acte sexuel me paraît... brutal. Et quand c'est fini, je n'éprouve à l'égard de ma partenaire que des sentiments qui vont du dégoût à la haine.

— Cela ne regarde que toi, marmonna Noah, gêné.

— Non, c'est important. J'ai enlevé ton fils. Il faut que tu saches pourquoi. Cela envahit les moindres replis de la vie. Cela détruit ta... confiance. Cela a anéanti mon mariage avec la seule femme que j'aie vraiment aimée.

— Haley, murmura Caitlin.

— Oui, Haley.

— Elle tient toujours à toi, dit Caitlin.

— Manifestement, oui. Elle a failli mourir pour me protéger.

— Peut-être que tout n'est pas perdu pour vous deux. Quand tu seras... enfin, tu comprends.

Caitlin refusait de mentionner la prison.

— Tu es gentille, mais je ne me leurre pas, rétorqua Dan, amer. Je ne réussirai sans doute jamais à surmonter ça. Au moins, maintenant, je sais pourquoi je suis comme je suis.

— Tu as dit ça à ton père ? interrogea Caitlin.

— Quand je lui ai relaté mes souvenirs, il a essayé de me persuader que j'avais imaginé tout ça. Je n'ai pas cédé et, au moment où j'ai fait mine de partir, il m'a attaqué avec un marteau. Il a tenté de m'assassiner.

— Seigneur ! s'exclama Noah.

— Il a probablement cru m'avoir tué. Il m'a traîné jusqu'à la voiture, emmené chez vous, dans votre jardin, pour que Noah soit accusé. Il m'a abandonné là, dans les buissons.

— Il ne fera plus de mal à personne, dit doucement Caitlin.

— Je suis tellement navré de vous avoir fait subir cette épreuve. Je ne pensais qu'à protéger Geordie. Je ne voulais pas qu'il soit démoli parce que je n'avais rien fait.

— Nous avons traversé l'enfer à cause de toi. Ça, je ne te le pardonne pas, protesta Noah.

— Je comprends.

— Je te crois, Dan, dit Caitlin. Je sais que tu as agi de cette façon pour le bien de Geordie.

Un silence embarrassé s'instaura entre eux. Noah consulta sa montre.

— Nous devons y aller. On veut être là quand il descendra de l'avion.

— Merci d'être passés me voir.

Noah ne répliqua pas, mais Caitlin s'approcha de Dan et lui prit la main. Dan lui étreignit les doigts.

— Viens, Caitlin, dit Noah.

Ils sortirent et regagnèrent la voiture. Noah se mit au volant, Caitlin s'assit près de lui.

— Son avocat plaidera le stress post-traumatique.

— Si quelqu'un a une bonne raison d'arguer du stress post-traumatique, c'est bien Dan. Cela me paraît une explication parfaitement valable.

— J'espérais qu'il accepterait de négocier avec le procureur pour éviter le procès.

— Il a peut-être besoin de dire pourquoi il a fait ça. Au grand jour.

— Notre famille n'en a pas assez subi ? s'insurgea Noah.

— Que se passerait-il si on retirait notre plainte ?

— Ça ne marche pas comme ça.

— Et si la mémoire ne lui était pas revenue, Noah ? Si Dan n'avait pas réagi, si Geordie avait été la victime de Bergen ? Je n'arrête pas d'y penser. Nous aurions pu ne jamais deviner. Geordie aurait pu souffrir comme Dan a souffert. Comme Travis a souffert.

— Travis, répéta Noah avec gravité.

Ils roulèrent en silence durant quelques minutes à travers le sud de Philadelphie, puis s'engagèrent sur la Route 95. L'autoroute enjambait le secteur industriel, sinistre, de la ville où les raffineries de pétrole empuantissaient l'atmosphère. Caitlin regarda son mari.

— Il s'est conduit stupidement. Mais quand il dit qu'il était affolé, je le crois. Il essayait de sauver Geordie.

Elle tourna la tête, contempla le lugubre paysage qui défilait derrière la vitre.

— Je le comprends peut-être mieux que toi. Moi aussi, je me suis fourvoyée. Au lieu de parler, j'ai gardé le silence.

Noah ne répliqua pas.

— Dan a souffert, indiscutablement, insista-t-elle.

— Indiscutablement.

— Il t'est arrivé de trouver que Westy était… bizarre ?

— Non, jamais. Mon Dieu, pauvre Travis.

— Ne m'en parle pas. J'ai été si injuste avec lui. Il m'énervait tellement que j'étais dure. Quand je pense au fardeau qu'il portait. J'espère pouvoir me racheter.

— Et moi, qu'est-ce que je devrais dire ? Je demandais souvent à Westy d'aller chercher Travis, les jours où j'étais débordé. J'ai confié le fils de ma sœur à un prédateur. J'en aurai éternellement du remords. Si j'avais été plus attentif…

— Ne te torture pas, tu ne pouvais pas savoir. Personne ne s'en doutait. Et puis, Naomi m'a dit que le thérapeute était optimiste. Le simple fait que Travis n'ait pas refoulé ce qu'il a subi est de bon augure. Et comme il a désormais la certitude que Champion ne risque pas d'être tué, ça va mieux.

— On va devoir le supporter, ce maudit chien, plaisanta Noah, mais sa voix s'érailla.

— Nous devons seulement repartir du bon pied.

Noah lui lança un regard oblique.

— Moi aussi, j'ai été injuste avec toi. Je t'ai même accusée.

— Oh, je t'avais donné une bonne raison de ne pas te fier à moi.

— Pourquoi tu ne m'as pas tout raconté dès le départ ?

Caitlin y avait beaucoup réfléchi.

— J'ai raté le bon moment. J'aurais dû te le dire immédiatement, le jour de notre rencontre. Mais j'avais honte, et les mots ne sont pas sortis. L'instant d'après, c'était trop tard, on riait ensemble, toi et moi. Et tout est allé très vite… Je savais que vous étiez mon bonheur. Toi et Geordie. Je voulais être heureuse. Égoïstement, je voulais juste que ça dure. Je pensais pouvoir préserver mon secret et panser vos blessures. Apaiser votre chagrin. Vous rendre le sourire.

— Expier…

Caitlin poussa un soupir.

352

— Non, la notion d'expiation implique de la souffrance, de la peine. Avec vous deux, je n'éprouvais que… de la joie.

Noah demeura un instant silencieux.

— Moi aussi.

Elle ravala ses larmes.

— Nous avons tous commis des erreurs, ajouta-t-il.

— Peux-tu me pardonner la mienne ?

— Je ne suis pas doué pour le pardon. Les avocats, tu sais… on est toujours certains d'avoir raison.

Ils se sourirent.

— Mais je m'efforce d'apprendre. Je m'entraînerai d'abord sur toi.

— Merci, souffla-t-elle.

— J'essaie de trouver le moyen de pardonner à Dan. Lui aussi est une victime.

— Il y a eu tant de victimes. Emily, notamment. Westy avait si peur qu'elle le dénonce qu'il l'a pourchassée et poussée à se jeter devant le pick-up de mon frère.

— Et donc ton frère est aussi une victime ?

— Non, je ne peux pas dire cela.

Nouveau silence qui se prolongea, puis :

— Pauvre Emily, murmura Noah.

Caitlin lui avait répété tout ce que Travis lui avait confié, mais il lui était encore difficile de l'accepter.

— Quelle horreur de tomber sur… cette scène. Son propre père avec Travis, ajouta-t-il, et un frisson le parcourut. Elle adorait son père. Quel choc ! Elle a dû être anéantie. Ça me rend malade.

— Mais elle était courageuse, elle a fait ce qu'il fallait. Elle a emmené Travis. Il m'a dit qu'elle avait crié à Westy qu'il serait arrêté. Qu'elle l'ait défendu de cette façon, c'est essentiel pour Travis.

— Elle l'a payé le prix fort, remarqua gravement Noah. Et Geordie aussi : il a perdu sa mère.

Ces mots firent mal à Caitlin, même si c'était la vérité. Emily était la mère de Geordie, et son dernier acte sur cette terre avait été de sauver un autre enfant des griffes d'un prédateur. Un jour, quand on lui relaterait cette histoire, Geordie serait fier d'elle. Caitlin veillerait à ce qu'il sache et comprenne ce que sa mère avait accompli : défier son propre père et faire le nécessaire.

— Ah, voilà le panneau pour le hall d'arrivée, remarqua-t-elle.

Noah prit à gauche la bretelle menant au parking de l'aéroport. Durant les dernières quarante-huit heures, ils avaient eu Geordie au téléphone, trois fois, et lui avaient promis d'être là pour l'accueillir.

— Tu as pris Bandit ? demanda Noah.

— Évidemment. Oh, je suis si excitée, j'ai l'impression d'être une gamine le matin de Noël !

Le terminal des arrivées était quasiment désert. Ils se dirigèrent vers la porte de débarquement, s'assirent et rongèrent leur frein. L'avion atterrirait à l'heure prévue, mais chaque seconde leur paraissait interminable.

Enfin ils virent l'avion se poser sur la piste. On arrima la passerelle télescopique.

— On ne peut pas aller à sa rencontre ? s'impatienta Caitlin.

— Je crois qu'il vaut mieux attendre ici. Ce ne sera plus long, maintenant.

— J'ai eu tellement peur, c'est fou.

— Oui, souvent je me suis dit que je n'aurais pas la force de supporter ça un jour de plus.

Ils se tenaient les mains, se parlaient, mais leurs yeux étaient rivés sur la porte de débarquement du vol en provenance de San Juan.

Et soudain, il y eut du mouvement, là-bas. Une hôtesse ouvrit la porte, que trois personnes franchirent. Deux types solides en costume et un petit bonhomme.

Que te dit ton cœur ? songea Caitlin. Comment accueilles-tu le fruit de ton cœur, que tu redoutais d'avoir perdu à tout jamais ?

Geordie était vêtu d'un short ample et d'un T-shirt orné de l'emblème de San Juan. Il portait son sac à dos. Ses lunettes glissaient sur son nez. Quand il vit son père et Caitlin, son visage s'illumina.

— C'est mes parents, dit-il aux hommes qui l'escortaient.

— OK, répondit l'un de ses gardes du corps.

Et Geordie s'élança, tandis que Noah, en deux enjambées, le rejoignait, le soulevait de terre et cachait sa figure contre l'épaule de son fils. Geordie l'étreignit de toutes ses forces.

Mais au bout d'un instant, il se mit à gigoter.

— Pose-moi, papa.

Caitlin, qui les contemplait, eut un brusque vertige. Elle tomba à genoux, le regard à la hauteur de celui de Geordie qui s'avançait vers elle et le chien en peluche qu'elle tenait.

— Bandit ! s'écria-t-il avec un sourire où manquaient plusieurs dents de lait. Je croyais l'avoir perdu !

Caitlin lui tendit Bandit qu'il embrassa. Puis, vibrant d'énergie, il dit :

— C'était chouette, maman. La maison, elle est sur la plage. Et ils étaient tous très gentils. Je pourrai y retourner ?

— On verra, murmura-t-elle, le mangeant des yeux.

— Mais tu m'as manqué, ajouta-t-il gravement.

Caitlin l'entoura de ses bras, doucement, comme s'il était un papillon à peine posé et déjà prêt à s'envoler. Il était bronzé, il sentait le savon et le chewing-gum. Son petit corps semblait entre ses mains si tendre, si fragile. Elle ferma les yeux et se força à ne pas le serrer trop fort.

— Toi aussi, tu m'as manqué.

Patricia MacDonald
dans Le Livre de Poche

Derniers titres parus

La Fille sans visage   nº 37221

Hoffman, dans le New Jersey, une petite ville paisible.
Lorsqu'on apprend que le docteur Avery a poignardé sa
femme, c'est la stupeur. Nina, sa fille, est convaincue de son
innocence. Quinze ans plus tard, Avery est libéré sur parole.
Mais la ville est-elle prête à l'accueillir ?

J'ai épousé un inconnu   nº 31098

Emma et David passent leur lune de miel dans une cabane
en forêt. Le bonheur parfait. Mais depuis quelques mois, elle
reçoit des lettres anonymes dont une qui la pressait de ne pas
se marier. Puis Emma est victime d'une agression par un
homme masqué, en l'absence de David...

Origine suspecte   nº 37091

Après la disparition de Greta dans l'incendie de sa maison,
les soupçons de la police se portent sur son mari, Alec, au
grand désarroi de leur fille, Zoé. Émue par le désespoir de sa
nièce, Britt, la sœur de Greta, décide de mener l'enquête.

Rapt de nuit n° 31492

Tess a 9 ans lorsque sa sœur aînée est enlevée, violée et étranglée. Grâce à son témoignage, le coupable est arrêté, jugé et exécuté. Vingt ans plus tard, un test révèle que ce n'est pas son ADN qu'on a retrouvé sur Phoebe. Bouleversée, Tess décide de faire toute la lumière sur cette affaire.

Un coupable trop parfait n° 37021

La disparition brutale du mari de Keely n'est plus qu'un mauvais souvenir. L'enquête a conclu au suicide. Depuis, elle mène une existence paisible. Mais un nouveau drame surgit : Dylan, son fils de 14 ans, est soupçonné du meurtre de son beau-père.

Une mère sous influence n° 32360

Morgan assiste à West Briar, en Nouvelle-Angleterre, au baptême du fils de Claire, récemment mariée. Celle-ci donne des signes de dépression inquiétants. Quelques jours après la cérémonie, Morgan reçoit un appel désespéré de son amie : un crime effroyable a été commis et elle vient d'avouer...

Une nuit, sur la mer n° 35687

Pour fêter Noël, Shelby décide d'offrir à sa fille et à son gendre une croisière dans les Caraïbes. Chloé disparaît en mer. Les caméras de surveillance ont filmé la jeune femme titubant en état d'ivresse dans les coursives. Mais Shelby sait bien que sa fille déteste l'alcool.

Le Livre de Poche s'engage pour
l'environnement en réduisant
l'empreinte carbone de ses livres.
Celle de cet exemplaire est de :
350 g éq. CO_2
Rendez-vous sur
www.livredepoche-durable.fr

PAPIER À BASE DE
FIBRES CERTIFIÉES

Composition réalisée par FACOMPO (Lisieux)

Achevé d'imprimer en août 2013 en France par
CPI BRODARD ET TAUPIN
La Flèche (Sarthe)
N° d'impression : 3001799
Dépôt légal 1re publication : août 2013
LIBRAIRIE GÉNÉRALE FRANÇAISE
31, rue de Fleurus – 75278 Paris Cedex 06

31/7581/7